Résiste, je te demande de vivre

Yseur Veyet

Résiste, je te demande de vivre

Roman

LE LYS BLEU
ÉDITIONS

© Lys Bleu Éditions – Yseur Veyet

ISBN : 979-10-377-6430-0

À mon petit frère,
qui a apporté la lumière lorsque mon encre était trop sombre.
À ma grand-mère, qui a trouvé les mots quand je les perdais.
À toi, qui lis ce texte, que j'admire et qui m'inspires.

Chapitre 1
Dimanche 12 décembre 1943

J'espérais.

Je n'espérais pas seulement que l'occupation se termine, mais qu'aussi mes frères et ma petite sœur ne soient jamais avalés par cette guerre, bruyante, monstrueuse et affamée.

J'espérais qu'ils nous oublient, qu'ils nous laissent. Après tout, nous étions si bien cachés, si innocents. Nous n'étions que des enfants.

J'espérais de toute mon âme, de tout mon être.

Oui, j'espérais *vivre*.

Ce dimanche douze décembre, mon père et moi finîmes notre tour de garde, cachés sous un taillis dans le jardin, avant de rentrer discrètement dans notre maison teintée de blanc. Je retirai ma veste et, encore tout engourdie par le froid de l'hiver, allai me coucher avec mes petits crapauds tandis que ma mère prenait le relais. Elle me dit d'un ton sec que David, le plus jeune de mes frères, avait disparu.

Sur le coup, je ne m'inquiétai pas. En effet, c'était un bambin de nature joueuse. Il s'était donc probablement caché quelque part, attendant que je le trouve, le jeu de cache-cache étant notre jeu favori.

Dehors, il faisait froid. En faisant le tour de la maison, je retrouvai David. Dès qu'il me vit, il me sauta dans les bras et je l'enlaçai.

Vêtu d'un simple pull, il grelottait. Je l'emmitouflai sous mon manteau.

Notre maison en pisé était une longère de plain-pied. Elle n'avait qu'une seule chambre pour les enfants et bien sûr elle n'avait pas de commodités.

Nous étions donc tapis à l'arrière de la maison lorsque, tout d'un coup, nous entendîmes des troupes de soldats arriver en criant. Je me redressai immédiatement et nous courûmes à l'abri de la haie, au fond du jardin.

— Bouche-toi les oreilles, lui chuchotai-je.

Je ne voulais ni qu'il entende ni qu'il voie ce qui se passait. Je tentais de le préserver.

— Ouvrez ! hurla un nazi à l'accent guttural. Nous savons que vous êtes là ! Si vous ne sortez pas d'ici une minute, nous ferons feu !

Je connaissais par cœur mon père et ma mère : jamais ils ne se rendraient. Ils savaient très bien que l'endroit où les nazis nous emmenaient n'était pas une prison, mais bel et bien le *Gueihinnom*, l'Enfer.

En effet, à six mois de cela, mes oncles maternels, Kaleb et Michael, avaient été capturés et déportés dans un endroit dénommé « Drancy ». Depuis, nous n'avions plus eu de nouvelles.

— Feuer frei ! *Feu à volonté !* commanda soudainement un nazi.

Et ils tirèrent, sans même avoir pris la peine d'encercler la maison.

Instinctivement, je formai un cocon de protection de tout mon corps sur David. Pas une seule balle, un seul son, une seule vision d'horreur ne devaient l'atteindre.

Fiers d'eux, les nazis se mirent à rire. Ils étaient heureux de prouver leur supériorité, de sauver leur patrie de rats tels que nous.

Je me rappelle voir ma mère ouvrir la porte juste avant que la maison ne parte en feu. Elle eut à peine le temps de crier : « *Mélanie, sauve-toi !* » que les flammes l'enlacèrent. Ce fut le premier et le dernier ordre qu'elle me donna avec lequel j'étais d'accord.

Il ne fallait pas perdre une seconde. Ni une, ni deux, j'enlevai la main du visage de David, lui rendant ainsi son champ de vision, avant de le poser au sol et de courir dans la forêt.

Même s'il allait encore neiger cette nuit, si les officiers faisaient le tour de la maison, ils se rendraient rapidement compte de l'existence de survivants. Je pris alors la branche la plus proche de moi et me mis à courir à reculons tout en effaçant nos traces de pas.

— Cours ! ordonnai-je à David. C'est le premier arrivé au grand arbre tordu !

Pour David, la maison était synonyme de peur et d'enfermement, alors que l'extérieur signifiait au contraire la vie, la joie, le jeu et la liberté.

Pour ma part, je n'avais pas peur, ou du moins, j'étais habituée à ce sentiment. Mes parents m'avaient appris à rester maîtresse de mes émotions : une année sous l'occupation nous a fait perdre tout droit de se plaindre.

Et c'était vrai. Alors, je continuai la seule chose qui m'était donné de faire : courir.

Arrivée au grand arbre tordu, je m'aperçus qu'il faisait déjà nuit noire. Je savais que si je faisais un feu, les miliciens allaient tout de suite nous repérer mais je savais aussi que la ville était trop loin de nous. De plus, la marque des étoiles jaunes, anciennement cousues sur nos vestes et récemment arrachées, nous trahissait.

Alors, j'eus une idée.

— On va dormir dans l'arbre cette nuit, chuchotai-je à David.

J'inspectai rapidement du regard sa ramure et me retournai vers mon frère.

— Oui mais c'est quand qu'on mange ? bougonna-t-il.

Je lui souris et passai une main dans ses cheveux de jais.

— On mangera demain, promis, lui répondis-je. Sinon, les monstres vont nous trouver.

David avait cinq ans à l'époque, je lui pardonnai son insouciance. Moi, j'avais seize ans et demi, bientôt dix-sept, le quinze janvier.

Je montai dans l'arbre, David sur le dos, les mains accrochées autour de mon cou. Je fis bien attention à ne pas laisser de traces. Puis, veillant sur mon petit frère, blotti contre moi, je renonçai à fermer l'œil de toute la nuit.

Je ne pouvais pas m'empêcher de ressasser les horreurs dont j'avais été témoin. Encore et encore, j'entendais les cris de Benjamin, Raphaël, Salomé, Natan et Noa. Encore et encore, je revoyais mon reflet dans les yeux gris de ma mère, ses lèvres rouges s'entrouvrir et ses cheveux noirs périr dans les flammes.

Ma mère était une femme très belle. Elle était dure, certes, mais vraiment très belle. J'avais hérité de son corps, de la longueur et de la courbure de ses cheveux, de ses formes. Mais c'était à mon père que je ressemblais le plus : les yeux hazels, tirant tantôt sur le vert tantôt sur le noisette, des taches de rousseur légèrement marquées, la peau laiteuse et les cheveux couleur blond miel.

J'avais beau l'avoir détestée pour avoir été si dure, si insensible, si peu aimante avec moi, elle a fait de moi qui je suis. Bien qu'elle me jugeait têtue et indisciplinée, j'ai été élevée forte, indépendante. Elle m'avait donné un caractère bien trempé. Mais je ne la remercierai jamais assez pour tout l'amour qu'elle avait donné à mes frères et sœurs.

Je repensai à ces nuits où Benjamin, Raphaël et Natan dormaient dans leurs lits. Ils avaient pris l'habitude de rester ensemble, tandis que Salomé, Noa et David étaient avec moi. Je les observais chaque matin avant de me lever.

Parfois, l'un d'eux venait me rejoindre sous les draps après avoir fait un cauchemar. Alors, je lui caressais les cheveux et lui chantonnais un de ces chants juifs que notre mère nous avait appris.

Je ne pourrai oublier ni leurs beaux cheveux de jais, ni leur teint doré, ni leur odeur cannelle. Ce fut ainsi que je passai la nuit plongée dans mon passé, tourmentée par les beaux yeux gris-vert de mes frères et sœur.

Au lever du jour, le ventre de David gargouillait. Malheureusement, je n'avais pas emporté de quoi manger et chasser se présentait comme un beau rêve : utopique et irréalisable.

Je n'avais pas faim, étant habituée à ne manger que peu de choses depuis mon enfance. Cependant, David, comme ses frères et Salomé, avait toujours mangé à sa faim. Il était donc évident qu'il ne tiendrait pas longtemps l'estomac vide.

Il nous fallait bouger et vite. Je ne pouvais pas prendre le risque de faire pleurer mon frère. Et aussi vaste cette forêt soit-elle, nous n'aurions aucune chance de passer entre les mains des nazis ni même de leurs chiens et collabos.

Je connaissais ces bois par cœur. Salagnon étant mon village de naissance et aimant passer du temps à flâner dans ses sous-bois avant le souper, je savais comment m'orienter.

Néanmoins, il fallait partir et vite. Un buisson venait de bouger et jamais, non jamais, il ne m'était venu de croiser un buisson avec des pieds…

Chapitre 2
Lundi 13 décembre 1943

— Cours ! Cours ! jusqu'à la lisière de la forêt ! et attends-moi là-bas ! ordonnai-je à David après l'avoir mis sur ses pieds.

Sans me poser de question, il fila en direction de la ville.

Il n'y avait ni vent ni bruit mais je savais que quelqu'un nous observait. Alors, avant même de découvrir qui était dans ce mystérieux buisson, j'emboîtai le pas de David.

En me retournant, je me rendis compte qu'il n'y avait pas un, mais cinq garçons qui nous poursuivaient.

Je les reconnus immédiatement : c'était Pierre et ses cousins. Qui étaient-ils ? Des donneurs, des collabos. Tout le monde le murmurait. De toute façon, même s'ils ne l'étaient pas, ils n'ont jamais démenti ces accusations. Au contraire, ils jouaient de ce statut. Ils étaient violents, racistes et sans-cœur. Une chose était sûre : ils ne devaient pas rattraper David.

Voyant que je prenais de la distance sur eux, je décidai alors de rejoindre mon frère et de le cacher. Je savais que, de toute façon, ils me rattraperaient. En effet, nous étions deux, dont un bambin. Et puis, qui sait s'ils n'attendent pas d'autres de leurs petits copains plus loin ?

David m'attendait, à la lisière. Il pensait sûrement que nous allions rendre visite à notre grand-mère maternelle, Esther, qui habitait dans l'un des quartiers de la ville. Il était calme, et j'en remerciai le ciel. Mais il me fallait trouver une cachette.

Alors que la bande approchait, je me souvins tout d'un coup qu'un arbre creux se trouvait non loin de là.

— David, lui chuchotai-je, tu vas faire environ dix pas sur ta droite et tu vas trouver un arbre avec un trou dedans. Tu vas t'y glisser et te boucher les oreilles. Je viendrai te chercher. Et souviens-toi : ne sors que lorsque tu me verras, sinon les monstres vont te manger !

La plupart du temps, mes parents et moi utilisions les « *monstres* » pour parler des nazis et seulement d'eux. Ils ont toujours été très à cheval sur les règles. Je devais avoir les meilleures notes, les meilleures appréciations, le meilleur salaire…

Cependant, j'ai toujours été très rebelle et mes parents se sont vite servis de mes envies d'indépendance pour me faire travailler chez les Mercier. Ces derniers possédaient un petit restaurant dans lequel j'étais serveuse. Ce n'étaient pas des êtres très charitables mais ils étaient à l'image de mes parents : sévères et exigeants.

Si cette expérience dans la vie m'a bien appris quelque chose, c'est qu'il faut se battre. Il faut se battre pour soi, il faut se battre pour ses proches. Il faut se battre pour survivre. Et c'était bien ce que je comptais faire.

La fratrie était presque là et, heureusement, David venait de se cacher.

J'étais en train d'effacer du pied les traces qu'il avait laissées au sol lorsqu'ils arrivèrent.

Pierre était déjà un petit nazi. Il aimait faire du mal aux gens, et il disait le faire sans ressentir le moindre remords. D'ailleurs, j'y voyais même de la satisfaction et du plaisir.

— Alors, alors ! s'esclaffa ce dernier en ricanant. Qu'avons-nous là ?

Il se posta devant moi et ses cousins l'imitèrent.

— Une jolie fille prête à vous remettre à votre place ! rétorquai-je.

Il ne me faisait pas peur et il fallait que j'exploite cela afin de blesser son ego.

— Non, une petite salope de youpine ! répondit son cousin cadet.

À cette appellation, je serrai les dents.

— Tu ne devrais pas être morte comme ta pute de mère ? me demanda-t-il en ricanant.

— Et toi, abandonné par ton ivre de père ? lui répondis-je.

Je pus voir un rictus de colère assombrir son visage.

— N'insulte pas mon père ! m'ordonna-t-il.

Satisfaite d'avoir pris le dessus sur lui, j'esquissai un sourire.

— Parce que tu crois que c'est toi qui vas me dire quoi faire ? lui lançai-je sarcastiquement. Ce ne sont pas des traîtres à leur patrie et encore moins des bons à rien qui vont me donner des ordres.

À peine avais-je fini ma phrase que je lui crachai à la figure, déclenchant ainsi un combat.

J'avais confiance en mes compétences. Je n'avais peut-être pas été très populaire à l'école, toutefois j'avais eu de bons amis qui m'avaient appris à me défendre... et des parents qui m'avaient appris l'attaque.

Le premier des jumeaux commença à s'approcher et je lui mis un coup de poing direct dans la face. Cela lui fit perdre l'équilibre. Il tomba et se cogna la tête contre un caillou.

— Et un de moins ! dis-je plus pour me rassurer que pour les énerver.

Je savais que je n'arriverais pas à les vaincre mais si je pouvais résister assez longtemps... peut-être que quelqu'un passerait par ici. Après tout, les bois sont publics et n'importe qui peut s'y promener.

Lorsque le deuxième des jumeaux vint, je lui mis un coup de pied dans les testicules, puis, lui prenant la tête, je lui envoyai un coup de genou.

Mon instinct de survie avait pris le dessus. J'étais désormais incontrôlable, quoiqu'il arrive. Comment le savais-je ? Je ne le savais pas. Pourtant, je le sentais.

— Et de deux ! lançai-je.

Cela faisait seulement deux minutes que la lutte pour ma survie avait commencé. Je trouvais finalement que je m'en sortais très, très bien.

Cependant, j'avais oublié de prendre en compte l'espace dans lequel je me trouvais : la neige et le verglas, qui me compliquaient les choses, et les trois autres compères. D'un seul coup, je me trouvai à tournoyer comme une girouette. Pierre me saisit par-derrière et me maintint le bras gauche en clef.

— Réveillez-vous, bande d'idiots ! hurla-t-il. J'la tiens !

Les jumeaux relevés, une pluie de coups de poing se déversa sur mon ventre.

— Alors, on fait encore la maline ? dit-il en rigolant.

Ils s'arrêtèrent pour me regarder d'un air suffisant.

— Parce que t'as que ça à donner ? soufflai-je d'un air moqueur.

À partir de ce moment-là, l'un d'entre eux essaya de me mettre un coup de poing dans la figure. Je réussis à l'esquiver et il atterrit dans l'épaule de Pierre qui poussa un grognement. Alors, un des jumeaux vint et me tint la tête tandis qu'un autre me mit une droite en plein dans le nez.

J'écrasai le pied du jumeau. Il cria et dut me lâcher.

Des miliciens et leur chien, qui faisaient sûrement leur ronde, se dirigeaient vers nous. Je n'avais jamais été aussi contente de les croiser. Les cousins de Pierre reculèrent en les voyant approcher.

— Ce sont eux ! cria un des miliciens.

Les jumeaux prirent alors la fuite, suivis par les deux autres lâches.

— Ils vont voir ce qu'ils vont voir ! cria le second.

Manifestement, Pierre et sa bande avaient des comptes à leur rendre. Moi, étant juive, j'avais aussi plutôt intérêt à déguerpir. Voyant cela, ils libérèrent leur chien et sortirent leurs armes. Pierre, tétanisé, m'utilisa alors comme bouclier.

Cinq balles furent tirées.

Deux se perdirent, deux se retrouvèrent dans les jumeaux et la dernière se logea… dans mes côtes. Je ne criai pas, mon sang froid étant paré à toute épreuve.

Je m'estimai heureuse qu'elle ne se soit pas mise autre part car là, j'aurais pu dire bonjour au cimetière, voire pire, à Drancy.

Pierre me jeta par terre et marcha sur mon bras gauche, le rendant inutile. De douleur, je laissai échapper un sanglot. J'eus le sentiment de montrer ma faiblesse au grand jour.

— On se retrouvera en Enfer ! me hurla-t-il.

Il se mit alors à courir pour fuir chien et policiers.

Je me rappelle le goût terreux de la neige boueuse dans ma bouche et sa fraîcheur brûlante sur ma plaie. Mais, il ne fallait pas que je reste ici. Si on trouvait David ou encore si on m'identifiait, nous serions tous les deux morts.

Je me relevai aussitôt et me dirigeai à toute vitesse vers l'arbre creux. Le chien était presque là et nous devions fuir. Je trouvai David, recroquevillé, les oreilles bouchées. Dès qu'il me vit, il se leva.

— C'est toi, Mélanie ? me demanda-t-il.

Les coups que j'avais reçus m'avaient défigurée.

— Oui, c'est bien moi, lui répondis-je à voix basse. Les monstres ne sont pas loin, il faut partir immédiatement !

Et nous prîmes nos jambes à notre cou. Le chien ne nous avait pas suivis mais nous n'étions pas en sûreté pour autant.

Nous entrâmes dans un village.

Il n'était pas midi et, malgré un soleil radieux, il faisait froid. La peur me gagnait de plus en plus. Je saignais du nez, j'avais l'impression que j'allais vomir et je ne sentais presque plus rien au niveau de ma plaie. C'était comme s'il me manquait une partie de moi mais j'étais tellement épuisée que je n'arrivais plus à ressentir quoi que ce soit.

— Cours ! Toujours tout droit ! Cours ! ordonnai-je à David.

Je venais d'entendre des bruits de pas et des reniflements.

Les officiers avaient sûrement demandé du renfort car ils me semblaient plus nombreux qu'avant.

Je savais qu'au bout de la rue se trouvait une vieille ferme, où il y avait des chevaux et des vaches. Si nous nous y réfugions et nous roulions dans le fumier, les chiens ne pourraient plus nous retrouver.

Ni une, ni deux, je m'élançai vers cette ferme. Je pris un raccourci, bien connu et emprunté par les miliciens, et me séparai de David. Il courrait plus vite que moi et ne tarderait pas à atteindre la ferme.

Toutefois, je connaissais mon petit frère : il ne se retournerait pas. Il avait l'habitude de suivre mes conseils sans broncher.

Après tout, nous n'avions pas été maternés. Moi, j'avais été abandonnée de tout bon sentiment par mes propres parents.

David, lui, avait reçu de l'amour mais il ne faut pas s'y méprendre, c'est moi qui avais été chargée de son éducation, ainsi qu'à celle de mes autres frères et sœurs.

Comme je l'avais prévu, je retrouvai David là-bas avec un peu d'avance. Il était surpris de me voir et s'arrêta soudainement.

— Comment t'as fait pour arriver avant moi ? me demanda-t-il. Je t'ai pas vue me doubler !

Je lui souris avant de m'accroupir et de le regarder dans les yeux.

— Je t'expliquerai tout à l'heure, lui murmurai-je. Pour l'instant, nous allons faire un jeu.

Je ne voyais pas de tristesse dans ses yeux mais plutôt de l'anxiété.

— Oh, oui ! dit-il surexcité. Un loup touche-touche, encore !

Je le recoiffai rapidement, arrangeant ses mèches rebelles.

— Non, le repris-je. Cette fois, nous allons jouer à cache-cache. Tu vas te blottir bien contre moi et je te dirai dès que tu pourras sortir. Maintenant, ne me pose plus de questions.

Je ne voulais pas lui faire peur. Je savais que cette mission s'avérait difficile. Je préférai alors prendre un semblant d'autorité.

Nous n'eûmes pas à attendre longtemps avant d'entendre les bruits de pas des miliciens. David était couché sur moi, la tête sur mes cuisses, et je me retrouvai pliée en deux, sous un tas de fumier. J'essayais de masquer le bruit de sa respiration et de maintenir un dôme de protection autour de lui.

Le fait de se plonger sous ce tas n'était peut-être pas la meilleure des idées, mais sa chaleur nous réchauffait de cette neige glaciale. De plus, la buée qui s'en échappait camouflait notre souffle.

Les bruits de pas se rapprochaient et nous pouvions entendre les chiens renifler de plus en plus près. Ma technique marchait : ils ne nous remarquaient pas.

Soudain, un milicien vit un des cousins passer derrière la grange. Il cria et ils se précipitèrent tous derrière le jeune homme. Nous restâmes blottis dans un calme absolu pour être sûrs de l'absence totale de chiens et de miliciens.

— Tu m'attends là et tu ne bouges pas, murmurai-je à David.

Lentement, je sortis un à un mes membres. Je regardai autour de moi et me dirigeai vers la grande porte.

Je mis un premier pied dehors. Rien. Un second. Rien, non plus.

Alors, je me décidai à passer de l'autre côté, découvrant une rue encore plus silencieuse que la précédente. Des ombres étroites rendaient la rue tortueuse et effrayante, et la neige ne faisait que la rendre plus hostile.

Ce fut à ce moment précis que je me rendis compte que la peur s'était emparée de moi. En effet, ma respiration était haletante et mes sens étaient très aiguisés. Il me paraissait entendre les couinements des rats dans la plomberie.

Après avoir pris quelques instants pour observer les environs, je me retournai et allai chercher mon petit frère qui était toujours caché, silencieux, dans le tas de fumier. Je l'aidai à se nettoyer grossièrement puis nous nous dirigeâmes vers la maison des Absinthes.

Ces personnes nous nourrissaient lorsque ma famille était encore vie. Ils nous avaient aussi cachés lorsque les nazis étaient venus une première fois à la maison.

Je l'avoue, je ne sais toujours pas pourquoi ils avaient mis le feu à notre foyer la veille, à la place de nous embarquer. Cela faisait sans doute partie des injustices de l'occupation.

Je n'avais jamais considéré les Absinthes comme des gens de confiance. Cependant, ils étaient les meilleurs amis d'enfance de mes parents, et même mon parrain et ma marraine. Alors j'avais toujours dû composer avec eux.

Par ailleurs, si mon père avait accepté que nous soyons juifs, sa seule condition était que nous ayons des parrains et marraines. Après tout, il était chrétien et ma mère, juive.

Dans la religion juive, un parrain et une marraine sont déclarés lors de la brith mila d'un petit garçon. Lors de cette cérémonie, l'évènement le plus marquant est la circoncision. Cette coutume de parrainer est typiquement catholique, néanmoins ma mère avait fini par accepter que moi et Salomé ayons des parrains et marraines pour « veiller sur nous ».

De toute façon, ce n'était pas comme si elle avait suivi toutes les prescriptions de la Torah à la lettre près. De son côté, mon père avait renoncé à sa foi chrétienne depuis des années.

Les Absinthes habitaient à deux rues. Nous allions devoir passer par la porte de derrière, et non par la principale, pour ne pas nous faire remarquer.

Ils étaient assez aisés et adoraient le montrer en invitant l'élite mondaine. Il n'était donc pas la peine de risquer d'être vus, la plupart de leurs connaissances étant des collabos.

Arrivés, je toquai et attendis que l'on me réponde. Ma marraine vint nous ouvrir. Elle afficha un air étonné.

— Qu'est-ce que tu fais ici ? me demanda-t-elle, agacée. Tu devais venir chercher vos provisions demain.

David gobait des flocons qui virevoltaient dans le ciel et ne nous écoutait pas.

— La maison a été explosée par les boches et nous sommes les seuls survivants, lui répondis-je. Nous avons dû nous cacher dans le fumier de cheval de la vieille ferme pour échapper à leurs chiens, j'ai dû me battre contre des garçons. Je voudrais savoir si nous pouvons juste prendre une douche.

Son regard fit un aller-retour entre David et moi et afficha un air résigné.

— Étant donné votre position, soupira-t-elle, allez-y. Mais ne descendez pas et ne faites pas de bruit ! Nous avons des invités. Tu pourras allumer un feu dans la chambre de Maxime pour vous réchauffer. Il y a une pharmacie dans la salle de bain.

Sur ce, elle partit. Elle ne m'avait jamais réellement aimée et, pour David, c'était légèrement pareil. Cette antipathie était due au fait qu'elle ne l'avait vu que deux fois dans sa vie, la privant de le connaître.

Nous entrâmes silencieusement. J'aidai David à enlever ses chaussures. Je fis de même et nous commençâmes à monter les escaliers, sans faire de bruit.

Il nous restait encore une dizaine de marches, lorsque j'aperçus une lettre qui était coincée dans l'une d'elles.

Curieuse, je me baissai, la pris, la lus et… la laissai tomber. Elle effleura mon pied, puis se posa sur une autre marche.

Je ne me souviens plus de ce qui y était écrit en détail mais, pour résumer, elle m'apprit que ces très chers Absinthes nous avaient trahis en nous vendant à la Gestapo. Ils nous avaient livrés pour une modeste somme d'argent et quelques vivres de plus.

C'étaient eux qui avaient conseillé à ma mère de se cacher des nazis. C'étaient eux aussi qui nous fournissaient en eau et pain. Ils nous avaient aidés, avaient organisé un faux déménagement pour mieux nous faire oublier.

Tout cela portait à croire qu'ils préparaient leur coup depuis longtemps… mais je savais qu'ils n'en avaient pas la capacité mentale requise.

Je restai donc là, debout, réalisant que ma famille avait été anéantie pour seulement cent cinquante francs et un panier bien garni…

— Mélanie, tu viens ? interrogea David, légèrement déconcerté par mon immobilité. Tu lis quoi ?

Il laissa son regard couler jusqu'à la lettre tombée à mes pieds, puis se reconcentra sur moi.

— Je te le dirai avant de partir, lui mentis-je. Viens, je vais te laver dans la salle de bain.

David continua son ascension. Je ne voulais plus respecter cette famille de ratés. Je fis donc quelques pas en arrière et remis rapidement mes chaussures pleines de fumier, juste pour salir leur bel escalier. Je n'hésitai pas non plus à utiliser la rambarde, étalant tout ce qui en restait sur mes mains.

Une fois dans la salle de bain, je demandai à David de m'attendre quelques secondes, le temps de me déshabiller et de me laver. En temps normal, je n'aurais pas mis plus d'une minute pour me laver, mais étant donné que j'étais toute crottée et blessée, il m'en avait fallu beaucoup plus.

David grognait parce que j'avais été longue. Néanmoins, il apprécia son moment de toilette.

— On va dormir chez Martine ? me questionna-t-il avec son air innocent.

Je l'observai, compatissante.

— Non, on va juste se laver et se réchauffer chez elle, puis nous repartirons, lui répondis-je.

Il regarda par la fenêtre et se perdit dans ses pensées.

— On va retourner à la maison après ? s'enquit-il.

Je ne savais pas quoi répondre.

Fallait-il que je lui mente, faisant de lui un petit garçon heureux de rentrer à la maison ? ou fallait-il que je lui raconte la vérité, lui causant le plus grand des malheurs ?

— Oui, on va rentrer à la maison, finis-je par lui dire. Mais je vais te montrer un passage secret.

Il se retourna vers moi et sourit.

— Chouette, on va se balader ! s'exclama-t-il.

J'avais visé juste. Le fait de préserver son innocence le protégeait. De plus, il ne portait presque jamais attention par où nous passions. Il tapait dans des cailloux, cueillait des fleurs ou croyait qu'on jouait au loup touche-touche.

Après notre bain, je me dirigeai dans la chambre de Maxime pour allumer un feu et prendre des effets pour David. Cette dernière était spacieuse et luxueuse. Ses vêtements étaient un petit peu trop grands… mais tant pis, cela ferait l'affaire.

Pendant que David s'habillait, je me déplaçai jusque dans la chambre de Martine. Je pris une de ses robes noires, en espérant qu'elle passe inaperçue, et l'enfilai.

— Tu peux venir m'aider ? demanda David de l'autre côté du mur.

Je retournai alors vers lui. Je vis tout de suite qu'il n'arrivait pas à enfiler ses chaussures. Il s'excitait dessus.

— Laisse-moi faire, lui ordonnai-je.

Une fois terminé, je coiffai rapidement ses cheveux et me relevai.

— Maintenant, attends-moi dans l'escalier. Ne fais pas de bruit. Je vais aller mettre les miennes, lui dis-je.

David, tout fier de ses vêtements, partit sans faire de bruit.

Je lui avais menti, encore une fois. Je ne voulais pas qu'il voie que je saignais. Je savais qu'enlever la balle risquait une hémorragie, alors je décidai de bander la plaie.

J'étais discrètement sortie de la chambre de Maxime et étais allée chercher de quoi me panser. J'ouvris la pharmacie, qui était cachée derrière un miroir, et pris de l'alcool à quatre-vingt-dix degrés et un bandage.

Je retournai dans la chambre et m'installai. Je descendis le haut de ma robe, arrachai un bout du drap du lit, serrai les dents, versai un peu de ce précieux liquide sur ma plaie et commençai à me désinfecter. Avec le temps, je n'avais même plus mal : j'avais l'habitude de laisser ma mère désinfecter les moindres blessures avec ce type d'alcool.

Je pris une bande et en fis le tour de mon ventre en prenant la précaution de ne pas trop serrer. Puis je me levai, remis ma robe et posai la fiole et le morceau de tissus sur la table de chevet.

J'étais sonnée. Pendant un instant, je laissai mes pensées divaguer. *Juste le temps d'observer ce feu*, songeai-je. *Il me réconforte tellement...*

Je revoyais mon père, ma mère, deux êtres si différents mais en même temps tellement similaires. Ils se sont rencontrés à Strasbourg, un peu par hasard. À l'époque, ils suivaient les mêmes cours et ont eu un coup de foudre à la bibliothèque. Ils avaient décidé de s'installer en Isère peu après ma naissance. C'était mon père qui me l'avait raconté, entre deux leçons de mathématiques.

J'aimais beaucoup être en sa compagnie. Étant médecin, il ne passait que peu de temps à la maison. Dès qu'il rentrait, il me racontait sa journée et passait son temps à m'enseigner tout ce qu'il m'était possible de savoir sur la médecine. Je n'aimais pas l'école. Là-bas, les filles n'apprenaient pratiquement rien à part le français et la couture.

La chaleur de la pièce, cumulée à celle de ce souvenir, me rappelait ces pâtisseries alsaciennes que notre mère nous faisait.

Elle n'était pas originaire d'Isère mais de bien plus loin : d'Anatolie Occidentale. Elle avait emménagé en Allemagne avec ses deux frères, sa mère et son père pour fuir le génocide arménien. En mille neuf cent dix-huit, à la suite de l'annexion de l'Alsace et de la Lorraine, ils sont devenus français.

Michael, son frère cadet, était le seul de sa famille qui avait été proche de moi. Pour les autres, j'avais l'impression de n'être qu'une erreur de la nature. Ma tante Élise, une des sœurs de mon père, m'était elle aussi très douce et fondait plein d'espoir en moi, bien plus que tout ce que mes parents ne m'ont jamais montré. J'avais l'impression qu'ils étaient les seuls à me voir telle que j'étais : une enfant.

Cependant, il est hors de question de cracher sur ma famille. Je ne tirais pas ma témérité et mon esprit rebelle de nulle part. Mes oncles et tantes étaient des résistants. La plupart d'entre eux avaient déménagé en Normandie avant la guerre. Toutefois, le tournant que prit l'Histoire dans cette région et la localisation de leurs foyers n'étaient qu'un concours de circonstances.

Mes oncles maternels, disparus depuis leur déportation dans un de ces *camps de la Mort*, avaient été hébergés par Élise. Il paraît qu'Élise a réussi à s'enfuir avec ses deux filles en Angleterre… mais bien sûr ce ne sont que des rumeurs. Personne ne sait ce qui lui est arrivé.

Cette pensée me ramena à moi. Rapidement, je mis mes chaussures et partis rejoindre David.

Une fois avec lui, je m'empressai de m'accroupir pour fermer sa veste. Je ne voulais pas rester chez ces gens, ne serait-ce une minute de plus.

— Il faut descendre doucement et sans faire de bruit, intimai-je à David.

Il ne me posa aucune question et descendit silencieusement. Alors que nous avions atteint la porte d'entrée, Martine nous rejoignit.

— Vous allez où ? me questionna-t-elle en repoussant ma main de la poignée.

Son regard me lançait des éclairs.

— Je vais chez Pierre, mon voisin, lui répondis-je.

Je lui mentis, espérant qu'elle prévienne les miliciens et qu'ils rendent une petite visite à la famille de Pierre, tout comme ils l'avaient fait avec la nôtre.

— Non ! m'ordonna-t-elle. Vous restez ici ! Les enfants de nos invités jouent dehors, s'ils vous voient, je suis mal. Je vous dirai de descendre quand ils seront partis.

J'avais bien envie de la voir dans le pétrin mais je me tus, ne lui laissant pas voir mes sentiments. Elle fit demi-tour et rejoignit ses invités.

Avant de remonter, je m'infiltrai dans la cuisine, je pris une panière remplie de petits pains et je revins ensuite vers mon frère, contente de ma trouvaille.

Installés dans la chambre d'Hector, le fils aîné, nous mangeâmes les viennoiseries. Nous étions affamés et j'étais très fatiguée. Je n'avais pas dormi de la nuit et toute cette agitation m'avait épuisée. À peine nous étions-nous couchés que nous nous étions instantanément endormis. Je fis une sieste sans rêve, réparatrice.

Les cris incessants de ma marraine me réveillèrent et me firent comprendre qu'il était temps de redescendre. Je réveillai alors David et le sortis du lit.

Elle nous attendait en bas, me montrant que – d'après son horloge – il était tard. Je la regardai : il était dix-sept heures.

Nous avions dormi environ cinq heures et demie ! Je n'en revenais pas !

Elle nous ouvrit la porte de derrière et nous fit sortir.

— Bien, tu vas donc loger chez tes voisins ? m'interrogea-t-elle avec son air inquisiteur.

Je plongeai mon regard dans le sien, afin qu'elle se souvienne bien de moi.

— Oui, lui répondis-je.

Je me retournai et pris la main de David. Nous fîmes quelques pas et elle ferma la porte.

— Pourquoi tu lui as menti ? me questionna David.

Je continuai ma marche sans lui accorder un regard, lui montrant la gravité de la situation.

— Parce qu'elle est amie avec les monstres, lui dis-je.

Je savais très bien que, quoi que nous fassions, elle nous vendrait à la milice. Je voulais me venger autant d'elle que de Pierre. C'est pourquoi j'avais quelque peu modifié la véracité de notre destination.

En vérité, je ne savais pas du tout où aller. Alors, guidés par mon instinct, nous parcourions les rues abandonnées de son quartier.

Nous continuâmes notre avancée dans les rues désertes et froides de l'hiver. Je voyais bien que David avait peur. J'essayais tant bien que mal de chasser cette émotion permanente qui nous enveloppait, mais ce n'était pas si facile que cela.

Je reconnus la rue dans laquelle nous étions : c'était là où vivait notre grand-mère Esther. Nous nous approchions de sa maison quand je m'aperçus que la porte d'entrée était grande ouverte.

Tout était sens dessus dessous.

Ce fut à cet instant précis que je compris tout l'enjeu de la situation : Esther avait été emmenée. *Nous sommes les seuls survivants...* réalisai-je.

— Elle est où mémé ? me demanda David.

— Elle a été emmenée par les monstres. C'est pour ça que tout est cassé à l'intérieur, lui expliquai-je.

Je n'avais pas voulu lui dire que notre maison avait été détruite, mais là, je ne pouvais nier l'évidence : il l'avait vue.

J'observai les environs et nous reprîmes notre chemin.

Soudain, au détour d'un virage, j'aperçus deux gendarmes et nous fîmes demi-tour. Malheureusement, ils nous avaient vus.

— Eh, vous là ! nous interpella un officier. Arrêtez-vous !

Il ne fallait pas qu'ils nous arrêtent, il ne fallait pas qu'ils découvrent que nous étions juifs. C'est pourquoi, dans un élan de survie, je fis monter David sur mon dos et courus, toujours plus vite, entraînant mon petit frère avec moi.

Les rues s'enchaînaient et se ressemblaient toutes. Je ne savais pas où aller. J'étais horrifiée mais je continuais, comme si tout cela me passait au-dessus de la tête. Il fallait que je sois forte, pour David, et je l'étais.

— Ça ne se passera pas comme ça ! cria l'un des deux gendarmes.

Ils lâchèrent alors leur chien.

Nous passâmes par une porte de jardin qui était grande ouverte. Par réflexe, je la refermai et la bloquai avec une planche récupérée contre un mur. Cela nous garantissait une sécurité, malheureusement limitée par le temps.

Je me retournai aussitôt et repérai une palissade de l'autre côté du jardin. Il n'y avait pas d'échelle : j'allais devoir l'escalader.

David resserra sa prise autour de mon cou, ce qui me permit de courir à toute vitesse. La douleur de mon bras se réveilla mais je fis abstraction de cette sensation. Je montai sur la table qui se trouvait sous la clôture et entrepris d'escalader celle-ci, avec mon petit crapaud sur le dos. L'effort était tel que je faillis dégringoler. Cependant, il le fallait, pour mon petit frère. Je voulais qu'il vive.

Par inadvertance, je fis un faux mouvement. David chuta et atterrit dans une poubelle. À mon tour, je me laissai tomber à terre.

À peine sauvés, un tumulte puis des tirs se firent. Je me relevai aussitôt, fis sortir David de sa poubelle et nous recommençâmes à courir.

Je ne voyais plus ce qui se passait autour de nous. J'avais les tempes qui battaient, j'étais tout essoufflée. Je courrais puisque nos vies en dépendaient. La seule chose qui m'importait était David.

J'étais en plein sprint lorsqu'une balle se nicha dans mon ventre, me faisant tomber à terre.

Une seconde balle se logea dans le petit corps tout frêle de mon frère.

Lentement, je vis sa tête se diriger vers le sol. Le temps semblait être contre nous. Les secondes me paraissaient des heures.

Tandis que j'essayais tant bien que mal de ramper pour aller porter secours à mon frère, un chien ayant l'air enragé sortit des poubelles et m'attrapa la jambe. Il me tira, me tira...

J'essayai de m'agripper au sol, mais je n'y parvins pas. C'était comme si la terre, mais aussi toutes les molécules d'air, m'échappait. Je peinais à respirer et je ne voyais aucun relief sur lequel m'accrocher.

Je ne voulais pas qu'il m'emmène aux Enfers, je voulais seulement secourir mon frère.

Alors, je remontai ma jambe droite – la blessée – vers moi. La bête tira d'un coup sec, comme pour me déchiqueter. Le choc fut tel que j'eus l'impression que mon genou était coupé en deux parties. Ma hanche avait aussi pris un sacré coup et je n'arrivais plus à me retourner.

Pendant que ma vision se troublait et qu'un long sifflement m'assourdissait les tympans, je vis une pierre sur le côté. Dans un réflexe de survie, je la saisis et frappai la tête du monstre trois fois avant de la jeter vers les poubelles. Le chien hurla et s'écroula.

Les gendarmes arrivaient. Cependant, j'étais comme paralysée, les yeux rivés au ciel et les poumons bouchés par le sang qui tentait de circuler. Je me démenais pour bouger ne serait-ce que la plus petite partie de mon corps.

Néanmoins, plus rien ne répondait.

Je ne me souviens plus de ce qui s'est passé pendant les quelques secondes qui suivirent, mais je me souviens du silence. De ce silence, qui, accompagné du martèlement de mes tympans, m'empêchait d'entendre la respiration de David. De ce silence, qui couvrait le bruit du vent, un vent froid, glacial, me pétrifiant et me parcourant le corps de ces ignobles frissons. De ce silence, qui me permettait de réaliser à quel point j'étais inutile.

Inutile ? Non, je voulais sauver mon frère. Je ne voulais pas qu'il soit emmené à Drancy comme mes oncles.

Enfin, je me souviens de cette douleur qui me maintenait sur le sol gelé, m'empêchant de rester consciente. Je perdis finalement connaissance, bordée par une ombre humaine qui me paraît contre les attaques incessantes du soleil.

Chapitre 3
Mardi 14 décembre 1943

Je fus réveillée par une secousse. Je ne savais pas où j'étais et tout ce que je tentais de voir était flou.

Avec un peu de concentration, je réussis néanmoins à distinguer des ombres et des mouvements. Je pouvais entendre des voix, mais elles étaient comme étouffées. Il ne me fallut que quelques secondes pour arriver à comprendre que l'on m'installait dans une ambulance.

Deux doigts se posèrent au niveau de mon artère carotide – sûrement afin de prendre mon pouls – et se retirèrent.

— Il faut faire vite ! pressa soudainement un homme.

Je sentis du mouvement autour de moi. Ma vision était redevenue à peu près normale.

— Elle se réveille, observa une infirmière.

À ce moment-ci, bien que je sois installée dans le véhicule, les médecins n'étaient toujours pas prêts.

Tout à coup, comme si tout devenait beaucoup plus rapide, je revenais à la réalité.

— Laissez ! ordonna un médecin. On va prendre la relève.

Une fois tout le monde installé, je me mis immédiatement à chercher David des yeux.

Il n'était pas là.

Je commençai à paniquer, pensant que les policiers l'avaient emmené à Drancy ou peut-être encore pire…

— Où est mon frère ? les questionnai-je.

Le médecin qui était resté avec moi s'approcha et s'assit, légèrement irrité.

— Ne t'excite pas, dit-il. Cela ne fera qu'aggraver ton état.

Je ne l'écoutais pas. Je ne voulais même pas savoir comment j'avais fait pour survivre. Je voulais seulement savoir où était mon petit frère. Je voulais seulement savoir s'il était en vie.

— Où est David ? insistai-je. Est-ce qu'il est en vie ? Répondez-moi !

Je ne pouvais pas bouger mon bras gauche mais je pouvais toujours bouger le droit. Voulant attraper l'urgentiste par sa veste, je ressentis un blocage vers la hanche, m'obligeant à retomber sur le brancard. Toutefois, je ne l'avais pas lâché.

— Je vais l'endormir, dit alors le médecin. Elle s'excite trop.

— Oui, vas-y, lui répondit le conducteur.

Il attrapa une seringue, puis me la planta dans l'épaule gauche.

Je resserrai ma prise.

— Non ! soufflai-je enragée. Je veux juste savoir… où il est…

J'étais complètement à sa merci et je détestais cela.

Lentement, les muscles de ma main se détendirent. J'eus l'impression que toutes mes forces m'abandonnaient et je percevais de moins en moins l'espace qui m'entourait.

Enfin, je perdis connaissance.

Chapitre 4
Mercredi 15 décembre 1943

Lorsque je me réveillai, j'étais au fond d'une pièce blanche, faite de bois blanc et de carrelage en guise de sol. Elle était spacieuse et habitée, voire très habitée.

J'étais placée tout au fond de celle-ci, sur un lit drapé d'un linge blanc. Je n'avais pas mis bien longtemps à me réveiller. C'était à cause de toute cette blancheur et de la luminosité apportée par de nombreuses fenêtres.

Je me demandai pendant un court instant si j'étais encore en vie. Néanmoins, pourrais-je être dans une chambre d'hôpital si j'étais décédée ?

Sur le mur d'en face se trouvait une double porte en bois, avec une fenêtre en son centre. Une vingtaine de lits me firent réaliser que j'étais dans un dortoir. À ma gauche trônait une longue table avec plus de chaises que le nombre de personnes présentes dans la pièce.

De ce même côté, un garçon était assis sur son lit. Il devait bien avoir dix-sept ans. Il avait les yeux bleus, pas beaucoup d'acné, de timides taches de rousseur et était blond avec les cheveux en bataille.

Sur le lit de droite, un second garçon écoutait sa radio. Il paraissait avoir dix-huit ans. Il avait les yeux gris-vert, la peau légèrement bronzée, les cheveux bruns et une morphologie athlétique.

— La princesse s'est réveillée, dit-il en me détaillant du regard.

Soudainement, tous les adolescents présents dans la pièce se retournèrent et cessèrent de parler, me faisant ainsi comprendre que j'étais le phénomène du jour.

Leurs lits étaient disposés en ligne, il y en avait environ quatre par rangée. Dans certains d'entre eux, deux jeunes garçons étaient assis côte à côte et jouaient aux cartes, tandis que d'autres étaient sur leur propre lit. Ils avaient tous approximativement entre sept et dix-sept ans.

Je me retournai vers le jeune homme de droite et l'observai avec un regard noir.

— T'énerve pas princesse, je voulais juste te présenter, commenta-t-il.

Je considérai tous les enfants présents dans la salle et espérais trouver David. Je me disais qu'il était peut-être arrivé avec une autre ambulance.

— Où est mon frère ? demandai-je, la voix cassée. Et… va te faire voir, j'ai pas besoin de tes services !

Je n'avais plus de patience. Je ne savais même pas où j'étais.

J'étais totalement désorientée mais je voulais savoir où était mon frère. C'était la seule chose qui m'importait.

— Oh ! reprit-il. Je vois que la nouvelle veut faire la maligne.

Elle veut faire la maligne, c'était la seconde fois en peu de temps que l'on m'avait dit cela.

À l'écoute de ces mots, c'était comme si quelqu'un me frappait.

L'adolescent de droite se leva. Il était grand et avait une voix grave.

— Je n'ai pas le temps pour tes enfantillages, enchaînai-je avec un regard méprisant. Je veux juste savoir où est mon frère.

J'entendis du mouvement provenir des lits.

— Laisse-la, Marceau ! l'interrompit le blondinet à ma gauche. Tu vois bien qu'elle n'est pas en état !

Je ne comprenais pas vraiment ce qu'il voulait dire. C'est pourquoi je l'interrogeai du regard.

— Ça fait deux jours qu'elle dort, lui répondit-il. Elle devrait l'être, non !

Je n'en revenais pas : cela faisait deux jours que je dormais ! Mon petit frère pouvait se trouver n'importe où à l'heure qu'il était et je n'étais pas là pour lui.

Je serrai les dents, afin de contenir le plus possible la colère qui m'envahissait.

— Bonjour les enfants ! dit une infirmière.

Elle marchait entre les lits et vérifiait l'état de santé de ses patients, tout en se dirigeant vers moi. Pendant ce temps, ledit Marceau était reparti à sa place sans se retourner.

— Bonjour Anne ! la salua un garçon assis en tailleur dans un lit, des cartes à la main.

Elle lui sourit.

— Bonjour Eugène, répliqua-t-elle. Ton cœur va bien ?

Il sourit à son tour et hocha la tête.

— Oui, merci, l'informa-t-il.

Elle était de taille moyenne, fine, avait les cheveux châtains et les yeux marron. Elle s'arrêta devant moi et me sourit.

Les garçons avaient recommencé à parler et jouer ensemble.

— Bonjour, me salua-t-elle. Comment t'appelles-tu ?

Je l'observai, méfiante, et hésitai quelques instants avant de lui répondre. Elle m'ignora et débrancha la perfusion de mon bras.

Elle ne me semblait pas hostile. Je n'avais pas l'impression d'avoir été embarquée par des nazis et mon instinct me soufflait d'avoir confiance en elle.

— Écoutez, lui répondis-je, tout ce que je veux, c'est savoir où est mon frère.

— Ne t'inquiète pas, m'assura-t-elle en me prenant la main. Le Docteur Rigot et moi sommes là pour te soigner et non pour juger si tu es en assez bon état pour mériter de vivre.

Mon intuition se confirmait mais j'avais aussi la certitude que le fait que je sois juive ne lui était pas un secret. Quel que soit le lieu ou l'état dans lequel était mon petit frère, je ne devais pas le lâcher, pour le protéger.

Mais, peut-être qu'elle ne savait pas... Et si elle disait cela uniquement pour me tester ? Pour que je lui révèle mes origines ? J'étais perdue... tiraillée...

C'est alors que deux hommes en blanc s'approchèrent de moi, me soulevèrent et me déposèrent sur un brancard à roulette.

En me posant, ils avaient fait bouger ma jambe. Une vive douleur me parcourut le corps. Voyant un rictus assombrir mon visage, l'infirmière, Anne, s'adressa aux arrivants.

— Doucement, leur demanda-t-elle calmement, elle doit se remettre de ses blessures, pas en avoir de nouvelles.

Ce fut donc tout en délicatesse qu'ils me déplacèrent. Je sentais les regards des curieux se poser sur moi en traversant la salle. Je n'avais pas peur et l'expression sur mon visage était neutre.

Lorsqu'ils m'avaient installée sur le brancard, j'avais pu remarquer que j'étais propre mais couverte de nombreux bleus et plaies pansées. Ma robe, elle, était changée : elle était blanche et fine et laissait entrevoir mon genou. Elle était aussi légèrement recouverte de sang, sûrement aux endroits où j'avais reçu des balles.

La double porte de la salle passée, je me retrouvai dans un long couloir en reliant deux autres à quelques mètres de moi : l'un à ma gauche, l'autre à ma droite. Partout, les murs étaient blancs et carrelés. Nous prîmes à gauche.

Il y avait de nombreuses portes, dont une sur laquelle était inscrit « réserve ». Sur une seconde se trouvait un cadenas. Je l'avais tout de suite remarqué comme je n'en discernais aucun sur les autres. De part et d'autre du couloir se situaient des cabinets médicaux. De nombreux médecins en sortaient et certains étaient accompagnés de patients.

Les hommes me firent finalement entrer dans une salle d'auscultation et me mirent sur une table recouverte de cuir puis sortirent. Sur ma droite se trouvaient des plans de travail avec des papiers étalés, des tiroirs et des étagères. De l'autre côté, il y avait un tableau en liège avec dessus, des tas d'affiches ou peut-être étaient-ce des notes. Au fond de la petite pièce se trouvait une fenêtre quadrillée.

Un docteur entra par une porte placée juste derrière le tableau en liège. Anne le suivait et se mit à ma droite. Le docteur était grand, d'une corpulence moyenne, avait les yeux marron et les cheveux bruns. Je lui donnais environ quarante ans.

— Bonjour, je suis le docteur Rigot, se présenta-t-il. Je vais m'occuper de toi pendant ton séjour ici.

Je hochai négativement de la tête avant de soupirer.

— Où est mon frère ? l'interrogeai-je, exténuée de poser cette question. Vous pouvez me laisser mourir ou me rendre aux nazis. Je veux juste savoir où il est et s'il va bien.

Le docteur regarda l'infirmière, laquelle semblait attristée et décontenancée, puis il se tourna vers moi.

— On va faire un pacte, me dit-il. Je te raconte ce qui s'est passé et toi, tu me laisses te soigner. C'est d'accord ?

Je savais que cela n'annonçait rien de bon, mais je n'en étais plus à une mauvaise nouvelle près.

— Oui, lui promis-je. C'est d'accord.

Je voulais savoir, j'étais inquiète comme une mère pouvait l'être.

— Lundi soir, commença-t-il, il était environ dix-huit heures et, alors que je me préparais à partir, un de mes confrères de l'hôpital de Grenoble m'a appelé. Il m'a informé avoir pris en charge un jeune juif et sa supposée sœur. Il m'a aussi dit que s'il pouvait les soigner, il ne pouvait pas les garder. De plus, il m'a averti que les temps n'étaient pas très sûrs et que vous n'étiez pas à l'abri d'une rafle. Je me suis renseigné sur la criticité de vos états et, étant donné que ton frère était le plus jeune et le moins touché, j'ai décidé de le prendre en charge. Une place venait de se libérer dans la salle des garçons et je comptais l'installer avec eux.

Il fit une pause, en profitant pour s'humecter les lèvres.

— Malheureusement, reprit-il, le lendemain, à la place de voir ton petit frère arriver, c'est toi qui étais dans l'ambulance. Ton frère est décédé pendant la nuit des suites de ses blessures, malgré les efforts des médecins.

Je n'arrivais plus à me concentrer sur ce qu'il disait.

J'étais perdue dans mes pensées et dans mes souvenirs. J'avais tellement donné pour lui et pour sa survie qu'il ne me restait, à ce moment-ci, plus rien. Il était mon seul espoir, le seul être auquel je pouvais me raccrocher. Mais dès lors… il n'était plus là, et quelque part… moi non plus.

Anne s'approcha de moi, me prit la main et me caressa les cheveux.

— Tu sais, m'avoua-t-elle, ton frère aurait voulu que tu te battes. Il aurait voulu que tu t'accroches. Pas seulement pour lui, mais aussi pour toi. Peu importe ce qui vous est arrivé, tu es en vie et c'est cela le plus important. Tu es forte, sache-le.

Une fois qu'elle eut terminé sa phrase, elle se leva et reposa délicatement ma main.

— L'ambulancier, poursuivit le docteur, m'a expliqué qu'afin qu'ils ne se fassent pas prendre, sur le papier il est écrit que les deux jeunes juifs trouvés sont décédés. Même s'ils ne connaissaient pas vos identités, pour vous protéger et pour se protéger de la milice, ils ont prétendu que vous étiez tous les deux morts de vos blessures.

Les miliciens s'étaient sûrement rendus à l'hôpital cette soirée-là, en apprenant que deux jeunes avaient été retrouvés. Je pouvais alors comprendre que ce qu'avaient fait les médecins grenoblois n'était pas égoïste mais une pure nécessitée.

— Lorsque je vous dirai nos noms, comprenais-je, cela signifiera que je n'existerai plus ?

Il hocha la tête et prit un air contrit.

— Absolument mademoiselle, affirma-t-il. Officiellement, vous êtes morts. J'ai quand même besoin de savoir ton âge et ce qui t'est arrivé.

Je regardai ma jambe gauche pendant quelques instants, puis me décidai à tout lui raconter.

— J'aurai dix-sept ans le quinze janvier et je m'appelle Mélanie, lui révélai-je. Mon nom complet est Mélanie Ariella Esther Lucette Venet. Je me suis fait tirer dessus à plusieurs reprises, tordre le bras, attaquer par un des chiens des boches et je suis juive. Mon frère s'appelait David Marcel Léon Doron Venet et il avait trois ans lorsqu'on lui a tiré la balle fatale.

Je relevai la tête dans la direction du docteur et vis qu'il me regardait d'un air compatissant.

Honnêtement, j'étais prête à écouter ses conseils parce que je lui avais donné ma parole, mais je ne croyais plus en une potentielle guérison. J'étais sûre que j'allais mourir, tout comme le reste de ma famille.

Après avoir terminé d'écrire les informations que je lui avais données, il tendit la feuille à Anne qui la prit et sortit. Il s'approcha de moi, me prit le bras. Il commença par l'observer puis, sans prévenir, tira dessus. La douleur fut rapide mais supportable. Il le reprit, le tritura et le reposa.

— Puis-je remonter ta robe ? m'interrogea-t-il. Je voudrais voir dans quel état les gendarmes t'ont laissée.

Dans quel état les gendarmes t'ont laissé, répétai-je intérieurement. *Pensent-ils réellement que je suis morte ?* Ce qu'avait précédemment dit le docteur me fit sourire. Cela signifiait qu'ils avaient la certitude que j'étais décédée et que je pouvais cacher ma survie aisément : ils n'allaient pas tenter de me retrouver.

Enfin, c'était ce que j'espérais.

— Oui, approuvai-je. Vous venez de dire que les gendarmes nous ont « laissés » ?

Tout en m'inspectant le ventre, il répondit.

— Effectivement, affirma-t-il. Mon confrère de Grenoble m'a expliqué comment les ambulanciers vous ont retrouvés. Les miliciens s'étaient approchés de vous pour vous embarquer mais, manifestement, vous avez eu de la chance parce qu'ils vous ont cru morts. Une vieille dame qui avait assisté à la scène a immédiatement appelé l'hôpital le plus proche. Hôpital qui, tu t'en doutes, était celui de Grenoble. Le chef du service des urgences a alors demandé à deux de ses ambulanciers de venir sur place et la suite, tu la connais.

Le Docteur Rigot passa ensuite à l'auscultation de ma jambe. Il l'observa, puis releva ma robe jusqu'au niveau des hanches, après avoir à nouveau demandé mon autorisation, et afficha un air grave.

— Bien, conclut-il, je vais devoir te faire passer une radiographie. Pour cela, je vais t'emmener dans la pièce juste à côté.

Je hochai la tête et il enleva les freins un à un, afin de m'emmener dans la pièce voisine. Arrivée dans cette dernière, il s'éclipsa.

Il plaça une sorte de cadre au-dessus de mon genou puis de ma hanche. Avant de faire la première radio, il sortit de la pièce et revint vêtu d'un équipement spécial. Il m'en fit une seconde, puis une troisième à hauteur du bras. Pour finir, j'en passai une dernière au niveau du ventre.

À la fin de tous ces examens, il observa attentivement les documents. Puis, il me ramena dans la salle d'auscultation et me réinstalla.

— Tu ne vas peut-être pas me croire, me prévint-il, mais tu as eu beaucoup de chance.

J'avais du mal à le croire, effectivement. Après tout ce que je venais de traverser, je ne pouvais pas admettre avoir eu une quelconque chance.

— Comment ça ? le questionnai-je.

Il quitta mes résultats des yeux et se concentra sur moi.

— Eh bien, m'annonça-t-il, parce que tu as tout simplement une luxation du coude. Malheureusement, on l'a diagnostiquée un peu tard. Toutefois, tu pourras recommencer à utiliser ton bras normalement pour, heu… tu es née le quinze janvier, c'est ça ?

Il me regarda et je hochai la tête.

— Alors ce sera pour ton anniversaire, confirma-t-il. Je vais devoir te faire poser un plâtre. Tu le garderas un mois tout au plus et après tu devras faire de la rééducation.

Il afficha soudainement un air plutôt grave. J'avais peur qu'il m'annonce que je ne puisse plus manger ni me déplacer.

— Par contre, pour ce qui est de ta hanche, je craignais qu'elle ait subi plus de dégâts mais, heureusement, non. C'est ton genou qui a pris le plus et, même si mon confrère a exécuté une transposition de la tubérosité tibiale antérieure, c'est-à-dire qu'il t'a repositionné la rotule à l'aide de clous, il faudra que tu restes dans un plâtre pendant un mois. Bien entendu, tu auras une rééducation mais elle ne durera pas trop longtemps ! me rassura-t-il.

Il m'observa, appréhendant certainement ma réaction. À cet instant, j'aurais presque dit qu'il éprouvait de la compassion.

Tout ce que j'avais compris c'était qu'il fallait que je reste dans un lit pendant un mois, voire plus, et que je supporte deux plâtres. J'espérais au minimum de ne pas avoir à supporter tous les autres zozos. Cette idée me semblait insupportable.

— Quant à ton ventre, reprit-il, mon confrère t'a extrait la balle et suturée juste à temps, mais son énergie cinétique a fait des dégâts. Il te faudra donc attendre avant de pouvoir manger à nouveau normalement. Je vais te donner des médicaments et tu vas devoir faire attention à ce que tu fais. Bien sûr, étant donné que tu seras immobilisée pendant un mois, ça devrait aller. En parlant de balle, il t'en a extrait une deuxième au niveau des côtes. Si jamais tu y sens une gêne, il faudra immédiatement nous avertir.

J'étais littéralement au bout : au bout de mes forces, au bout de ma patience.

Pourquoi avaient-ils incendié notre maison ? Qui, de ma famille, était encore vivant ? Pourquoi les gendarmes avaient-ils tiré ?

Ils étaient vraiment à la botte des nazis ! Aujourd'hui, on les qualifierait de meurtriers.

Le Docteur Rigot me sortit de mes pensées.

— Je vais laisser mon collègue te mettre les plâtres, m'annonça-t-il. On se reverra dans une semaine pour voir où en est ta guérison. Ah, j'oubliais : pour mieux te soigner et te surveiller, je vais te remettre dans le dortoir de l'aile sud, avec tous les autres enfants qui n'ont nulle part où aller. Ils attendent leur guérison et, tout comme toi, ont un traitement régulier. Bien que ce soit un service mixte, nous n'avons encore jamais intégré de fille. Tu y seras donc la première.

Il termina sa phrase, posa une main apaisante sur la mienne et sortit.

Un autre homme, qui devait approcher de la soixantaine, était entré. Il avait les cheveux blancs, les yeux marron et était petit. Il avait apporté une cuvette dans laquelle reposait une pâte étrange.

Il me fit enfiler un tissu maillé sur la jambe droite qu'il appelait « jersey » et enroula ensuite des bandes, qu'il avait au préalable trempées dans l'étrange pâte, autour de ce dernier. Je ne me souviens plus combien de couches il avait mises mais cela avait duré longtemps. En plus, il avait dû poser un second plâtre à mon bras gauche.

Le plâtre de ma jambe me maintenait celle-ci tendue. Heureusement, je pouvais m'asseoir puisqu'il ne montait pas jusqu'à ma hanche.

Le fait d'être en sous-vêtements me mettait mal à l'aise, mais je me disais que c'était pour la bonne cause. Il valait mieux être en sous-vêtements allongée sur la table d'un médecin, plutôt qu'avec un nazi en train de me violer. Cette situation me rappelait un cauchemar récurrent que je faisais avant l'explosion de ma maison, dans lequel j'échappais à des Allemands en sous-vêtements et en boitant.

Tout en posant mes plâtres, le médecin sifflotait et cela me rassurait. Lorsqu'il eut fini, il prit un rouleau de bandes et le posa sur la table.

— Une infirmière va passer, me dit-il. Elle va te changer et te mettre un dernier bandage autour du ventre. Il faudra aussi que tu prennes des médicaments, à chaque repas. Tu pourras demander aux infirmières plus de précisions si tu le désires.

Il sortit et, quelques minutes après, Anne entra avec des vêtements dans les bras. Elle ferma les rideaux de la petite fenêtre quadrillée avant de prendre un gant.

— Je vais te débarbouiller tout ça, m'annonça-t-elle. Après quoi, je t'aiderai à te changer.

Je hochai affirmativement la tête. Elle alla verrouiller la porte et je me redressai.

— Doucement, m'indiqua-t-elle. Tu n'es pas encore rétablie et je ne voudrais pas que tes sutures s'ouvrent.

Au moins, pensai-je, *je me suis assise.*

Ma jambe était tendue et, sans son aide, j'aurais eu du mal à retirer et ma robe et mes sous-vêtements, je l'avoue.

Après avoir brièvement passé le gant de toilette mouillé sur l'ensemble de mon corps, elle me vêtit d'habits propres, sans oublier de me mettre le bandage. Je ne savais pas pourquoi, mais avec Anne, je me sentais en sécurité. En effet, à aucun moment je ne m'étais sentie gênée en sa présence, même déshabillée.

Le travail fini, elle sortit de la pièce et revint avec un fauteuil roulant. Elle m'aida à me soulever et m'installa. Ma jambe droite était posée et tendue, sans aucun effort de ma part. Elle me remmena dans la salle et m'aida à me positionner confortablement sur mon lit.

Je portais une longue jupe marron ainsi qu'un haut beige uni en laine. Des ballerines étaient posées au pied de mon lit.

J'avais pu remarquer que mes pieds étaient la seule partie de mon corps intacte. Toutefois, je ne les admirai pas bien longtemps puisqu'Anne rabattit la couverture presque immédiatement.

Je me souviens avoir pensé que, quelque part, j'étais effectivement chanceuse d'être en vie. Néanmoins, le peu d'énergie qui me restait ne suffisait pas à alimenter mon espoir et mon bonheur.

Je pensais encore à David. Je revoyais mon petit frère, si rayonnant, si plein de vie, si innocent…

Alors, lentement, le feu de joie qui avait survécu à mon enfance s'éteignit. Un sentiment de haine m'envahit…

Chapitre 5
Les présentations mouvementées
du mercredi 15 décembre 1943

Je ne voulais pas parler, seulement faire le point.

Je venais d'apprendre que mon petit frère était décédé, que j'allais devoir rester clouée au lit pendant un mois et, pour finir, que j'allais devoir manger de la compote. De la compote ! Je détestais ça. Mieux valait encore manger de la soupe...

Une voix me sortit de mes idées noires.

— Bonjour ! me salua un garçon. Moi, je m'appelle Paul et toi ?

Je relevai et tournai la tête vers lui, sans un sourire.

Il avait une dialyse qui le forçait à se maintenir à une grande perche et il ressemblait à Benjamin, le plus âgé de mes frères. Benjamin avait douze ans quand il est mort et seul l'âge différenciait ces deux garçons, puisque ledit Paul ne semblait pas si vieux.

— Mélanie, lui répondis-je.

Il afficha un grand sourire.

— Moi, c'est Denis, se présenta le blondinet à ma gauche.

— Et moi c'est George, ajouta un petit blond.

— Moi, Bernard, lança un autre avec la jambe droite dans un plâtre.

— Moi, c'est Pierre, dit un garçon avec des lunettes.

Tous les garçons qui le pouvaient s'étaient approchés. Ils semblaient respirer la joie.

— Et je suppose que j'ai à ma droite le fameux Marceau, c'est ça ? demandai-je en toisant ce dernier.

Il me fit un demi-sourire.

— En effet, me répondit-il espièglement. Je me présente : Marceau Lenoir.

Je lui rendis son « sourire » et me retournai vers les autres.

— Tu viens d'où ? me demanda Pierre.

Mon foyer avait été détruit. Venais-je donc de nulle part ? Non, je venais quand même de là-bas, je venais tout de même de Salagnon.

— Salagnon, lui dis-je.

Voyant qu'il était perplexe, je cherchai des précisions.

— C'est un village perdu en Isère, précisai-je alors.

Il sembla tout de suite beaucoup mieux me situer.

— Et t'as quoi ? me demanda Denis.

Je ne voulais pas leur raconter ma vie, alors j'allai à l'essentiel.

— J'ai une luxation du coude, l'informai-je en désignant mon bras.

Ma réponse parut leur plaire.

— Et à la jambe ? me demanda André. Tu t'es fait quoi pour avoir un plâtre ?

Avec cette question, j'étais coincée, mais je savais que je n'avais qu'à éviter les détails.

— Oh rien, assurai-je. Je... j'ai rencontré un chien.

Il me regarda comme si j'étais folle.

Soudain, Marceau se leva et se tourna vers mon auditoire.

— Vous ne voyez pas qu'elle n'est pas comme nous ! commença-t-il à dire. Vous ne voyez pas que c'est une boche !

Certains pouffèrent alors que d'autres, à l'inverse, tendirent l'oreille.

— Sinon, reprit-il, qui d'autre aurait pu prendre la place d'un garçon ? Juif qui plus est ? Eh bien, il n'y a que des boches pour faire ça ! Bien joué, son petit numéro ! « Il est où mon frère ? » Eh bah il est à Drancy, si c'est du p'tit juif que tu parles ! En plus, sa fracture là, c'est sûrement parce qu'elle s'est fait prendre par des résistants. Et oui, les petits villages paumés comptent bien plus de résistants que les grandes villes. Elle dit avoir rencontré un chien ? Effectivement, c'est lui qui leur a donné l'alerte en aboyant et lui déboîtant la jambe. Alors, vous ne trouvez pas que ça fait un peu gros ?

Marceau se retourna vers moi, fier de son effet. Tous les autres m'observaient, ahuris par les « révélations » faites.

Alors, je compris que je ne pouvais pas cacher la vérité plus longtemps, la suite aurait été invivable. De surcroît, s'ils savaient qu'un juif était censé venir, cela signifiait que les médecins leur faisaient assez confiance pour un tel secret.

— Bravo ! Tu as trouvé ! le félicitai-je faussement. C'est ça, je suis une boche !

Je les narguai, la tête haute et le regard fier.

Malgré la confiance qu'ils accordaient aux jeunes ici présents, j'en voulais aux médecins de leur avoir dit qui était la personne supposée venir. Ils n'avaient pas besoin de savoir que David était juif, cela aurait pu compromettre sa survie.

Le petit Paul, qui se tenait près de moi, recula et les autres retinrent leur souffle. Marceau, lui, me toisait de haut.

— Laissez-moi vous expliquer, enchaînai-je, comment ils ont anéanti ma famille. Oui, j'ai laissé ces saletés de boches les exploser pendant que je tentais de sauver mon plus jeune frère. Laissez-moi vous expliquer comment mon petit frère est mort devant mes yeux alors que leur chien me déchiquetait la jambe. Laissez-moi aussi vous expliquer que la seule raison pour laquelle je suis ici… c'est que je suis une juive.

J'avais les larmes aux yeux mais je n'arrivais pas à pleurer. Je savais, au fond de moi, que la fierté et la honte m'empêchaient de verser une larme.

Marceau avait perdu son arrogance. Il me regarda, déconcerté. Les autres garçons, eux, étaient pétrifiés.

Aujourd'hui encore, je ne sais pas si c'était à cause de ce que je venais de leur dire ou si c'était parce qu'ils m'avaient agressée.

— Alors, laissez-moi vous dire encore, terminai-je, que c'est pour toutes ces raisons que je suis à la place du cadavre de mon frère.

Je tremblais. J'étais tellement retournée par ce que je venais d'avouer – tant devant tout le monde qu'à moi-même – que je me penchai immédiatement sur ma droite, et vomis.

Je me rendis compte que j'avais évacué les petits pains que nous avions mangés avec David. C'était la dernière chose qui pouvait me raccrocher à lui et, à ce moment-là, je l'avais perdue.

Je mis alors ma main devant la bouche pour m'éviter de vomir, une seconde fois, et de sentir mes yeux s'humecter.

— Ah, les boches ! dit Marceau. Ils nous feront tous perdre la tête.

Je me redressai et le toisai. Peut-être essayait-il de s'excuser en disant ces mots mais le mal était fait : je le haïssais.

Une infirmière arriva et tous les garçons regagnèrent leur place.

— Ô, Seigneur ! s'écria-t-elle.

Elle repartit et revint avec une serpillière et un seau. Elle nettoya et repartit.

Le reste de la soirée se passa plutôt bien.

Je pris mes médicaments et les garçons leur repas, puis ils se mirent à parler et jouer entre eux. Marceau écoutait sa radio et je repensais à tout ce qui s'était passé ses dernières vingt-quatre heures : l'explosion, les horribles ricanements des nazis, les coups de poing, la balle dans mes côtes et celle qui s'était logée dans mon estomac, la lettre chez Martine, mon petit frère qui se mourrait devant moi et enfin le chien qui m'arrachait la jambe.

Malgré tout cela, je parvins à m'endormir.

Lorsque je me réveillai, il devait être environ quatre heures du matin. Je venais à peine de sortir du monde des songes et j'en voulais déjà à la Terre entière : j'étais exaspérée par Marceau qui ne pouvait pas se mêler de ses propres affaires, j'étais énervée contre les Alliés qui n'avaient toujours rien fait pour nous secourir et pour finir, j'étais enragée à cause des nazis qui voulaient nous exterminer, nous, les juifs.

Pourquoi n'en voulaient-ils pas aux chrétiens ou aux musulmans ?

J'étais énervée d'être impuissante. Je n'arrivais même plus à supporter le souffle des autres à côté de moi.

Je serrai les poings.

— Mélanie ? chuchota Denis.

Je n'avais clairement pas envie de parler à ce moment précis, mais j'espérai qu'il me lâcherait si je lui répondais.

— Quoi ? dis-je sèchement.

Il déglutit puis se tourna vers moi.

— T'arrives pas à dormir ? me demanda-t-il.

Je constatai la grande perspicacité de Denis.

— Heu… je pense que si je te réponds, c'est que non, je ne dors pas ! lui fis-je remarquer.

Il souffla, montrant sa déception. Je crois qu'il était attristé de voir que je ne portais personne dans mon cœur.

— On n'est pas tous comme lui, dit-il en chuchotant.

Je savais de qui il voulait parler et cela ne me calmait pas plus.

— Comme Marceau… émis-je.

— Oui, confirma-t-il, et puis, lui non plus il ne vit pas très bien la guerre. C'est sa façon de gérer.

Qu'est-ce que cela pouvait m'énerver qu'on dise « *la guerre* » ! Certes, elle était là, mais moi je me sentais occupée.

— Il aurait pu me parler autrement, commentai-je.

Il soupira. Il venait de s'apercevoir qu'il avait lancé un sujet houleux.

— Mais c'est vrai ? m'interrogea-t-il.

Je me tournai vers lui, pour l'étudier, ne comprenant pas bien le sens de sa question.

— De quoi ? le questionnai-je à mon tour, essayant de croiser les bras.

— Ce qui t'est arrivé ? précisa-t-il.

Je réorientai mon visage vers le reste de la pièce, observant tous les corps endormis.

— Oui, affirmai-je. Pourquoi aurais-je raconté tout cela sinon ? Pour m'inventer une vie ?

Je comprenais très bien ce qu'il essayait de dire.

En effet, mon physique – typiquement français – ressemble en tous points à celui d'une Aryenne, à un détail près : je n'ai pas les yeux bleus. Et cela m'avait valu de nombreux commentaires et quiproquos.

— Non, tenta-t-il de se justifier, c'est juste que…

Je ne l'avais même pas écouté, j'achevai simplement mon discours, faisant abstraction du sien.

— Vous ne vous attendiez pas à cela, hein ? continuai-je. Vous pensiez, une fois réveillée, découvrir une Aryenne ? Je sais que je ne ressemble pas à mes frères et sœurs, je sais que je suis différente. Mais aujourd'hui, j'ai peur. Pas de la mort ni des boches, mais de les oublier. Il me reste d'eux tant de choses… et ça, je ne veux pas les oublier. Et me voilà qui parle à des personnes que je ne connais même pas !

Je savais que certains garçons ne dormaient pas et que je devais faire attention à ce que je disais… ou alors étais-je sans doute un peu parano. En fin de compte, cela m'importait peu qu'ils connaissent ma vie ou non.

— Il n'y a que moi à qui tu parles, me rappela-t-il.

Je souris, amusée de son ignorance.

— Ce n'est pas parce qu'ils ne parlent pas qu'ils ne dorment pas, lui assurai-je.

Il se redressa et observa la pièce et ses occupants.

— Moi, je m'appelle Denis Letard, j'ai seize ans et j'ai une hypotension cardiaque chronique, se présenta-t-il d'une voix calme et posée. Je ne sais pas si tu vois, mais le petit tout au fond à côté de la porte, c'est Pierre. Il a quatorze ans et souffre d'amiantose car il a travaillé toute son enfance en maniant de l'amiante. C'est pareil pour André, qui est deux lits au-dessus de Marceau. Il est asthmatique depuis qu'il a travaillé d'arrache-pied dans les mines de la Mure pour nourrir sa famille, après que son père fut décédé. Norbert aussi travaillait là-bas, c'est le garçon de treize ans qui est juste devant toi.

Il marqua une pause. J'étais toujours énervée, mais quand même beaucoup moins.

Le noir de la nuit était moins intense que tout à l'heure, me permettant donc à peu près à voir où se situaient les garçons qu'il me décrivait.

— À côté de Pierre, reprit-il, c'est Paul, celui qui t'a parlé. Il a huit ans. Il a une insuffisance rénale, tout comme George qui est âgé de dix ans et qui se situe en face de la porte, vers la droite. Il a perdu un rein il n'y a pas si longtemps, il n'a pas voulu nous dire pourquoi. Il préférait que tout ce qui s'est passé aux urgences reste aux urgences. En face de la porte se tient Eugène, un autre petit de sept ans : il souffre d'un souffle au cœur. Antoine, le garçon de douze ans qui est à côté de moi a une malformation cardiaque, d'après ce que j'ai compris. Puis il y a aussi Jean, qui est tout au fond de la salle à côté de Paul. Il est atteint de bronchiectasie et a treize ans.

Soucieux de me laisser le temps d'intégrer tout ce qu'il me disait, il laissa un petit silence.

— Plus loin, Julien, qui a aussi dix-sept ans. Il est à côté d'André, continua-t-il. Il a eu une embolie pulmonaire à la suite d'un caillot sanguin détecté trop tardivement par son médecin traitant. Il y a encore Fernand, le garçon de quinze ans à côté de Norbert, qui possède un déficit en alpha-1 antitrypsine. C'est très compliqué mais, en gros, il est très sensible à la pollution, fumée de cigarette… On enchaîne avec Étienne, le plus petit, il a sept-ans et demi et est placé juste avant le lit d'Eugène. Il a une insuffisance cardiaque suite au traitement de la tuberculose qu'il a eu quand il était bambin. Enfin, je termine avec Bernard, qui est couché à côté de Norbert. Il s'est fracturé la jambe droite mais il s'est plutôt bien rétabli depuis.

Ce fut donc ainsi que je fis la « connaissance » des garçons de la salle mais aussi de mon premier ami, enfin, du premier ami de cette nouvelle vie.

— Qui parle ? demanda soudain le petit Étienne.

Je mis toute ma colère de côté et pris ma voix la plus douce.

— C'est Mélanie, lui répondis-je.

Il replaça sa couverture sur lui et se retourna.

— T'inquiète pas, m'assura gentiment Denis avant de se recoucher, au bout d'un moment on n'en fait plus.

Il devait parler des cauchemars.

Je ne voulais pas entamer une nouvelle discussion et, heureusement pour moi, je me sentis tout à coup très fatiguée. Lentement, je m'endormis donc à mon tour.

Chapitre 6
Jeudi 16 décembre 1943

Il devait être environ sept heures et demie du matin lorsque les infirmières me réveillèrent.

Dans un premier temps, les garçons étaient allés dans les sanitaires pour se laver, puis elles vinrent me chercher. Ils se situaient dans le long couloir blanc derrière la première porte de gauche. Il y avait plein de douches et, tout au fond de la pièce, se trouvait une porte.

Nous arrivâmes dans une petite salle de bain très lumineuse qui faisait au moins trois mètres sur quatre, sans compter l'espace occupé par les plans de travail. Il n'y avait pas de fenêtres mais des lampes.

Elles se placèrent autour de moi et me sourirent.

— Bonjour ! Je m'appelle Jeanne ! se présenta une blonde de taille moyenne.

Elle était très jeune et avait les yeux marron. Quelque chose me disait qu'elle venait de commencer ce métier depuis peu.

— Moi, c'est Marie, continua une grande rousse aux yeux verts.

Elle devait avoir dans la trentaine et portait des taches de rousseur. Elle m'inspirait confiance. Toutefois, elle était très fine, plus que moi.

— Et moi c'est Clothilde, termina une autre brune de taille moyenne.

C'était la doyenne du groupe. Elle ressemblait à ces tantes qui vous tirent sur les joues à chaque fois qu'elles vous voient... quoique je n'ai jamais eu la chance d'en avoir une.

Anne se positionna en face de moi.

— Mélanie, nous allons nous occuper de toi, me dit-elle en souriant.

Quand j'y pense, j'avais de la veine d'être tombée sur des infirmières si sympathiques !

— On va te mettre sur cette table-ci, me prévint-elle.

Elles me portèrent et me posèrent le plus délicatement possible. J'essayai de les aider en utilisant mon bras droit.

La table en question était métallique et plus haute que le fauteuil. Elles avaient d'ailleurs poussé ce dernier au fond de la pièce. Elles ouvrirent un placard rempli de savons et de désinfectants.

— Mélanie, m'avertit Anne, on va te laver et aussi vérifier ta cicatrice. Pour ne pas faire rentrer de l'eau dans tes plâtres, nous allons placer des tissus très fins mais très absorbants.

Elle se retourna vers les plans de travail pendant que Clothilde s'approchait de moi.

— Avant, m'expliqua cette dernière, nous mettions des morceaux d'éponges. Cependant, il y avait toujours de petits bouts qui rentraient dans le plâtre. C'était très désagréable et les patients se plaignaient de démangeaisons. C'est pourquoi nous les avons remplacés par des tissus.

C'était bon à savoir. En effet, je savais maintenant qu'elles faisaient attention à notre bien-être.

Soudainement, j'entendis une petite voix murmurer : *reste là Mélanie. Fais-le pour moi. Fais-le pour nous. Fais-le pour*

Benjamin, Raphaël, Salomé, Natan et Noa. Cette voix était sûrement celle de mon subconscient, même si je préférais penser que c'était celle de David.

Anne passait un gant de toilette sous l'eau tandis que les quatre autres infirmières s'occupaient de mettre des bouts de tissu à l'extrémité des plâtres.

— Aujourd'hui, nous sommes cinq, mais la prochaine fois, seule l'une d'entre nous sera présente, me rassura Marie. Ou nous serons peut-être deux. Mais pas plus.

Elles me lavèrent donc, puis me séchèrent et m'habillèrent d'une longue jupe et d'un pull en laine sous lequel se trouvait une chemise blanche. C'étaient les habits des infirmières. Ainsi, elles me prêtaient leurs actuels et anciens vêtements et sous-vêtements qui étaient, comme je le découvrirai au fil des jours, la plupart du temps à ma taille.

Elles me brossèrent ensuite les cheveux et me coiffèrent d'une longue tresse en épi de blé. Des mèches tombaient à l'avant de celle-ci, dévoilant mon dégradé.

Une fois tout ce pouponnage terminé, elles me réinstallèrent sur mon lit.

J'avais passé toute la journée à penser, sentant parfois le regard des curieux qui s'attardaient un peu trop sur moi, mais aussi à écouter la radio de Marceau. Il ne mettait pas le son très fort, néanmoins j'étais assez proche pour l'entendre. Je me souviens encore de la voix de ces chanteurs, de ces musiques entraînantes malgré l'occupation, et j'imaginais de jeunes gens danser dessus.

Je passais des minutes et des heures à me demander si c'était bien ou mal de danser sur ces chants, alors que d'autres devaient sans doute souffrir. J'avais fini par en conclure qu'il valait mieux danser que de servir les bourreaux ou encore de succomber devant d'atroces souffrances.

En fin de matinée, les infirmières apportèrent le repas. Elles servirent un bouillon accompagné de petits pois et de carottes à table pour les personnes pouvant se déplacer, et directement au lit pour celles qui ne le pouvaient pas.

Moi, j'avais eu droit à un petit bol de bouillon. Il était bon. Il m'aiderait à me rétablir... lentement mais sûrement.

Le reste de l'après-midi n'avait pas été très ennuyeux puisque Denis avait commencé à me parler, entraînant les autres garçons avec lui. Marceau était resté dans son coin en faisant attention à ce qui se disait à la radio et certainement dans le reste de la pièce.

On me posait des questions basiques telles que « Combien tu as de frères et de sœurs ? » ou encore « Quelle est ta matière préférée ? ». Je ne laissais pas paraître mon mal-être à leurs yeux car je ne voulais pas sembler faible. Aussi, je ne leur répondais pas avec beaucoup d'entrain.

Chacune de leurs questions faisait grossir en moi une haine envers les nazis et les miliciens plus intense que celle que j'éprouvais déjà, et mon esprit divagua. Je pensais à tous ces juifs qui ont été déportés, à leur vécu mais aussi à la peur de tous ceux qui devaient encore se cacher.

— Eh oh ! me rappelaient parfois les garçons. Tu te réveilles ? On t'a posé une question !

Je devais souvent « partir » puisqu'ils avaient dû me dire ça une bonne vingtaine de fois.

— Du calme ! leur répondais-je. Je réfléchissais, c'est tout.

Le temps était passé à vive allure puisque je ne m'étais pas rendu compte que le soir commençait déjà à tomber.

— Eh oh ? répéta un garçon, sans doute Paul. Arrête de réfléchir ! Tu sais, au bout d'un moment ça fait mal au crâne.

Marceau se retourna vers lui.

— Laisse tomber, elle se fout de ce que tu dis, commenta-t-il.

Depuis que j'étais revenue, il s'était calé dans son coin à écouter la radio. C'était presque trop beau !

— Tiens ! Tu te réveilles, toi, observai-je.

Il me considéra et j'arquai mon sourcil gauche.

— Ouais. Je t'avais manqué ? m'interrogea-t-il avec un sourire moqueur.

Non mais qu'est-ce qu'il m'énervait celui-là ! Il me faisait penser, vous savez à ces hommes, certes beaux, mais avec un petit pois à la place du cerveau.

— Non, je ne vois pas à qui tu pourrais manquer de toute façon, ajoutai-je avec un regard hautain. Peut-être à personne ? Puisque tu ne me donnes pas l'impression d'avoir beaucoup d'amis.

Les garçons sifflèrent et se moquèrent de lui. Apparemment, ils n'avaient pas l'habitude de voir quelqu'un lui tenir tête : ça allait changer avec moi. Les prochains jours n'allaient pas être de tout repos.

Après quelques autres questions, et un regard narquois lourd de sens de la part de Marceau, ils allèrent se brosser les dents et se mettre en pyjama. Puis, ce fut mon tour, les infirmières détachèrent mes longs cheveux et me donnèrent une robe de nuit.

Je m'endormis ensuite, passant alors une nuit mouvementée, harcelée par d'incessants cauchemars...

Chapitre 7
Semaine du 19 décembre 1943

Le reste de la semaine avait été plus ou moins long. J'en avais passé les trois tiers à dessiner, écrire, lire et même à penser, seule bien sûr.

Les matins, alors que les garçons jouaient aux cartes, au « nazi et au résistant » ou encore à cache-cache, je restais seule. Les infirmières me laissaient parfois du papier et un crayon, me permettant de laisser libre cours à mon imagination.

Mes dessins étaient souvent issus de mes souvenirs. Ils pouvaient remémorer des moments heureux, comme la naissance de mes frères et ma sœur, ou d'autres, tristes, tels que l'instant où j'agonisais sur le sol en espérant de tout mon être que David soit en vie. Je n'étais pas une artiste, mais j'avais un certain talent.

Après avoir dessiné, je glissais mes dessins sous mon matelas. J'avais cette peur viscérale d'oublier ma famille, mon passé ou même la vie avant l'occupation. Parfois, j'avais tellement peur d'oublier certains détails que je les écrivais au dos des dessins. Comme si je pensais pouvoir écrire toute mon histoire et celle de ma famille !

Marceau écoutait toujours sa radio, sauf la nuit, d'ailleurs rien ne s'y passait de bon. Les livres que je lisais faisaient partie des seuls autorisés par les nazis, comme ceux de l'Antiquité.

Mes lectures me ramenaient souvent à ce qui se passait dans le monde. Qu'est-ce qui poussait les gens à aller au théâtre ? Au restaurant ? À avoir une vie normale ? Ne voulaient-ils pas voir ce qui se passait derrière leurs murs ? Où étaient-ils tout simplement effrayés et froussards ? Peut-être, finalement, étaient-ils de leur côté ?

De toute façon, ce qui est fait est fait.

Le jeudi de cette même semaine, les infirmières étaient venues me chercher pour que le docteur Rigot m'examine et puisse savoir si je me rétablissais bien. C'était Clothilde qui m'avait installée dans mon fauteuil roulant et qui m'avait changée. Ce jour, j'étais simplement vêtue d'une chemise blanche et d'une jupe en laine.

Le docteur vérifia l'état de cicatrisation de mes plaies et détermina le temps au bout duquel j'allais à nouveau pouvoir me nourrir normalement.

— Bien, bien, bien, conclut-il. Je vois que la cicatrisation est bonne. Tu prends correctement tes médicaments et, si je ne me trompe pas, tu pourras recommencer à te nourrir normalement pour ton anniversaire. Par contre, tu devras continuer la prise des médicaments durant encore deux semaines, pour accentuer leur effet.

Je lui souris, sincère.

Il était vrai que cela m'emplissait de joie. Imaginez-vous : à manger liquide à chaque repas… Heureusement, cela allait se terminer !

Puis, Clothilde me ramena dans mon lit.

Après avoir longuement discuté, elle était contente de voir qu'une once de bonheur habitait mon cœur. De mon côté, j'étais heureuse d'être avec ces infirmières, qui ne faisaient pas leur travail pour l'argent. Au contraire, elles étaient attentionnées et cela m'aidait à me rétablir.

Le dimanche était « jour de visite ». Il permettait aux parents de venir voir leurs enfants. J'étais la seule à ne recevoir aucune visite. Enfin... pas tout à fait. Marceau n'en avait pas non plus.

Étant donné que nous ne nous retrouvions que tous les deux dans notre coin, malgré ma réticence, je me décidai à faire le premier pas.

— Tes parents ne viennent pas ? lui demandai-je.

Il se retourna vers moi, amusé, refermant le carnet sur lequel il écrivait.

— Oh, la princesse décide de me parler ? me donna-t-il pour toute réponse.

Déçue, je me rembrunis.

— Je pensais qu'on pouvait communiquer, lui exposai-je, mais étant donné que *Monsieur* préfère bouder dans son coin à écrire je ne sais quoi sur son carnet, je vais plutôt m'abstenir de m'adresser avec un tel macho !

Quel culot ! J'essayais d'être gentille et d'engager la conversation, pouvant même aboutir à une discussion entre personnes civilisées, et lui, il préférait se comporter comme un véritable goujat... Ce n'était pas en agissant ainsi qu'il allait changer l'opinion que je me faisais de lui !

Je le boudai.

— Ça fait un bout de temps que ma mère ne vient plus, me confia-t-il après un long moment de silence. Elle est trop occupée à pleurer son ivrogne de frère et à faire l'éloge de son fils cadet, si parfait, pour venir me voir.

Quelque part, ce qu'il disait me touchait. Cependant, la colère que j'avais à son égard l'emportait sur les sentiments. C'est pourquoi je pris une longue inspiration avant de répondre.

— Je crois que je te comprends, avouai-je.

Je regardai autour de moi.

— Pour eux, continuai-je, leurs parents sont des saints, des modèles, des protecteurs mais ce n'est pas le cas pour tout le monde…

Il posa des yeux compréhensifs sur moi. Je ne m'étais pas tournée vers lui mais je pouvais sentir son regard.

— C'est la guerre, ajouta-t-il. Elle devrait être présente, se sentir pour tout le monde, mais bon, on s'en passe ici…

J'esquissai un sourire malin puisqu'à mon sens, il se trompait dans ses mots.

— Non, Marceau, le rectifiai-je. Ce n'est pas la guerre : c'est l'occupation.

Il haussa un sourcil.

— Quelle différence y a-t-il entre les deux ? me demanda-t-il avec un air presque amusé.

Je le confrontai du regard.

— Vous parlez d'une guerre sans cesse mais il est facile d'utiliser ce mot quand on n'est pas obligé de se cacher, m'expliquai-je. Oui, des gens résistent. Oui, des gens souffrent. Oui, des gens disparaissent… Mais où sont les guerriers partis pour les ramener ? Peut-on vraiment parler d'une guerre quand la France elle-même collabore avec ses tortionnaires ?

Sans prévenir, de l'animosité naquit. On pouvait sentir de la tension dans l'air.

— Et que fais-tu de tous ces soldats qui sont partis pour ne pas revenir ? rebondit Marceau. Que fais-tu de tous ces résistants qui donnent leur vie pour les autres ? Qui donnent leur vie pour voir Paris libérée ?

Je m'indignai.

— Que crois-tu ? Que je ne suis pas de leur côté ? m'énervai-je. Paris ! Paris ! Paris ! Tu sais ce qu'on lui fait à Paris ? On l'outrage, la brise, la martyrise ! Et après tout ça, que font les Français ? Ils chantent ? Cependant, moi, ce ne sont pas des chants de résistants que j'entends, non : ce sont ceux de personnes qui ignorent, qui acceptent et qui suivent ce traître de Pétain...

— Mais regarde autour de nous ! me coupa-t-il. C'est la guerre ! Les gens se battent. Les gens meurent. Les gens voient leurs maisons brûler. C'est la guerre, Mélanie.

La suite de la journée avait été très longue. Pendant que les autres étaient à la messe, je restai seule et m'endormis.

Cette petite sieste m'avait été d'un formidable réconfort. Avec tous les cauchemars que j'avais faits, j'avais enfin pu me reposer.

Des cauchemars ? J'en faisais toutes les nuits. En réalité, je n'en faisais qu'un et c'était toujours le même.

Je rêvais que je me réveillais, allongée sur le sol en terre cuite de Martine. Il y avait du bruit dans le salon.

Dès que je m'en approchais, je pouvais distinguer les voix d'officiers nazis ou de la Gestapo, grâce à leur accent guttural, mais aussi des bruits de vaisselle cassée.

Lorsque je me retournais vers la porte qui donnait sur le jardin et que j'essayais de sortir, la poignée se bloquait. Alors, je me dirigeais vers l'escalier et montais, quatre à quatre, les marches qui grinçaient.

Là-haut, je me voyais à l'endroit où David et moi avions été blessés et laissés pour morts par les officiers. Je revoyais mon petit frère pleurer, face à moi. Alors, je me précipitais vers lui. Mais, au fur et à mesure que je m'approchais, une tache de sang grossissait sur son petit corps frêle et son teint doré verdissait.

Je me mettais à genoux et sentais cette odeur, une odeur de putréfaction. J'essayais de toucher son visage. Il était dur et froid comme un glacier. Et, à ce moment, il me disait dans un souffle : « *Mélanie, sauve-toi !* ».

Puis, j'entendais des bruits de pas derrière moi et, quand je me retournais, je voyais un soldat allemand qui me visait avec son arme. Au lieu de partir, je serrais très fort David dans mes bras. Et, à cet instant, il se dissolvait en un tas de cendres.

L'allemand, qui en avait profité pour s'approcher de moi, posait le bout de son Luger sur l'arrière du crâne. Il me tenait en joue… Il allait me tirer dessus… Mais je me retournais.

Dès lors, ce n'était plus un officier allemand qui était là mais Pierre.

Il avait toujours le Luger dans les mains mais il me visait le front. À l'instant où il appuyait sur la gâchette, tandis que je le regardais droit dans les yeux, il se transformait en chien et me sautait dessus.

Alors, je me réveillais. J'étais en sueur, tout essoufflée, hagarde.

Une fois, le réveil fut tellement brutal que je tapai dans la lampe qui se tenait sur la table juste à côté de mon lit. Cela avait fait un vacarme épouvantable. Enfin, c'est ce que je crus sur le moment parce qu'il semblait que j'étais la seule éveillée. Mais non, Marceau avait tout entendu.

Le lendemain matin, quand Marie vint me chercher, elle poussa un cri de colère en voyant la lampe par terre et nous fit tout un discours sur le respect du matériel. Elle nous dit aussi qu'il allait falloir la rembourser.

Étant entre Marceau et moi, il n'y avait pas quarante mille solutions.

— Alors ? Lequel de vous deux a cassé cette lampe ? demanda Marie, énervée.

Marceau me regarda discrètement et jeta un œil sur ma main droite.

Je fis coulisser mon regard sur celle-ci et vis qu'elle était boursouflée et qu'une petite tache rouge pointait le bout de son nez. Rapidement, je la cachais sous ma main gauche.

— C'est moi, dit calmement Marceau. Hier, j'ai voulu aller aux toilettes. Quand je me suis levé, je me suis cogné contre cette maudite table et j'ai fait tomber la lampe.

— On ne maudit rien, ici ! le corrigea Marie. Et tu vas devoir la repayer.

Marceau jura et Marie m'emmena pour me changer.

En chemin, je me demandai pourquoi il avait pris ma défense… sans avoir aucune réponse.

Chapitre 8
Mardi 28 décembre 1943

Nous étions le mardi vingt-huit décembre, à peine deux semaines après mon arrivée, et je commençais à comprendre la drôle de vie que menaient les garçons.

Ce jour, ils avaient réussi à faire entrer en douce un ballon de football. Ce sport était déjà assez connu à l'époque et, même s'ils n'avaient pas la place d'y jouer au pied, ils se faisaient des passes à la main.

Ils se le lançaient donc de lit en lit, en faisant attention aux personnes qui ne pouvaient pas le rattraper.

— Marceau ! l'interpella Étienne.

Il lui fit la passe, pensant que Marceau allait la récupérer.

— Non, j'ai pas envie de jouer, répliqua ce-dernier.

Au lieu d'atterrir sur Marceau, ce fut sur moi.

Je ressentis la puissance qui avait été mise dans l'envoi du ballon lorsque ce dernier s'écrasa sur mon abdomen. À son contact, j'inspirai si difficilement qu'Étienne fit une tête déconfite et s'immobilisa immédiatement.

— Ça va, le rassurai-je en souriant.

J'eus soudainement une sensation bizarre. C'était comme si quelque chose avait ouvert ma peau, telle une fermeture éclair.

Je sus alors exactement ce qui s'était passé : le ballon avait ouvert mes sutures au ventre.

Je passai la main et retins mon souffle. Quelques secondes après, je la retirai, et découvris un filet de sang... Je la reposai immédiatement sur ma robe, et expirai profondément mais calmement.

— Fais pas cette tête ! conseilla Julien à Étienne. Elle a rien. Elle est belle comme une fleur mais tout aussi fragile que des pétales.

Je l'ignorai. Je ne pus que sourire à Étienne.

Oui, je sais, je lui avais souri. Je ne savais pas quoi faire et je ne voulais pas paniquer.

Respire, pensai-je. *Oui, c'est cela, respire.*

Je ne me souciais plus de ce que disaient les garçons autour de moi. J'essayai seulement de contenir ma plaie et surtout de ne pas leur montrer ma faiblesse.

— Euh... commenta Denis. T'es sûre que ça va ?

Avant même que je ne puisse répondre, ce très cher Julien et ses amis lâchèrent un rire et, sans que rien ne l'explique, Étienne, qui était jusque-là pétrifié, s'avança vers moi.

Il me fixa pendant plusieurs secondes. Marceau l'attrapa par le poignet et lui chuchota quelque chose à l'oreille.

— Allez, lâche-la ! dit André. C'est pas l'ange Gabrielle !

À cet instant, Marceau mit sa main sur la mienne.

Je ne saurais pas comment l'expliquer, mais c'était comme s'il y avait une connexion entre nous. Il comprenait ce qui se passait.

Je lui adressai un regard animé par la rage et la douleur, puis hochai la tête. Il prit alors délicatement ma main et mon bras et les déplaça lentement sur la gauche.

Je pus voir que le noir de ma robe avait une couleur de rouille.

— Étienne, chuchota Marceau. Vas-y.

Julien et sa bande rigolaient encore et Marceau rendit sa liberté à ma main.

Je la remis rapidement de façon à comprimer la plaie et observa Étienne. Ce dernier hocha la tête, observa Marceau et lui lança un petit « d'accord ». Puis, il partit je ne savais où... même si j'espérais que ce soit pour aller chercher le Docteur Rigot.

— Ça vous fait marrer, hein ? articulai-je à grand-peine.

Nouveaux rires. Nouvelles moqueries.

Je n'avais ni le cœur ni la force de les écouter. Alors, je fermai les paupières, ne pensant qu'à respirer longuement.

Marceau et Denis se lancèrent un regard inquiet et sérieux. Tandis que le premier se rassit sur son lit, les avant-bras sur les cuisses, le second s'approcha de moi et posa une main réconfortante sur mon épaule.

Je pensais à toutes les gouttes de sang qui s'écoulaient de mon corps, sortant de cette plaie et tentant d'échapper à la pression de ma main. Je les imaginais avec des casques et des lances en train d'attaquer le monde extérieur. Je voyais en elles des guerrières.

Étaient-ce vraiment mes gouttes de sang ?

Quelle que soit la réponse, je ne me laisserai pas abattre.

J'entendais toujours quelques rires mais les ignorai. Je me concentrai sur ma respiration, fermai les yeux, les rouvris et fixai le plafond.

C'est alors que je sentis un liquide humide et chaud couler sur ma main. Dès lors, je n'entendais ni les moqueries de mes camarades ni les protestations de Denis.

— Beh, qu'est-ce qui ne va pas ? m'exclamai-je le plus audiblement possible. Vous êtes tout pâles !

J'esquissai un sourire mais le cœur n'y était pas.

— C'est pas beau, hein, c'est ça ? articulai-je.

L'atmosphère était tendue.

— Mais si ça va aller, me rassura Marceau avec un sourire crispé.

Je ne savais pas si c'était pour me rassurer ou non, mais si je n'avais pas été dans cette situation, j'aurais trouvé ce sourire bien étrange et aurais certainement pouffé de rire.

Tout à coup, une douleur insoutenable me parvint au niveau du ventre. La gorge me gratta. Je me mis à tousser et, à mon plus grand déplaisir, ma main gauche se teignit de rouge.

J'avalai ma salive puis clignai des paupières. Un silence s'abattit dans la salle.

Soudain, j'entendis les portes s'ouvrir et vis le Docteur, Jeanne ainsi qu'Étienne entrer. J'étais tellement soulagée de les voir arriver que je desserrai ma prise, laissant couler une rivière de sang.

— Ha ! C'est du sang ! dit-elle au Docteur Rigot en soulevant les draps.

Le docteur et elle se regardèrent. Elle prit ma main droite.

— En as-tu aussi craché ? me demanda-t-elle.

J'avais encore son goût âcre dans la bouche. J'opinai de la tête.

Le docteur, qui s'était positionné à gauche de mon lit en opposition à Jeanne, avait légèrement déplacé mon bras gauche. Il vit l'étendue de la tache et regarda ensuite l'infirmière.

— Elle ne peut pas attendre plus longtemps, affirma-t-il.

Ils jetèrent au sol la couverture et ce fut à ce moment-là que je m'aperçus qu'elle avait viré au rouge. Je décidai de rester calme, de fixer une fois encore le plafond en attendant qu'ils enlèvent les freins du lit.

Lorsque je sentis les roues se mettre en mouvement, je regardai Étienne, lui adressant un sourire reconnaissant. Je toussai une fois de plus dans mon coude, puis passai la langue sur mes dents pour ôter le plus de sang possible.

Ils m'installèrent directement dans le bloc opératoire. Celui-ci se situait dans l'aile Nord du bâtiment.

J'étais allongée sur la table et fixais le plafond d'un regard absent et vitreux.

— Ne t'inquiètes pas Mélanie, dit Jeanne, le Docteur Rigot est le plus compétent de la région. Avec le Docteur Durand, ils vont te réparer tout ça.

La dernière chose dont je me souviens était les deux médecins accompagnés d'Anne, en tenues stériles.

On me posa un masque sur le visage. Je fermai les yeux, inspirai, puis ce fut le trou noir.

Je me réveillai soudainement : encore un cauchemar ? Non. J'étais revenue dans la salle.

Il faisait nuit noire. Sans doute était-il deux heures du matin, pas plus. Je me remémorai tout ce qui s'était passé. Je levai alors le bas de mon t-shirt en coton et effleurai le contour de mes pansements pour m'assurer que ce que j'avais vécu était bien réel.

Je lâchai alors un soupir. *Laisse tomber Mélanie*, songeai-je, *la cure de compote sera encore pour toi !*

Je portai ensuite la main à mon front, avant de la redescendre jusqu'à ma bouche, masquant mes mâchoires que j'avais violemment contractées.

J'en avais réellement assez. À chaque fois que quelque chose rentrait dans l'ordre, cela finissait par recommencer !

— Merde ! jurai-je en tapant violemment le rebord de mon lit.

J'entendis les draps d'à côté se froisser. C'était Denis.

— T'en fais pas. Ils ont dit que ça ne te rajoutera qu'une semaine de traitement et que ça ne dérangera en rien ta rééducation, me consola-t-il.

Les hommes ne comprennent vraiment rien. À ce moment-ci, j'avais vraiment besoin d'être seule. Alors, pourquoi s'obstinait-il à me parler ?

Est-ce que ça avait l'air d'être la bonne technique avec moi ? Non. Je ne voulais qu'une seule chose : qu'on me laisse tranquille !

— De quoi tu te mêles ? lui demandai-je.

Il s'en suivit un long silence.

Je regardais le paysage à travers la fenêtre. J'avais remarqué qu'ils ne fermaient jamais les volets.

— Parfois, tu peux être admirable, reprit-il, mais à d'autres moments…

Cette fois, il avait réussi. Oui, il avait attiré mon attention.

— Continue, le priai-je. Incompréhensible ? Inhumaine ? Insensible ? Vous n'êtes pas là pour me donner des leçons ni pour me juger. Laissez-moi vivre ma vie !

Je pouvais voir qu'il hochait la tête. Il n'était sûrement pas convaincu, mais il ne devait pas savoir quoi répondre non plus.

— Tu ne peux pas porter le poids du monde sur tes épaules, ajoutai-je.

J'inspirai et tentai de faire redescendre ma colère.

— Comment ça ? me questionna-t-il.

Je savais de quoi je parlais : j'ai grandi en faisant ce qu'il essayait de faire.

— J'ai bien vu comment tu te comportes avec les autres, lui expliquai-je. Tu veux toujours essayer de régler leurs problèmes, de les rassurer. Tu te sens coupable à leur place. Ce n'est pas de ta faute s'ils sont là.

Il observait maintenant tous les garçons dans leur lit, un par un, et un silence s'installa.

— Ici, on est tous malades, ajouta-t-il d'un air triste, ou gravement blessé. On doit se tenir les coudes. Ça ne sert à rien de jouer les indestructibles. Tout le monde a des failles. C'est plus facile de vaincre sa maladie quand on l'assume.

Il me regarda ensuite, m'incitant à me confier.

Cependant, j'étais trop fière pour m'avouer blessée, même si je me savais sensible.

— C'est très bien tout cela, repris-je. Mais je ne suis pas malade et le seul problème que j'ai du point de vue de la société, c'est que je suis juive. Alors, vas-y, crie-le sur tous les toits, on verra si ça va m'aider à régler tous les problèmes dans lesquels je suis !

Il hésita un instant à me répondre. Il tourna la tête et se recoucha.

— Eh... Mélanie... chuchota quelqu'un.

Je reconnus au timbre de voix qu'il s'agissait de Julien. Mais cette fois-ci, les mots qu'il prononçait n'étaient pas sur le ton de la raillerie, seulement de la sincérité.

— Désolé pour toute à l'heure, continua-t-il, je ne savais pas.

Toujours tourné, j'entendis Denis bouger.

— Il fallait réfléchir plus tôt, génie, lâcha-t-il.

Sa prise de position me plaisait. Peut-être n'étions-nous pas sur la même longueur d'onde mais nous étions du même côté.

— La prochaine fois que tu t'en prends à une rose, renchéris-je, fais attention aux épines.

Je l'entendis rire. Ce n'était pas un rire mauvais, au contraire, j'avais l'impression qu'il était… impressionné ?

Quoi qu'il en soit, il ne dit rien d'autre. Ni aucun de nous, d'ailleurs.

Alors je profitai du silence et tentai de m'apaiser.

Je n'avais pas réussi à me rendormir. Je savais que j'allais refaire des cauchemars et rien que le fait de revoir David, même en songe, m'angoissait.

J'étais donc restée ainsi, perdue dans mes pensées, n'essayant d'envisager que de bonnes choses.

Après tout, si j'avais réussi à survivre jusque-là c'était bien pour une raison, non ? Ou, dans le cas contraire, cela signifiait que la vie me gardait un destin plus funeste encore…

Bon, me dis-je une fois le soleil levé. *Tu peux passer ta journée à te morfondre ou même les semaines suivantes à imaginer à un futur que tu auras ou pas ! Mais, là, tout de suite, maintenant, il faut que tu te reprennes ! La vie n'est pas juste un assortiment de haine, de tristesse et d'horreur comme tu as pu le penser jusqu'à aujourd'hui. C'est aussi un ensemble de joie, d'amitié et de partage. Alors BOUGES-TOI !*

Chapitre 9
Mercredi 29 décembre 1943

Les rumeurs étaient de plus en plus fortes en ce qui concernait Paul. Il se sentait vraiment mal et le fait qu'il ait une insuffisance rénale ne mettait pas les médecins à l'aise.

Tout le monde parlait dans son dos. Je trouvais cela vraiment déplacé.

Bien sûr, c'était quelque part logique puisqu'ils ne voulaient pas le plonger dans un état dépressif, mais c'était surtout complètement insensé.

Que voulaient-ils ? Lui mettre dans la tête le fait qu'il allait forcément mourir ? Je ne comprenais décidément pas les garçons.

Un matin, alors que tous les plus jeunes de la salle étaient partis se laver, nous nous étions retrouvés à sept dans la salle. Il y avait Denis, André, Julien, Pierre, Fernand, moi et n'oublions pas Marceau, sans qui les échanges seraient beaucoup moins amusants.

Je parlais avec Fernand et Denis.

Les tensions entre moi et ce dernier s'étaient radoucies. Il était l'un des seuls à penser que les femmes ne sont pas des choses sans cervelle, servant uniquement à se rincer l'œil. Je ne dis pas que tous les autres pensaient exactement comme cela, mais ils ne pouvaient imaginer la présence de femmes dans la Résistance.

En ce qui concerne cette dernière, je savais qu'elle était présente dans les environs. Dans le cas contraire, je pense que le Docteur Rigot n'aurait pas pris le risque de me sauver… C'était un homme très honnête et humain qui devait s'appuyer sur des aides extérieures. De plus, le dimanche précédent, j'avais entendu Marceau revenir l'après-midi en fredonnant un chant de Résistance.

Je comprenais pourquoi il se surestimait autant : c'était parce qu'il risquait sa vie et cette situation lui donnait l'impression qu'il valait plus que les autres et surtout, que moi. Pourquoi ? Tout simplement parce que j'étais juive et que je fuyais alors que lui, il combattait pour la liberté. Il n'était donc pas aussi misogyne que ce que je pensais mais tout simplement macho et idiot. En fait, je ne savais pas lequel était le pire.

— Tu as de la chance d'être clouée au lit en fait, me dit Fernand.

D'abord, je le foudroyai du regard, puis j'hésitai entre le rire et la moquerie.

— Tu rigoles j'espère ! lui répondis-je.

Il plissa les yeux.

— Non pourquoi ? me demanda-t-il.

Je redressai la tête et arquai mon sourcil gauche.

— Bin toi, tu peux sortir ! lui expliquai-je avec en train. Tu peux courir, marcher, enfin tu es libre de tes mouvements quoi ! Moi, je suis clouée dans ce maudit lit !

Il observa ses pieds.

— C'est vrai qu'avoir les membres les plus importants cassés ne doit pas vraiment être une partie de plaisir, ajouta-t-il.

Denis esquissa un sourire.

— C'est pas vraiment les plus importants... commenta ce dernier.

Je lui lançai un crayon de papier que j'étais en train de triturer, puis nous rîmes.

Denis se tenait assis sur son lit, penché de mon côté, les avant-bras sur les cuisses, et Fernand était sur le lit de Marceau.

— Non mais sérieux les gars, ressaisissez-vous ! repris-je. En plus, tu ne connais vraiment rien à l'anatomie féminine !

Denis fit une moue, me prouvant que je n'avais pas tort. Soudain, dans ce silence, je pus surprendre le dialogue engagé entre Marceau, André, Julien et Pierre.

— J'ai entendu dire que Paul n'en a plus pour très longtemps, lâcha Julien.

Je levai les yeux au ciel – ou plutôt au plafond – et soufflai, exaspérée.

— Non mais tu t'entends parler ? lui fis-je remarquer.

Ils se retournèrent tous vers moi.

— Attention, je crois que tes paroles ne conviennent pas à la princesse, ajouta Marceau.

Entre nous, je ne voyais pas du tout où était ma ressemblance avec une princesse ! Il commençait vraiment à m'énerver celui-là.

— D'où tu te mêles de notre conversation ? m'interrogea André.

Je l'observai comme s'il venait de dire la plus grande des stupidités possibles et inimaginables.

— Je te ferais remarquer que cette salle est assez petite pour que tout ce que l'on crie par-dessus les murs s'entende, lui dis-je.

Un silence se fit, accompagné du demi-sourire narquois de Marceau. Cela causa en moi une rage démesurée.

Je regardai les garçons droit dans les yeux, m'assurant de capter leur attention.

— Vous pensez réellement que Paul est sourd ? leur lançai-je d'un ton indigné. Non mais regardez-vous franchement ! Vous êtes les plus âgés et lui fait partie des plus jeunes. Certes, son état ne fait que s'aggraver et la dégradation de son système immunitaire le prouve, mais ce n'est pas une raison pour parler dans son dos ! Le bruit de vos chuchotements à son sujet est tellement fort qu'on dirait que vous le massez.

André et Pierre, qui étaient face à face, échangèrent plusieurs coups d'œil me faisant comprendre qu'il ne fallait pas que je m'arrête en si bon chemin.

— Réveillez-vous les gars ! m'écriai-je. Vous ne pouvez pas vous comporter comme ça ! Vous êtes censés être responsables, veiller sur les plus jeunes. Il sait qu'il ne va pas bien, ce n'est pas une raison pour l'exclure. Non ! Vous devez le faire se sentir bien. S'il meurt prématurément, parce que sa santé mentale n'aura pas pu le mener plus loin, se sera seulement, et je dis bien seulement, de votre faute ! Tous ses autres amis, eux, se seront démenés pour lui faire oublier sa douleur. Si, dans plusieurs années, la seule bonne action que vous aurez effectuée sous cette occupation est celle d'avoir veillé sur un petit garçon, et bien elle vous honorera. Ce n'est pas forcément en combattant l'ennemi que vous montrerez que vous êtes quelqu'un de bien mais plutôt en aidant votre prochain, en soutenant vos camarades pour que tous ceux que vous connaissez aient le plaisir de se revoir !

Une fois ce « discours » prononcé, je repris mon souffle et levai la tête d'un air triomphant. Et même, dans la dernière phrase, j'avais fixé Marceau lui faisant comprendre que je savais. Lui, me regardait ahuri.

— C'est qu'on ne parle plus là, hein ! finit par conclure Denis après un long silence.

C'était comme si, dans un premier temps, mes camarades ne me croyaient pas capable de m'exprimer avec tant d'arguments. Dans un second temps, il me sembla avoir visé juste à tous les niveaux. Je pouvais voir la tête de Marceau hocher lentement.

— Elle a raison, lâcha-t-il. Si on se comporte comme ça à longueur de journée, tu m'étonnes qu'il soit mal.

À peine avait-il fini sa phrase que Paul et d'autres entrèrent. Clothilde vint aussitôt me chercher et j'allai, comme à mon habitude, me préparer.

Le Docteur Rigot devait m'ausculter dans la semaine et j'avais peur qu'il détecte une nouvelle anomalie due à mes fortes carences ou au développement d'une infection.

Depuis l'invasion de la zone libre, j'avais cessé de me nourrir correctement suite au manque de vivres. Nous avions dû économiser les rations et je ne voulais pas que mes frères et sœurs souffrent de la faim. C'est pourquoi je me contentais de maigres quignons de pain.

À l'hôpital, à l'inverse, j'étais vraiment bien nourrie. Enfin, je ne pouvais pas *manger,* mais tous les aliments qui manquaient à mon métabolisme m'étaient apportés. Cela me faisait du bien et c'était bon.

Cependant, cela me faisait aussi du mal : mon corps ne le supportait pas très bien. J'avais été sous-alimentée trop longtemps. De plus, les saignements de nez répétitifs et les étourdissements mettaient à mal mon état de santé.

Je pouvais masquer les étourdissements mais pas les saignements. Aussi, je n'avais pas eu mes règles depuis deux mois maintenant. Je sais que pour les hommes, cela ne représente rien, mais pour nous les femmes, cela signifie soit que l'on est enceinte, soit que l'on est en très mauvaise santé.

Lors de ma visite avec le Docteur Rigot, plusieurs de mes questions le mirent sur la piste des manques dont je souffrais.

— As-tu déjà eu tes règles ? me questionna-t-il.

À l'époque, c'était un sujet tabou et ma mère ne voulait pas en discuter. Le fait de pouvoir enfin en parler à quelqu'un eut un effet libérateur pour moi.

— Oui, mais je les ai de moins en moins depuis l'invasion de la zone libre, répondis-je.

Je ne me sentais pas gênée. Après tout, il était mon médecin et il devait savoir…

— Et tes saignements de nez ne te préoccupent pas plus ce que cela ? observa-t-il.

Je me sentais prise au piège.

— Non. J'ai fini par m'y habituer, avouai-je.

Il me regarda droit dans les yeux.

— Tu sais que tu fais des carences ? commenta-t-il.

Je me dérobai et assumai.

— Oui, affirmai-je. Je m'en doute.

Il me donnait l'impression d'attendre quelque chose de moi.

— Et tu sais que cela ralentit ta guérison ? me demanda-t-il.

Il y avait comme une lumière dans son regard.

— Oui, lâchai-je.

Soudainement, cette lueur disparut aussi vite qu'elle était née.

Il semblait déçu mais ne le montra pas pour autant. Alors, lui qui était auparavant assis sur le rebord de la table, se leva et se tint face à moi.

— Tu comprends donc que je ne puisse pas garantir ton rétablissement à la date convenue, me dit-il d'une voix autoritaire digne d'un commandant militaire.

Cette fois-ci, ce fut à mon tour d'être déçue.

— Comment ça, à la date convenue ? m'écriai-je. Je ne pourrais donc pas marcher avant combien de temps ?

La déception laissait lentement place à la colère.

— Ce n'est pas de ta faculté de marcher dont je parle, m'expliqua-t-il, mais de celle d'utiliser à nouveau tes membres... Tous tes membres... Tout ton corps.

Je comprenais très bien là où il voulait en arriver.

— Je ne pourrai donc ni manger correctement, ni marcher, ni même utiliser mon bras... ni... ni... je ne finis pas ma phrase.

Il me fixa, le regard triste mais exigeant.

— Tout cela dépendra de toi, me répéta-t-il.

Tout cela dépendra de toi, toujours la même phrase... mais que signifiait-elle ? Derrière sa définition si simple se cachait un sens indéfini. C'est vrai : comment pouvais-je ordonner à mes organes, à mes os, à mon corps de se rétablir...

— Tout cela dépendra du temps que ton organisme mettra pour guérir, continua-t-il. Je pense que le jour où tu mangeras normalement, je pourrai enlever le plâtre. Tes os vont se ressouder mais il faut impérativement que la base de leur reconstruction soit solide. C'est pourquoi il nous faut attendre que tu sois complètement rétablie de toutes tes mésaventures.

Je le regardai, complètement abasourdie.

— Mais... lâchai-je dans un souffle, combien de temps vais-je encore devoir attendre avant de pouvoir... ne serait-ce tendre le bras ?

Il regarda à travers la fenêtre.

— Seul le temps nous le dira, murmura-t-il. Seul le temps nous le dira, Mélanie.

Il me jaugeait à présent comme si j'étais sa nièce, ou du moins une personne importante.

Ce regard, c'était celui que me réservait ma tante Élise, celui avec lequel elle me couvait quand nous nous retrouvions.

— Nous nous reverrons dans une semaine, dit-il soudainement, coupant court à mes pensées.

Il se tourna vers le plan de travail et rangea mon dossier.

— Docteur ! l'interpellai-je alors qu'il se dirigeait vers la sortie.

Il se retourna, m'écoutant.

— Pensez-vous que cette convalescence durera longtemps ? le questionnai-je à nouveau.

Il prit quelques secondes pour me répondre.

— Je pense, commença-t-il à exposer, que la guérison passe d'abord par le mental. Si l'on est intimement convaincu que nous allons vivre et guérir, on trouvera la force de faire renaître la lumière qui s'était éteinte. Et ce, même dans les moments les plus désespérés. Sais-tu ce qui me prouve que cette théorie est bien plus qu'une simple idée ?

En guise de réponse, je hochai négativement la tête.

— Eh bien c'est toi, m'affirma-t-il d'une voix chaude et protectrice. Tu es combative et jamais tu n'as baissé les bras. Si tu l'as déjà fait, cela ne s'est même pas remarqué. Oui, c'est toi qui m'as fait comprendre que, même dans les pires situations, on peut s'en sortir, qu'il y a toujours une petite porte cachée quelque part qui permet de survivre. Quand je dis « survivre », je ne dis pas ça de manière lâche et misérable mais de façon grandiose, chacun à sa manière.

Après m'avoir dit cela, il m'accorda un regard complice et m'installa dans un fauteuil roulant.

Il y a toujours une petite porte... Intimement convaincu que nous allons vivre et guérir... Ces morceaux de phrase trottaient dans mon esprit et me réchauffaient le cœur.

Je ne pouvais imaginer que, grâce à ses mots, je trouverais la force et la capacité de me sortir de situations difficiles et délicates.

Chapitre 10
Mardi 11 janvier 1944

Nous étions le mercredi onze janvier et il ne restait plus que quatre jours avant mon anniversaire. *Plus que quatre jours avant la date minimale que requiert la dépose de mon plâtre,* pensai-je.

Je savais qu'après ces quatre jours viendraient encore des semaines de rééducation – surtout en ce qui concernait la dépose de mon plâtre à la jambe – mais le Docteur Rigot m'avait auscultée cette semaine et il m'avait dit que j'étais en très bonne voie de guérison.

Me nourrir correctement n'avait pas été de tout repos ! Les trois premiers jours qui avaient suivi ma visite avec le docteur n'avaient été que vomissements après chaque repas. Puis, cela s'estompa au fur et à mesure que mon corps se réadaptait à une alimentation plus solide. Enfin, je pus avoir des repas complets.

Eh oui, s'en était fini des compotes et des soupes ! J'avais désormais le droit à de vrais plats !

Ma mauvaise humeur se calmait, le moral revenait et, avec tous les efforts réalisés, j'allai pouvoir recommencer à utiliser mon bras gauche.

Lors des repas, nous mangions tous à la grande table. J'étais heureuse de pouvoir me nourrir à nouveau normalement.

Néanmoins, cela signifiait aussi je devais supporter leur bonne humeur et surtout leurs jérémiades !

— J'en peux plus ! râla un jour Norbert. Ils ne peuvent pas nous servir autre chose que des petits pois et des carottes !

Et le voilà qui ranimait un débat.

— C'est vrai, affirma André, un petit morceau de viande ferait l'affaire !

Tous les garçons approuvèrent.

— Ou du poisson ! rajouta Jean. Beh quoi, tout est bon dans le poisson !

Ils pouvaient continuer comme ça pendant de longues minutes, terminant en parlant de noms de plats que je ne connaissais même pas, comme le « boudin aux pommes » ou ledit « Cassoulet »... plats apparemment typiquement régionaux.

— Arrêtez de fantasmer sur vos plats imaginaires, commentai-je. Vous n'en aurez pas ici.

J'attirai quelques regards sur moi.

— Quoi ? se plaignit André. Toi tu as eu de la compote pendant presque un mois !

— Je hais la compote ! lui répondis-je aussitôt en élevant la voix.

Julien se retourna immédiatement vers moi.

— Tu parles, enchaîna-t-il, je suis sûre qu'elle n'a jamais mangé de boudin de sa vie.

Marceau esquissa un demi-sourire.

— Est-ce que tu sais au moins ce que c'est, princesse ? renchérit-il, amusé.

Grâce à son intervention, tous les regards convergèrent vers moi.

— Non, avouai-je. Non, je n'en ai jamais mangé et je n'en mangerai pas !

Certains garçons m'observaient comme une pestiférée tandis que d'autres se moquaient de moi. Rares étaient ceux qui me comprenaient.

— Elle vient d'où pour ne jamais en avoir déjà goûté ? s'exclama Fernand.

S'il savait... pensai-je.

— Pas d'Isère en tous cas, affirma Pierre. Le boudin là-bas, c'est sacré. Je le sais parce que ma famille en vient.

Je connaissais de nom, c'était tout. Pas besoin d'en faire tout un plat !

— Peut-être que je ne connais pas le « boudin » mais au moins je connais la choucroute, ajoutai-je de manière à faire taire leurs moqueries.

Je pus remarquer, au regard de certains, que j'avais touché un point sensible.

— Et qui te dit qu'on ne la connaît pas ? me demanda André.

J'arquai mon sourcil gauche et étirai un sourire triomphal.

— Parce que je ne vous en ai jamais entendu parler, argumentai-je. De la quenelle à la crêpe Susette... je n'ai jamais entendu ce mot sortir d'aucune de vos bouches.

Ils se regardaient, se demandant si j'avais inventé ce plat ou non.

— Non ! s'esclaffa Denis en rigolant. Me dites pas que vous ne connaissez pas !

Nous nous mîmes tous les deux à rire.

— Ça vient d'où ça encore ? interrogea André, penaud.

Tout à coup, je sentis une pointe de nervosité monter en moi.

— D'Alsace, lui répondit Denis.

— Normal qu'on ne connaisse pas alors ! prétexta Julien. C'est un plat de boche !

C'était toujours la même chose : si on est allemand, alors on est nazi…

— Tu connais ça d'où ? demanda Pierre à Denis. T'es espion boche ?

Je serrai les dents.

— Mais non, lui assura ce dernier. Ma famille descend peut-être des Vosges mais j'suis pas boche pour autant ! Elle a déguerpi de là-bas quand l'Alsace a été annexée à l'Allemagne.

Il se tourna dans ma direction et arrêta ses yeux sur moi. Il ouvrit la bouche mais la referma vite.

Il savait qu'il n'avait pas à me poser la question étant donné l'appartenance religieuse de ma famille.

— En plus, ajoutai-je, ce n'est pas parce qu'on vient d'Alsace ou même d'Allemagne qu'on est nazi.

Ils me fusillèrent du regard.

— Comment tu peux dire ça ? me lança Norbert. Tous les Allemands sont des boches ! Après tout, ils ont tous choisi de mettre ce con d'Hitler au pouvoir !

À partir de ce moment-là, je ne pus plus me contenir. La colère m'envahit.

— Non ! m'écriai-je. Je peux en entendre des choses mais pas ça ! Vraiment pas ça ! Combien de juifs *allemands* ont dû subir cette autorité sans pouvoir contrôler ce qui se passait dans leur pays ! Ils n'ont pas voté pour lui… c'est… c'est un dictateur ! C'est comme ça qu'il est venu au pouvoir et qu'il commande son pays. Il a amadoué les foules, a séduit le plus grand nombre. À ce moment-là, nous aussi on est tous des collabos : nous avons élu notre Pétain !

Après avoir fait le tour des paires d'yeux de mes petits camarades et avoir convaincu pas mal d'entre eux, je regardai une dernière fois Norbert puis Marceau, toujours fidèle à son demi-sourire moqueur. Puis je me dirigeai, non sans effort, jusqu'à mon lit.

Il s'en suivit un long silence mélangé d'absurdité et de sérieux.

Chapitre 11
Samedi 15 janvier 1944

C'était la première fois que je fêtais mon anniversaire.

À la maison, je devais faire le gâteau moi-même et il n'y avait que mon oncle Michael, ma tante Élise et parfois mon père qui me faisaient des cadeaux. Ils prétextaient qu'à eux trois ils représentaient toute la famille.

Mais je n'en avais que faire d'avoir un cadeau ou non. Tout ce que je voulais c'était la paix pendant une journée, pendant *cette* journée.

Toutefois, ce jour, je n'allais pas vraiment l'avoir, comme je m'en doutais…

Le matin, Anne était venue me chercher, pour la toilette.

Au lieu d'avoir ma tenue habituelle, elle me revêtit d'une robe bleue de la même couleur qu'un saphir. Avec son col Claudine et ses longues manches, elle s'arrêtait au niveau de mes genoux. Elle n'était pas faite en satin, loin de là, mais en laine, d'une laine douce et soyeuse.

— Elle est magnifique, dis-je pleine d'admiration.

Anne me sourit.

— Elle te plaît ? quémanda-t-elle. Alors elle est à toi.

Je la regardai droit dans les yeux.

Elle était comme la grande sœur que je n'avais pas eue. Je me sentais bien avec elle. Alors, j'osai lui demander de me faire deux tresses. Autrefois, j'aimais bien prendre le temps de me faire de belles coiffures.

Anne ne disposait pas de beaucoup de chaussures, mais elle m'avait prêté une paire de ballerines assorties à ma ceinture. Le tout se mariait avec mes cheveux et faisait ressortir mes yeux hazels.

En entrant dans la salle, je ressentis le regard de certains garçons, et même tous, mais surtout le silence qui s'en suivit.

— Quel honneur nous vaut cette surprise ? me questionna Marceau une fois installée.

Je fis semblant de réfléchir, puis le regardai dans les yeux.

— Celui de ma naissance, dix-sept années plutôt, lui répondis-je.

Il sourit.

— J'espère que tu me pardonneras l'absence de cadeau ? me demanda-t-il, amusé.

J'étirai un sourire en coin avant de détourner mon regard.

— Je verrai… selon mon envie du moment… laissai-je en suspens.

Soudain, une idée me vint à l'esprit. Une possibilité que je n'aurais jamais envisagée avant d'entendre Marceau partir et revenir tous les dimanches matin en sifflotant. Cette idée m'exigea du cran.

— Ah… je sais ce que tu pourrais m'offrir, lui dis-je d'un ton plus bas.

Il plissa les yeux, intrigué.

— Oh et qu'est-ce que la princesse désire ? m'interrogea-t-il tout en s'asseyant sur le rebord de son lit, les avant-bras sur les cuisses.

J'inspirai, puis plongeai les yeux dans les siens.

— Tu pourrais me faire entrer dans ton équipe de résistants, lui proposai-je alors, en levant espièglement mon sourcil gauche.

Les commissures de ses lèvres tressaillirent et, pendant une demi-seconde, je crus qu'il perdait son demi-sourire.

Mais c'était mal connaître Marceau. Il partit dans un grand rire.

— Mais qu'est-ce que tu me racontes là ? balbutia-t-il en ricanant. Hein, princesse ?

J'étais confiante puisque j'avais réussi à le déstabiliser.

— Ce que je dis, argumentai-je, c'est que je n'ai jamais vu un résistant si mal mentir. Il est clair que si tu tombes sur un boche, tes amis sont morts.

Cette fois-ci, ce fut la goutte d'eau qui fit déborder le vase. Il regarda autour de lui pour vérifier si quelqu'un nous écoutait, puis il s'avança vers moi en s'accoudant au bord du lit.

— Comment tu sais ça ? se pressa-t-il de me demander.

Cette fois-ci, j'étais sérieuse.

— Marceau, tu devrais vraiment faire gaffe à ton comportement, lui donnai-je pour toute réponse. Non mais sérieusement, tu siffles des chansons de la Résistance ! Tu t'entends ?

Il était interloqué.

— T'imagines si quelqu'un nous a écoutés ? chuchota-t-il.

Sa colère devint contagieuse. En effet, mes nerfs commençaient à chauffer.

— Ça ne sert à rien de chuchoter, lui assurai-je. Ils ne prêtent pas attention à ce que l'on dit. La seule chose qui peut leur sembler anormale est le fait que tu sois accoudé à mon lit.

Il se leva alors et regarda par une fenêtre. Puis, il passa la main dans ses cheveux : il était anxieux.

— Je ne peux pas, me dit-il sur un ton de remords. Ce n'est pas moi qui décide et… je ne sais pas si tu pourrais survivre dans ce monde-là.

Sur ce, il tourna les talons et partit.

Elle était bien bonne celle-là ! *Dans ce monde-là !* Je crois que j'y vivais depuis longtemps, *dans ce monde-là.*

— Alors, la *princesse* aurait-elle perdu un de ses prétendants ? ironisa Denis.

Il était toujours là pour me remonter le moral, tout comme je l'étais pour lui. C'était comme ça entre nous. Il n'y avait rien de sentimental, et je m'en réjouissais.

— Bon, qu'est-ce qu'on fait maintenant ? m'interrogea-t-il.

J'esquissai un sourire malicieux.

— On fête mon anniversaire ! lui répondis-je.

Chapitre 12
Lundi 17 janvier 1944

Si ma journée d'anniversaire s'était vraiment bien passée, la semaine suivante avait apporté un malheur... et la visite d'une vieille amie.

Alors que je me réveillais essoufflée, après avoir fait le cauchemar qui hantait toutes mes nuits, je me redressai sur mon lit pour contempler le lever du soleil.

Nous étions le mardi dix-huit janvier et quelques flocons voletaient dans l'air. Ce mois hivernal était assez doux.

Tout à coup, une ombre attira mon attention. Normalement, la lumière du soleil se reflétait sur le sol, mais ce matin-là, quelque chose l'en empêchait : une masse sombre. Elle était petite et... elle avait des cheveux bruns !

L'information ne mit qu'un quart de seconde pour arriver jusqu'à mon cerveau. Je me penchai vers Denis, l'appelai, mais rien n'y fit. Il était dans un sommeil profond.

Tant pis pour Denis, pensai-je. Je me tournai alors vers Marceau et le réveillai.

— Quoi ? se plaignit-il.

Ce n'était pas le moment de m'énerver, quelqu'un d'autre avait besoin de nous.

— Va chercher Anne ! lui commandai-je.

Il se leva et m'observa, d'un œil inquiet.

— Ça va pas ? me demanda-t-il.

Son soudain intérêt pour moi me surprit. Néanmoins, je ne relevai pas.

— Si, si, lui assurai-je. C'est lui qui a besoin d'aide.

Oui, *lui*, car je parlais de Paul.

Tout correspondait : les cheveux bruns, la petite taille et le lit vide à côté de Pierre. Marceau le regarda avant de se retourner vers moi.

— Je vais la chercher, me dit-il.

Il poussa un soupir, jeta un coup d'œil dans la salle et revint sur moi.

— Ne... ne fais rien de stupide, d'accord ? s'inquiéta-t-il.

Je lui souris.

— Ne t'inquiète pas pour moi, lui répondis-je.

Aussitôt Marceau parti, je perdis mon sourire et me glissai sur le sol.

J'essayai d'aller jusqu'à Paul mais la tâche ne fut pas simple. Je maudis intérieurement les médecins qui m'avaient mis ces fichus plâtres et fis fi de ma douleur.

Une fois à ses côtés, je passai une main sur son visage et sentis du sang. Je me mis immédiatement à chercher un pouls. Heureusement, j'en trouvai un.

Je plaçai ensuite la main au-dessus de son nez pour vérifier sa respiration. Elle était très faible.

Je l'appelai, il ne répondit pas.

Je pris délicatement sa tête et la déposai sur ma jambe valide. Il y avait une plaie à l'arrière de son crâne. Je déchirai alors un bout de drap pour le bander.

À cette heure-ci, les infirmières étaient dans l'aile Nord du bâtiment, du côté des urgences. J'espérais que Marceau ferait vite parce que l'état de Paul était critique.

Le sang coulait lentement de sa plaie, ce qui prouvait qu'il n'était tombé que récemment. J'essayai de repérer une autre plaie mais c'était mission impossible dans l'obscurité.

J'entrepris d'allumer le dortoir. Je reposai délicatement Paul au sol et, avec un gros effort, je me glissai jusqu'à l'interrupteur. Il était haut mais pas hors d'atteinte. Après des efforts assez douloureux, je réussis. Des froissements se firent entendre.

À peine avais-je tourné la tête, que je pus immédiatement voir que ce n'étaient pas les draps du lit d'un garçon en train de se réveiller qui provoquaient ce bruit, mais ceux de Paul en train de convulser.

La couverture... remarquai-je.

Pourquoi la couverture était-elle sur lui ? Elle était sur son lit jusqu'à ce que… jusqu'à ce que j'en déchire un bout pour bander sa tête ! Quelle conne je faisais ! Sa température, qui était jusqu'à présent basse, avait remonté soudainement et en pic !

Je le découvris et laissai ses mouvements prendre libre cours.

Les mots de mon père affluaient dans ma tête comme si elle était en train d'exploser. *Position latérale de sécurité, main opposée placée sous la tête, déplacement des objets qui entourent le patient.* Lorsqu'il se calma, j'exécutai les mouvements du mieux que je pus et avec une grande concentration.

Je ne m'étais pas aperçue que quelqu'un approchait, jusqu'à ce que sa main rentre en contact avec mon épaule.

Anne se tenait là, derrière moi. Elle me regardait d'un air inquiet.

— Je... je, essayai-je de dire. Il est tombé et je voulais l'aider alors j'ai pansé sa tête mais il a convulsé et je... je ne sais plus ce que j'étais en train de faire...

Le fait qu'elle m'ait trouvée, couverte du sang de mon ami, m'avait fait perdre mes moyens.

Je ne reconnaissais pas ma voix. C'était la première fois depuis longtemps que j'entendais de la peur dans celle-ci. C'était la première fois depuis... cette journée où Salomé était tombée des escaliers.

Nous étions seules à la maison parce que notre professeur était absente. Elle était encore petite. Elle en avait seulement cinq.

J'étais rentrée avec elle et des flocons givraient les carreaux des fenêtres de l'escalier. Ce jour-là, il fallait que je me rende à l'école pour chercher Benjamin et Raphaël. Salomé avait insisté pour m'accompagner et j'avais cédé.

Toute contente, elle s'était alors précipitée dans les escaliers mais était tombée et s'était pris la tête sur l'angle du mur. Je l'avais pansée et câlinée. Néanmoins, ses cris hantent encore ma mémoire.

Notre mère s'était levée et avait hurlé. Elle m'avait jetée dehors et dit de courir appeler mon père. Je ne me souviens pas de la fin, mais quand je leur avais expliqué ce qui s'était passé, j'avais pu discerner de la peur et de la panique dans ma voix.

Ce fut à partir de ce jour-là que mon père avait décidé de m'apprendre, en plus des gestes de secours, ceux qui pouvaient sauver des vies et qui étaient pratiqués par des médecins. Le fait de vivre tout cela a stoppé net mon enfance. Je ne voyais plus le monde de la même manière. Dès lors, il était devenu noir et incertain.

— Tu as fait de ton mieux, dit Anne, me sortant de mes sombres pensées. Maintenant, je vais prendre le relais.

Elle fit alors un geste de la main et un brancard apparut, poussé par deux jeunes hommes. Ceux-ci soulevèrent alors Paul, qui avait cessé de convulser, et l'emmenèrent.

— Quant à toi, m'annonça-t-elle, tu vas venir avec moi. Je vais enlever ton plâtre. Après tout cela, je pense que le Docteur Rigot sera d'accord avec moi pour te faire faire de la rééducation.

Je me lavai, seule pour la première fois depuis que j'étais ici.

Le Docteur Rigot et Anne discutaient de mon cas à l'extérieur de la salle. Ils revinrent tout sourire.

Ils se placèrent en face de moi avant de prendre la parole.

— Mélanie, après tout ce qui s'est passé on peut dire que tu es guérie maintenant, commença à exposer Anne.

Le Docteur Rigot s'approcha.

— Toutefois, cela ne signifie pas que tu es complètement guérie, m'expliqua-t-il. Tu vas entrer dans une période de convalescence. Nous allons bientôt pouvoir t'enlever le plâtre de ta jambe aussi, mais il te faudra attendre encore une petite semaine.

Alors que je commençais à bouger mon bras, Anne me stoppa.

— Ne panique pas si tu n'arrives pas à le plier tout de suite, me prévint-elle, c'est normal. De plus, comme tu seras coincée dans ton lit, nous allons te donner quelques conseils et exercices à faire. Bien entendu, ta visite dans l'aile de rééducation sera tout de même obligatoire.

Enfin ! pensai-je. *Plus de plâtre !* J'avais l'impression d'être comme un oiseau !

Ils me donnèrent une balle plus volumineuse que la taille de ma main que je devais pétrir. Ils me dirent aussi que je devais essayer de déplier mon coude de temps à autre.

Lorsque je revins dans la salle, de nombreux regards se tournèrent vers moi. Certains étaient méfiants et d'autres compatissants. Je ne portai attention à eux que lorsque je fus installée dans mon lit.

La vision, plus qu'étrange de tous ces visages me fixant dans un silence malaisant, m'énervait au plus haut point. Avant que quelqu'un ne le brise, je pris la parole.

— Quoi ? demandai-je. Qu'est-ce qu'il y a ?

Je remarquai que des garçons étaient admiratifs.

— Ce que t'as fait ce matin, commença Fernand, c'était de la bombe !

Je n'en croyais pas mes oreilles. J'avais tenté de sauver un gamin qui était toujours en train de se faire opérer et de se démener pour survivre, et le fait de l'avoir « aidé » c'était *de la bombe* !

Je le dévisageai, incrédule. J'ouvris légèrement la bouche, puis serrai les dents, ne sachant pas s'il fallait que je riposte ou me contienne.

Pierre prit alors le relais.

— Tu rigoles ? Elle l'a quasiment tué ! protesta-t-il. Elle aurait dû aller chercher de l'aide !

Je l'observai, essayant de savoir s'il était sincère ou en proie à la tristesse.

— Oui, mais bien sûr ! plaisanta Denis. Elle aurait fait comment ? En sautant à cloche-pied ? Ou sur une main ?

Sur ce, les regards des six garçons se posèrent sur mon bras droit.

— Quoiqu'elle n'en ait plus besoin, vociféra André. Elle fait mumuse avec le sang de Paul et hop-là ! On lui enlève son plâtre !

— Oh mais ferme-là ! le coupa Julien. T'étais là pour juger de la situation ? Non ? Alors, tiens-toi tranquille.

J'étais surprise par sa prise de position, agréablement surprise même. Mais, cette fois, c'en était trop. Et j'allais réagir.

— Mais taisez-vous ! ordonnai-je. Oui, écoutez-moi ! Le fait que personne ne vous contredise ne veut pas dire que personne ne peut le faire. Et tant pis si c'est moi. Ce que j'ai fait ce matin, c'est « de la bombe » ? Pardon, mais essayer de sauver une vie n'a rien de génial. Alors non, je ne vais pas te remercier puisque ça n'a rien d'un compliment.

Je marquai une pause, prenant le temps de jauger mes interlocuteurs du regard.

— Ne t'entête pas, me glissa Denis, ils n'en valent pas la peine.

Il avait raison, ils étaient trop fiers pour *en valoir la peine*. Toutefois, j'étais butée et je n'allais pas m'arrêter sans m'être fait entendre.

— Et, excuse-moi si je ne suis pas allée chercher de l'aide, repris-je, mais rien que le temps que j'ai mis pour me déplacer de mon lit au sien s'est avéré infiniment long. Quelques secondes de plus l'auraient sûrement tué.

Marceau qui était jusque-là adossé à côté du lit de Julien, silencieux, prit la parole.

— Je suis désolé princesse, ajouta-t-il, mais je dois me ranger de leur côté. Tu te rends compte de ton imprudence ? Tu aurais pu le blesser ! N'étais-tu pas censée rester tranquille et ne rien faire de stupide ?

J'étais ahurie. Ne rien faire de stupide ? J'avais stabilisé Paul !

— Oh, je vois, pouffai-je. Alors en fait, ce qui ne vous plaît pas, à vous quatre, c'est le fait que j'aie plus de connaissances que vous et que je sache les utiliser !

Silence. Voilà la confirmation de mes hypothèses. Ils se prenaient pour les rois du monde mais n'avaient aucun moyen d'avoir le pouvoir... alors que moi, si.

— D'accord, lâchai-je. Vous vous croyez diriger le monde mais vous n'en avez pas l'étoffe. Cependant, moi, je l'ai. Et pourquoi ? Ça, ça vous échappe. Ce n'est pas parce que j'ai eu la vie la plus pourrie mais parce que j'ai su m'en sortir de moi-même. Au contraire, vous, vous avez besoin d'un public qui soit là pour vous pousser et pour croire en vous. Alors peut-être que oui, Paul est mort ; je n'ai rien pu faire. J'ai peut-être les mains pleines de sang, mais elles sont propres de sens. Relancez maintenant votre « Qui m'aime me suit ! », mais la seule personne qui sera derrière vous sera l'allégorie de la peur.

Sur ce, tous les petits spectateurs se mirent à regarder mes quatre opposants préférés et à les moquer. Denis esquissait lui aussi un petit sourire. Il me lança un regard impressionné et je lui fis un clin d'œil entendu.

Je n'aurais sûrement pas dû dire cela, mais j'appréciai ce moment. Même si la victoire était quelque part honorable, elle ne prêtait ni à rire ni à sourire.

Anne entra dans la salle.

— J'ai une mauvaise nouvelle à vous annoncer les enfants, nous dit-elle.

Chapitre 13
La nouvelle arrivante du lundi 17 janvier 1944

Anne se tenait au milieu de la pièce et nous enveloppait d'un regard doux.

— Malgré les efforts de Mélanie et des médecins, commença-t-elle à nous expliquer, sa maladie l'a emporté.

Je serrai mon poing et les dents. En dépit de mes efforts pour garder mon visage et mon tempérament calmes, elle avait dû remarquer ma déception.

— Mélanie, tu as fait ce qui devait être fait, m'assura-t-elle. Si tu ne lui avais pas immédiatement porté secours, il serait mort en agonisant et cela lui aurait été bien plus douloureux.

Sur ce, elle esquissa un sourire avant d'ajouter quelques phrases.

— Il était déjà dans le coma quand tu es venue vers lui et la gravité de son état a fait qu'il a commencé une crise de convulsion, ajouta-t-elle. Ce n'est à aucun moment de ta faute. D'ailleurs, tu as de très bonnes compétences en médecine. Si quelqu'un d'autre avait été à tes côtés, il t'aurait gêné.

Quand elle eut dit cela, mon regard se posa sur Marceau, lequel hocha la tête en un mouvement d'excuse.

— Revenons-en au fait, continua-t-elle. Comme vous le savez, dès qu'un patient part, un autre arrive. Cette fois-ci encore, ce sera une fille. Toutefois, elle est très jeune. Je compte sur vous pour lui faire un accueil des plus chaleureux et la mettre à l'aise... elle a besoin de soutien.

Elle toisa le gang des quatre d'un regard glacial. Aussitôt partie, ceux-ci me regardèrent, gênés.

— Au nom des petits cons qui sont autour de moi, déclara alors Julien, sache que nous sommes désolés. On avait tort.

Je ressentis un peu de fierté pour mes actes mais surtout pour le fait de les avoir humiliés. Je sais, c'était égoïste de ma part mais bon, c'était dans mon caractère !

— Il se trouve que moi aussi, renchérit Marceau. Je m'excuse, princesse.

Les deux autres se regardèrent et Pierre finit par pousser un soupir.

— Oui, alors euh... C'est une des rares fois où tu me verras m'excuser... articula-t-il difficilement, mais je m'excuse.

Je n'avais pas besoin d'entendre les excuses d'André pour voir qu'il l'était tout autant.

Notre nouvelle camarade ne mit pas longtemps à arriver. Elle était accompagnée de son grand frère. Je l'avais très facilement deviné puisqu'ils se ressemblaient comme deux gouttes d'eau.

En effet, ils étaient tous les deux bruns, avec un teint basané et des yeux verts d'eau. La seule différence était leur morphologie. Elle était fine et petite alors que lui était grand et musclé.

Il aurait certainement plu aux filles de mon école. Elles seraient toutes là à lui courir après. Il me rappelait un peu Marceau mais il me rappelait surtout le plus grand de mes jeunes frères, Benjamin. Il avait treize ans la dernière fois que je l'ai vu.

Le souvenir de sa mort couplé à celui de Marceau osant m'appeler « princesse » firent monter la colère en moi.

La petite fille était allongée sur un brancard et son frère lui tenait la main. À peine s'était-il tourné vers nous que ses yeux se posèrent immédiatement sur moi. Sa sœur lui tira soudainement le bras.

Installée dans son lit, elle voulait savoir ce qui se passait et qui étaient les personnes présentes autour d'elle. Il lui chuchota quelques mots et s'écarta.

Anne, qui pliait le brancard pour le ranger, se voila d'un regard mélancolique. Elle se tourna vers moi et je compris instantanément ce qui attristait ses pensées.

— Denis ? demandai-je à ce dernier. Peux-tu m'apporter mon fauteuil s'il te plaît ?

Il ne mit pas longtemps à réfléchir avant de me répondre. Lui aussi avait compris.

— Oui, tout de suite, s'empressa-t-il.

Après m'être installée, je m'avançai de sorte à me placer à côté de la petite. Elle me regardait timidement, cependant, je pouvais voir qu'elle n'avait pas peur. Elle était courageuse.

— Bonjour, lui dis-je doucement.

J'arborai un sourire qu'elle me rendit.

— Elle ne parle pas ta langue, m'informa un garçon dont je ne connaissais pas la voix. Elle ne vient pas de ton pays.

Je ne la lâchai pas du regard.

— *Elle* ? demandai-je au garçon, pourquoi pas « on » ?

C'est à ce moment-là que je me retournai dans sa direction.

Ses yeux plongèrent dans les miens mais ne me faisaient ni chaud ni froid. Mon sourire chaleureux se glaça immédiatement.

— Pourquoi cette austérité ? m'interrogea-t-il.

Je ne bronchai pas.

— Parce que, répondis-je, tu me sembles la délaisser, mais pourquoi ? Je ne sais pas. Sûrement parce que vous fuyez.

Ses yeux se plissèrent. Il s'accroupit.

— Je vois que tu es maligne, observa-t-il.

Encore une vision péjorative de la femme qui me mettait hors de moi.

— Je ne suis pas idiote, protestai-je. Cesse de me prendre de haut et arrête te comporter comme ça… Oh mais pourquoi je te fais la morale ? Tu es comme ces crétins qui préfèrent leur survie à celle de leurs frères et de leurs sœurs… Regarde-la ! Elle a besoin de toi !

Je pouvais voir, rien qu'en scrutant ses yeux, les rouages de son cerveau tourner intensivement.

— Tu m'as l'air concernée, commenta-t-il.

Tous les muscles de mon corps se contractaient au fur et à mesure de cette discussion.

— Bien sûr que je le suis ! acquiesçai-je. Tout le monde l'est ! On est sous l'occupation et elle a l'air d'avoir survécu à tant d'épreuves que tu lui dois au moins ça.

Mon regard s'égara sur le visage de la petite. Elle était si jeune et me semblait avoir déjà vécu une vie entière… C'était beaucoup trop pour son âge, me semblait-il.

— Je suis le plus grand et je dois veiller sur eux tous, ajouta-t-il en se grattant l'arrière de la tête, comme s'il se sentait coupable. D'habitude, c'est sa sœur qui s'occupe d'elle. Et tu sais, elle est très débrouillarde !

Je portai mon regard sur lui et remarquai qu'il était mal à l'aise.

— Je sais ce que c'est, lui confiai-je. J'étais l'aînée et je devais veiller sur mes frères et sœurs.

Un voile adoucit son regard.

— « Devais » ? me demanda-t-il, compatissant.

Je n'avais pas l'énergie nécessaire pour ressasser mon passé, alors j'allai droit au but.

— Oui, ils sont morts, avouai-je. Je te le répète, tu ne devrais pas la délaisser.

Son sourire avait beau tenter de m'amadouer, il n'y arriverait pas. Ce qu'il faisait à sa sœur, je trouvais ça « dégueulasse ». Il regarda autour de lui puis se pencha vers moi.

— Mes frères et ma sœur cadette sont arrivés en Suisse hier, m'expliqua-t-il, mais Lore est tombée malade. J'ai pris la responsabilité de l'amener dans cet hôpital et de la soigner mais ils ne savent pas ce qu'elle a... et moi, je crois qu'elle ne dépassera pas Annemasse.

— Ah d'accord, venais-je de comprendre, alors tu vas l'abandonner ici. Ce n'est pas auprès de moi qu'il faut que tu t'excuses mais auprès de Lore. Au revoir.

Pour prononcer ces derniers mots, je m'étais rapprochée de lui jusqu'à les chuchoter à son oreille. Par la suite, je me reculai et le fusillai d'un regard noir, avant de retourner vers mon lit.

Pour une fois, je n'avais pas galéré pour m'y installer. J'arrivais plus ou moins à m'appuyer sur mon bras quand il était plié. Je savais que je ne mettrais pas longtemps à me rétablir.

— Aurais-tu une touche ? me demanda Denis.

Cette idée me donna la nausée.

— Quoi ? Lui ? m'interloquai-je. Ça va pas ? Il va l'abandonner. C'est un lâche.

Il va la laisser, seule ! Je ne voyais vraiment pas comment j'aurais pu avoir de la considération pour lui.

— Mais je croyais que tu t'entendais bien avec lui ? commenta Fernand.

Ils se regardèrent d'un œil complice. Tout à coup, Marceau s'approcha.

— T'as raison princesse, approuva-t-il. D'ailleurs, si tu veux lui dire au revoir c'est maintenant. Il va partir.

Je n'avais rien espéré de mieux d'un Marceau qui ramène son grain de sel. Un véritable rêve !

— Oh, tu m'espionnes, remarquai-je. Serais-tu… jaloux ?

Il tira une tête de six pieds de long. Cette vue était si drôle que Denis, Fernand et moi éclatâmes de rire.

— Ça va, lui assurai-je. Je rigole, *princesse*.

Marceau regarda tout de même le frère de Lore d'un mauvais œil.

C'était qu'il avait un certain charme avec ses bras croisés sur son torse… mais bon. Pourquoi s'attarder sur le physique, quand n'y a rien dans la « caboche » ? c'est compliqué.

On n'eut pas besoin d'attendre longtemps avant de voir Lore être abandonnée par son frère.

Elle avait fini par s'endormir, la main dans la sienne. Il retira tout doucement ses doigts qui entrelaçaient les siens. Et il lui donna un baiser sur le front.

En partant, il croisa mon regard : il était rempli de chagrin. Ce furent les larmes aux yeux qu'il quitta le corps endormi de Lore et se dirigea vers la porte. Je ne comprenais pas comment on pouvait faire cela à sa propre sœur, surtout en ces temps où nous devions tous rester soudés.

— Pauvre type ! lâchai-je dans un souffle.

Marceau tourna la tête vers moi et nos regards convergèrent.

— On n'est pas tous des Saints, commenta-t-il, mais nous ne sommes pas tous des pourritures non plus.

Après avoir dit cette phrase digne d'un grand philosophe, il partit direction le clan des petits rois.

J'avais l'impression qu'il essayait de se faire pardonner. Si c'était le cas, il se leurrait car ce ne serait pas aussi simple.

Chapitre 14
Mardi 18 janvier 1944

Le lendemain, j'étais allée retrouver la petite Lore directement après m'être lavée. En me voyant, elle sourit. Même si je remarquai que ça n'allait pas, elle dissimulait très bien son mal-être.

La barrière de la langue n'allait pas être un problème pour moi. D'après mes souvenirs, après être partie, son frère lui avait parlé en yiddish et... je savais bien parler cette langue. C'était ma mère qui me l'avait apprise. Elle appelait ça « *l'allemand des Juifs* ».

— Bonjour, la saluai-je.

Son sourire disparut.

Elle se méfiait de moi et il me semblait évident qu'elle avait vécu quelque chose qui l'empêchait de me répondre.

— Tu ne parles pas notre langue ? lui demandai-je.

Toujours aucune réponse.

— Ich weiß, dass du nicht mit Leuten reden sollst, die du nicht kennst, aber du kannst mir vertrauen. *Je sais que tu ne dois pas parler à des gens que tu ne connais pas, mais tu peux me faire confiance,* lui assurai-je, en allemand cette fois-ci.

Elle ouvrit la bouche puis la referma, ce qui traduisait son hésitation. Mon sourire s'élargit encore plus.

— Ich bin Französin aber Ich bin auch Elsässerin. Und Du, woher kommst Du ? *Je suis française mais je suis aussi alsacienne. Et toi, d'où viens-tu ?* l'interrogeai-je.

Il fallait que j'abatte ma dernière carte, que je me dévoile entièrement, si je voulais qu'une complicité s'installe.

— Ich bin Jüdin, wie du. *Je suis juive, comme toi*, la rassurai-je.

Elle regarda autour d'elle avant de revenir à moi.

— Ich spreche schwach Deutsch *Je parle mal l'allemand. Par contre, je sais parler Yiddish. Je viens d'Allemagne,* commença-t-elle à déclarer en allemand puis en yiddish.

L'allemand et le yiddish sont des langues assez similaires mais différentes. Cependant, les allers et retours entre ces deux langues ne me dérangeaient pas.

— *Vous avez fui l'Allemagne pour aller en France mais Hitler l'a envahie ?* la questionnai-je, toujours en yiddish.

Avant de me répondre, elle avait lentement levé son regard jusqu'au mien.

— *Oui, mes parents sont partis d'Allemagne il y a neuf ans. Adrian voulait aller en Suisse mais je suis tombée malade,* me confia-t-elle. *Il va venir me chercher dès qu'il aura mis mes grands frères et Amber à l'abri des nazis. Il me l'a promis.*

Elle parlait étonnement bien pour une petite fille. Elle était très intelligente, cela ne faisait aucun doute. Aussi, ça faisait du bien d'entendre à nouveau quelqu'un parler de « nazis » et non d'« allemands ».

— *Dis-moi Lore, quel âge as-tu ?* lui demandai-je.

Elle me donna tout à coup l'impression de s'être engaillardie.

— *Cinq ans, mais pourquoi devons-nous chuchoter ?* me demanda-t-elle à son tour.

Je m'étais pris une claque.

Regarde-la, c'est un message, pensai-je. Je ne croyais pas au karma ou à ce genre de superstition mais elle me faisait penser à David. Son teint basané, son sourire, son âge… Ses yeux étaient le seul élément qui les différenciait.

— *Eh bien Lore, tu es une grande maintenant. Et si on chuchote, c'est parce qu'il ne faut pas que les garçons nous entendent. Ils seront encore plus méchants que les nazis,* lui répondis-je.

Sur ce, elle regarda derrière moi.

Lorsque je me retournai, je remarquai qu'elle fixait le gang des quatre… non, c'était eux qui nous fixaient.

— *Ne t'inquiète pas, tout ira bien tant que je serai là. Où que tu sois, je te protégerai,* lui promis-je. *D'accord ?*

Son regard se dirigea vers le mien et elle répondit à mon sourire.

— *D'accord,* s'exclama-t-elle.

Qu'avais-je fait ? Je venais de lui promettre que tout irait bien ! Mais qui étais-je pour lui promettre cette sécurité ? Je m'en voulais d'avoir prononcé de telles paroles.

Cependant, j'en voulais davantage à d'autres. D'ailleurs, je me dirigeai vers eux.

— Ça ne va pas la tête ! leur criai-je. Vous ne voyez pas que vous lui faites peur !

La plupart des regards étaient emplis de surprise.

— De quoi parliez-vous ? me questionna Julien.

Cette soudaine préoccupation m'agaça.

— Oh et depuis quand tu te préoccupes d'elle ? m'indignai-je.

Je pus distinguer un souffle à côté de moi.

— T'es franchement soûlante ! commenta André.

Ils se permettaient d'apeurer une fillette qui avait sûrement traversé les pires horreurs, et c'était moi la coupable ? Quel culot !

— C'est une blague ? lâchai-je. J'ai essayé de la mettre en confiance et vous, tout ce que vous trouvez à faire c'est de la dénigrer et de la mépriser. Et pour finir, quand je vous demande d'arrêter, vous me dîtes que j'exagère !

Certains d'entre eux roulèrent des yeux, énervés.

— En même temps, protesta Pierre, on ne peut pas dire qu'elle ait fait beaucoup d'effort pour communiquer.

Ça, c'était vraiment très, très drôle.

— Qui sait ? reprit Julien. Peut-être qu'elle ne peut pas parler... peut-être qu'elle ne vient pas d'ici.

Je connaissais la réponse. Que fallait-il que je fasse ? Les ignorer, jouer leur jeu ou inventer une histoire ?

Je décidai – comme c'était la meilleure solution – de mentir.

— Effectivement, elle est anglaise, inventai-je. Si elle ne parle pas avec vous, c'est qu'elle ne vous connaît pas et que vous lui faites peur. Alors je ne sais pas ce que vous pensez savoir sur elle, mais je vais vous demander d'arrêter de la fixer. Regardez vos têtes et on en reparlera plus tard.

Le reste de la semaine n'avait été, pour elle, qu'une longue chute aux Enfers.

Son état se dégradait de plus en plus et elle s'inquiétait de ne pas revoir son frère. Je ne savais plus quoi lui dire. Chaque jour, j'inventais de nouvelles aventures vis-à-vis de lui et de sa famille pour la faire sourire.

Lorsque je fus allée voir le Docteur Rigot, après cette semaine de rééducation du bras, il me qualifia de « miraculée ».

Apparemment, jamais il n'avait vu quelqu'un reprendre aussi vite du « poil de la bête ».

Il enleva le plâtre qui me maintenait la jambe tendue et je peux dire qu'à ce moment-ci, j'avais réellement l'impression d'être sur un nuage ! Il me prescrivit des séances de rééducation quotidiennes et m'assura que si je travaillais aussi bien que je l'avais fait pour le bras, quinze jours plus tard, je n'aurais plus besoin de béquilles, mais seulement d'un atèle voire d'une genouillère.

— Hé, mais je vois que tu guéris vite ! observa Denis, une fois rentrée dans la salle.

Je souris, assez fière de moi.

— Le Docteur Rigot a dit que j'étais une « miraculée », fanfaronnai-je.

Denis me donna l'impression que nous étions tous deux d'accord sur ce point.

— Oh, la princesse est une battante, intervint Marceau.

Cette phrase me tendit une perche pour obtenir ce que je voulais.

— Tout d'abord, je ne suis pas une princesse. Ensuite, merci pour « la battante », lui dis-je d'un ton reconnaissant. Connaîtrais-tu un moyen de me rendre utile ?

J'arquai un sourcil, attendant une réponse.

— Ça se pourrait, admit-il.

Un demi-sourire se dessina sur mon visage. Si j'avais bien compris, il venait de confirmer que je pourrais entrer chez les résistants. Je devais seulement faire mes preuves.

— Oula, les gars ! nous interrompit Julien. Ça parle en langage secret entre les deux.

Les garçons rigolèrent, tandis qu'avec Denis, nous nous lançâmes un regard qui en disait long sur ce que l'on pensait de la situation entre Marceau et moi.

Je ne le méprisais pas totalement, toutefois je préférais l'ignorer.

Entre les moments que je passais avec Lore et les séances de rééducation, la vie n'était pas facile pour moi.

Je demandais toujours à ce que l'on me fasse plier au maximum la jambe mais la douleur était horrible. Non, elle était difficilement tenable mais elle n'était pas horrible. Tant que la douleur était supportable, je déclarais que je n'avais pas mal. C'était d'ailleurs un véritable problème puisque je ne fixais pas de limites.

Le Docteur Virginie, l'homme qui s'occupait de ma rééducation, m'avait promis une atèle lorsque je pourrais me tenir debout et me servir de béquilles. C'est pourquoi je cherchais toujours à me dépasser.

Il était grand, blond et élancé. Je crois savoir qu'il aimait bien Anne, voire beaucoup.

— Tu penses qu'elle l'aime, elle aussi ? me demanda un jour Denis.

Je ne m'intéressais pas à la vie privée des gens, mais celle d'Anne préoccupait les garçons.

— Pffff... je sais pas, lui répondis-je.

Ils me désespéraient avec leur testostérone.

— Moi j'en suis sûr, m'assura Marceau. T'as vu comment elle lui bave dessus !

Je levai les yeux au ciel et pris un regard méprisant.

— Non, excuse-moi, contestai-je, je ne passe pas mes journées à la reluquer.

Il se vexa soudainement.

— Ça va pas ! s'exclama-t-il. Je ne passe pas forcément mes journées à la regarder !

Denis et moi échangeâmes un sourire.

— Vous devriez sortir le dimanche, nous conseilla-t-il pour changer de sujet. Tes livres sont peut-être passionnants mais on apprend plein de choses dehors… et pas seulement sur les infirmières.

Il appuya son regard sur moi avant de partir écouter sa radio.

Serait-il possible qu'il soit sur le point de me faire entrer dans les rangs de la Résistance ? J'avais du mal à croire qu'il puisse faire cela pour moi. Que lui devrai-je en retour ?

J'avais remarqué qu'il restait rarement avec Pierre, André et Julien. Il y avait comme une distance entre eux et il n'avait pas le même comportement. C'était sûrement parce qu'il était le moins arrogant du clan des petits rois, rien de plus. Il était plus… intelligent et humain.

J'avais parlé du cas de Lore au Docteur Virginie pendant une de mes séances de rééducation. Il ne fit que confirmer ce que je savais déjà, c'est-à-dire que je ne pouvais rien faire pour l'aider.

— Pourquoi ? lui demandai-je, à mon plus grand désespoir.

J'étais assez remontée puisque j'étais persuadée pouvoir faire plus.

— Parce qu'elle est au stade terminal de sa maladie, me répondit-il.

Je pensais qu'il y avait forcément une solution. *Il y en a toujours*, songeai-je.

— Mais, si on peut donner un organe, protestai-je, pourquoi ne pourrais-je pas…

Il me coupa d'un geste de la main.

— Donner un cœur ? me proposa-t-il d'un ton triste. Non, tu ne peux pas.

Notre échange sur ce sujet ne dura pas longtemps : il n'y avait aucune issue possible.

Chapitre 15
Vendredi 21 janvier 1944

Le vingt et un janvier fut le jour où je m'étais le plus inquiétée pour Lore mais il fut aussi celui de ma délivrance.

Tout avait commencé le matin, après ma toilette. Cela faisait une semaine que je me lavais seule et j'appréciais énormément ce moment. J'aimais bien me retrouver avec moi-même. Lorsque vous êtes la seule fille, ou la seule « femme », ces instants font du bien.

J'étais vêtue d'une robe en laine rouge et de simples bottines. Marie était venue m'aider à enfiler mes collants et, avant que je n'aie pu lui demander pourquoi, elle était là. Je vis l'atèle qu'elle tenait à la main. Elle arborait un sourire radieux qu'elle me transmit.

Celui-ci s'effaça malheureusement lorsque je rentrai dans la salle.

Lore était pâle et haletante. En fait, cela ressemblait plus à un râle qu'à une respiration.

Je demandai alors à Marie de m'amener auprès d'elle. Avant de le faire, elle posa sa main sur mon épaule.

— Tu as fait tout ce que tu as pu, m'assura-t-elle.

Elle essayait de maintenir son sourire intact mais je voyais que cela lui coûtait.

— Ce n'est pas fini, protestai-je. Elle va y arriver. C'est juste une mauvaise passe.

J'entretenais précieusement l'espoir de sa survie : elle était forte, elle pouvait guérir.

— Mélanie, c'est fini, dit-elle.

— Elle va y arriver, c'est juste une mauvaise passe, répétai-je.

J'avais dit cela plus pour moi-même que pour elle. Je ne pouvais pas me résigner. Lore avait besoin de moi pour combattre sa maladie et j'avais besoin d'elle pour croire en un avenir meilleur.

Cependant, une fois arrivée à côté de son lit, je ne pus m'empêcher de repenser aux paroles de Marie. Lore était frêle et en sueur. Néanmoins, ses yeux pétillaient d'espoir. Je me penchai alors au-dessus d'elle et caressai son front. Elle n'arrivait pas à parler.

— Schlafe. *Dors,* lui dis-je calmement.

Ces derniers jours, j'avais perfectionné son accent allemand. C'était ma façon de lui faire oublier sa douleur.

Elle aimait bien s'asseoir sur mes genoux et, en fauteuil, nous faisions le tour de l'hôpital. Grâce à elle, je le connaissais presque par cœur : à l'aile Nord, les urgences et les blocs, à l'aile Est, l'accueil qui s'étendait à l'étage en un service contagion, à l'aile Ouest, les cabinets des médecins dont le centre de rééducation avec le sous-sol où se trouvait la réserve et l'abri en cas de bombardement, et enfin à l'aile Sud, le service pédiatrie et notre salle.

À l'extérieur, il y avait une petite chapelle derrière l'aile Ouest. On y disait la messe le dimanche. Au milieu de la cour se trouvaient les jardins. Une grande haie faisait tout le tour de l'hôpital. Si nous passions par l'accueil et nous dirigions à notre droite, nous pouvions nous rendre dans une petite clairière.

D'après les garçons, il y avait plusieurs trous dans la haie. Ils leur permettaient de s'y faufiler et de se cacher dans la forêt juste derrière.

C'était sûrement le moyen de sortie de Marceau. Je soupçonnais le Docteur Rigot d'être de connivence. Après tout, le réseau des résistants ne devait pas être si petit, et un docteur ne devait pas être de trop.

Revenons-en à cette journée du vingt et un janvier.

Lore s'était réveillée en sueur et en hurlant. La veille, je m'étais endormie à ses côtés. Elle délirait, perdait la notion du temps, demandait toujours à voir son frère. Dans son délire, elle pensait que cela ne faisait que quelques heures qu'il s'était absenté.

Quand elle se réveilla, je la réconfortai immédiatement.

— Chut, lui murmurai-je calmement.

Voyant qu'elle ne s'apaisait pas, je l'enlaçai. Malgré la petitesse des lits, je pouvais m'installer de sorte qu'elle repose dans mes bras.

— *Ce n'est qu'un cauchemar, rendors-toi,* lui chuchotai-je.

Je sentis des yeux me fixer : c'étaient ceux de Denis. À l'instant où il allait parler, je posai un doigt sur mes lèvres. Il ne fallait pas réveiller Lore, elle avait besoin de repos.

Il s'éloigna mais je ne pus retrouver le sommeil.

L'après-midi fut le début d'une longue suite de malheurs.

Alors que je revenais de ma séance de rééducation, je remarquai que Lore ne respirait quasiment plus. Je ne saurais comment la décrire. Son souffle était très profond et rapide, puis court et enfin il s'arrêtait quelques instants.

Bien entendu, Lore ne se rendait pas compte que son rythme respiratoire était plus qu'inquiétant.

— Wann kommt Adrian zurück ? *Quand Adrian revient-il ?* me demanda-t-elle.

Je lui souris et glissai ma main dans ses cheveux afin de l'apaiser.

— Hoffentlich bald. *Bientôt, j'espère,* lui répondis-je.

Elle me regarda en souriant.

Ses draps étaient trempés. J'avais peur qu'elle ne perde le contrôle de sa vessie. Je me souvenais que c'est un mauvais signe : mon père disait que c'était la perte du contrôle de soi. Heureusement, ce n'était que de la transpiration.

— Du hast sehr schnell gelernt. *Tu as appris très vite,* la complimentai-je.

Elle posa sa main sur son cœur avant de souffler.

— Ja danke, Du… *Oui merci, tu…* commença-t-elle avant de s'endormir.

Cette façon qu'elle avait de ne pas terminer ses phrases me préoccupait de plus en plus. J'avais peur qu'elle ne se réveille pas.

En toute honnêteté, je commençais à admettre qu'à un moment les bras de Morphée l'enlaceraient pour ne plus jamais la lâcher. Elle était sur le palier de la mort.

Néanmoins, elle tenait bon.

J'étais restée dans mon lit à lire pendant que les garçons étaient dehors. Je n'avais jamais vu autant de joie sur leur visage : il neigeait.

Ils s'amusaient à faire des batailles de boules de neige et à débarouler sur le tapis blanc qui recouvrait l'herbe. Ce n'était qu'une bande d'enfants ! Malgré leurs grands airs, même les membres du gang des petits rois participaient à ces jeux. La neige fait bien des miracles.

Le soir venu, ils rentrèrent et Lore se réveilla.

Sa peau était pâle. On la confondait presque avec la blancheur de ses draps. Je me levai et, aidée de mes béquilles, je m'assis à côté d'elle pour caresser ses beaux cheveux de jais.

— *Quand va revenir Adrian ? Il est long*, me questionna-t-elle.

Je continuais dans mes mensonges, encore et toujours.

— *Il est presque là. Tu le verras d'une minute à l'autre*, lui répondis-je.

Je voulais que ses dernières pensées soient joyeuses et pleines d'espoir. Je savais que gagner du temps ne servait à rien. Son frère était sûrement en Suisse avec ses frères et sœurs.

Lore était seule dans cette course, non, sur ce chemin. Enfin... pas tout à fait : j'étais là et je savais que je serai là lorsque la mort la cueillerait. Après tout, elle et moi, nous sommes de vieilles amies.

— *Tu peux me chanter une chanson ? J'ai sommeil*, me demanda-t-elle.

Je lui souris et caressai sa joue : brûlante était le mot qui convenait.

— *Oui, bien sûr*, acquiesçai-je.

Je réfléchis alors à une chanson que je chantais à mes frères et ma sœur. Je ne mis pas bien longtemps à la retrouver. Je la leur chantais presque toujours depuis l'occupation : elle les calmait lorsqu'ils faisaient des cauchemars.

Aussi, je me raclai la gorge. D'une voix douce et harmonieuse, j'entonnai :

Zog nit keyn mol az du
geyst dem letstn veg,

— Ne dis jamais que
c'est ton dernier chemin –

Khotsh himlen blayene
farshteln bloye teg.

— Bien que les cieux de
plomb cachent le bleu du
jour. –

Kumen vet nokh undzer
oysgebenkte sho,

— Car sonnera pour
nous l'heure tant attendue, –

S'vet a poyk ton undzer
trot : mir zaynen do !

— Nos pas feront retentir
ce cri : nous sommes là ! –

Fun grinem palmenland
biz vaysn land fun shney,

— Du vert pays des
palmiers jusqu'au pays des
neiges blanches, –

Mir kumen on mit undzer
payn, mit undzer vey,

— Nous arrivons avec
nos souffrances et nos
douleurs, –

Un vu gefaln iz a shprits
fun undzer blut,

— Et là où est tombée la
plus petite goutte de sang, –

Shprotsn vet dort undzer
gvure, undzer mut!

— Jaillira notre
héroïsme et notre courage, –

S'vet di morgnzun
bagildn undz dem haynt,

— Le soleil illuminera
notre présent, –

Un der nekhtn vet
farshvindn mit dem faynt,

Nor oyb farzamen vet di
zun in der kayor –

Vi a parol zol geyn dos
lid fun dor tsu dor.

Dos lid geshribn iz mit
blut un nit mit blay,

S'iz nit keyn lidl fun a
foygl oyf der fray,

Dos hot a folk tsvishn
falndike vent

Dos lid gezungen mit
naganes in di hent.

To zog nit kaynmol, az
du geyst dem letstn veg,

Khotsh himlen blayene
farshteln bloye teg.

*— Les nuits noires
disparaîtront avec l'ennemi,
—*

*— Et si le soleil devait
tarder à l'horizon, –*

*— Ce chant se
transmettra comme un
appel, –*

*— Ce chant n'a pas été
écrit avec un crayon mais
avec du sang, –*

*— Ce n'est pas le chant
d'un oiseau en liberté, –*

*— Un peuple entouré de
murs qui s'écroulent –*

*— L'a chanté, l'arme à la
main. –*

*— Aussi ne dis jamais
que c'est ton dernier
chemin, –*

*— Bien que les cieux de
plomb cachent le bleu du
jour. –*

Kumen vet nokh undzer	— *Car sonnera pour*
oysgebenkte sho	*nous l'heure tant attendue –*

Es vet a poyk ton undzer	— *Nos pas feront retentir*
trot : mir zaynen do !	*ce cri : nous sommes là ! –*

Elle s'endormit dès la fin du second couplet. Pendant que je caressais ses cheveux, tout en chantonnant, j'avais eu le temps de sentir son souffle se raréfier et disparaître.

Lore rayonnait sous la lumière du soleil couchant, elle ressemblait à une poupée de porcelaine.

Je ne pouvais plus rester à côté d'elle, à côté de son corps. Alors, je relevai la tête, retrouvai mes béquilles. Ce fut à ce moment-là que je remarquai que tout le monde m'observait. Je les avais complètement oubliés.

La colère que j'avais jusque-là contenue jaillit tout à coup. J'attrapai mes béquilles et sortis de la salle.

En chemin, je croisai Clothilde.

— Hé, où vas-tu ? Oh je vois, continua-t-elle. Tu savais quelle serait l'issue, tu ne dois pas avoir de remords.

Elle ne pouvait pas dire cela de cette manière… Elle n'avait pas de cœur ! Était-ce bien la survie de Lore qu'elle souhaitait ?

— Laisse-moi passer, lui intimai-je froidement.

Elle posa une main sur mon épaule que je chassai immédiatement.

— Si tu as besoin d'aide… commença-t-elle mais je la bousculai légèrement pour passer.

Dès que je me retrouvai dehors, je jetai mes béquilles le plus loin possible. Bien entendu, je ne savais pas encore me déplacer correctement sans elles, c'est pourquoi je m'adossai contre le mur et me laissai glisser vers le sol.

J'étais en proie à une colère démesurée envers les autres. Ne comprenaient-ils pas que je venais de perdre une sœur ?

Il y avait devant moi un plan de roses rouges. Sans réfléchir, je les arrachai une à une. Je ne ressentais rien, si ce n'était une forme d'hystérie camouflée dans le désarroi de cette situation.

Je n'étais pas folle, non, je subissais tout simplement la retombée de la pression reposant sur mes épaules. J'aurais bien voulu mettre un bon coup de pied dans le mur, mais je ne pouvais pas.

Pourquoi étais-je si remontée ? Était-ce le fait de n'avoir pu sauver David ? Puis Lore ?

Un sentiment de faiblesse m'envahit. Cela faisait un bout de temps que je ne l'avais pas ressenti, ou du moins que je ne l'avais pas laissé refaire surface.

Ce fut ainsi que, les mains en sang et les plants de rosiers à moitié dévastés, je fermai les yeux, assise dos au mur.

— Tu devrais t'improviser botaniste, me lança une voix bien connue.

Et c'est reparti, pensai-je. Que me voulait-il encore et pourquoi venait-il troubler la paix intérieure que je venais de trouver ?

— Qu'est-ce que tu me veux ? lâchai-je.

Marceau s'installa à côté de moi et observa le champ de bataille.

— Je savais que tu nous cachais quelque chose mais là... intervint-il, ça défie l'inimaginable.

Si jusqu'à présent je regardais droit devant moi, je me surpris à l'observer. Je n'avais jamais remarqué la profondeur de ses yeux : du gris contournait ses pupilles et il y avait du vert tout autour.

— Alors toi ! commençai-je à dire rageusement. Tu te permets de me juger alors qu'une petite fille qui n'a connu que la peur et la misère est morte ! Tu n'as rien à dire, rien à me reprocher.

Je le foudroyai du regard et relevai le menton.

— C'était de l'allemand ? me questionna-t-il, inquisiteur.

Je serrai les dents : tout ce à quoi il pensait c'était à ces fichus allemands ! Il n'avait que cela à la bouche.

— Non, lui répondis-je. C'était du yiddish.

Il passa sa main dans ses cheveux, repoussa du pied quelques plans de rose et vint s'asseoir à côté de moi.

— T'aurais pu nous le dire, me reprocha-t-il.

Il avait l'air sincère.

— Simple question, commençai-je.

Je laissai un silence.

— Comment ont-ils réagi ? l'interrogeai-je.

Il esquissa une grimace.

— Ils l'ont pris comme une espèce de... trahison, me déclara-t-il. Denis leur a dit que, vu comment ils s'étaient comportés avec toi depuis le début, tu n'allais pas leur donner ta confiance.

Je remerciai intérieurement Denis. Comme quoi, je choisissais bien mes amis.

— Mais pourquoi es-tu là, toi ? le sondai-je.

Je n'étais pas vraiment certaine de sa sincérité. Je n'aimais pas trop cela.

— J'avais besoin de sortir, de prendre l'air, me confia-t-il. Puis je t'ai vue, alors je me suis dit que je ne devais pas te laisser seule.

Je ne le croyais pas.

— C'est Denis qui t'a dit de venir, insistai-je.

Il eut l'air déçu.

— Aussi, affirma-t-il. Comment le sais-tu ?

Ah ça, ce n'était pas compliqué à deviner. Une certaine complicité existait entre lui et moi.

— Il savait que ça me donnerait envie de revenir, lui dis-je avec un demi-sourire.

Marceau posa sa tête contre le mur et ferma les yeux.

Denis savait que je ne supportais pas sa présence, mais je louais le ciel d'avoir envoyé Marceau et non Pierre, André ou encore pire, Julien.

— Comment vas-tu faire pour aller chercher tes béquilles ? reprit-il plus pour me narguer qu'autre chose.

Je pris une grande inspiration pour me calmer. Ah qu'est-ce qu'il m'énervait !

Je commençai à replier les jambes puis me relevai. Cette étape fut fastidieuse et il ne me fut pas facile de trouver un équilibre.

— Bon, décida-t-il. Je vais te les chercher, princesse.

Il se mit debout. Je me tournai vers lui et lui maintins le bras.

— Non ! objectai-je. Il faut que j'y arrive toute seule. Je suis une battante, tu te rappelles ?

J'évaluai alors la distance me séparant de mes cannes.

— Bon, lâcha-t-il.

Il posa ma main contre le mur pour me stabiliser et se dirigea vers mes béquilles.

Pendant ce temps, je commençais à me déplacer. Marcher était compliqué, il me fallait me concentrer pour placer un pied devant l'autre.

Marceau se retourna vers moi. Je me stoppai net dans mon avancée pour qu'il ne voie pas ma faiblesse. Il ne bougeait pas. Il était là, à me regarder.

— Qu'est-ce que tu fais ? m'impatientai-je.

Je haussai un sourcil.

— Si tu veux vraiment marcher, alors viens me prendre tes béquilles, me défia-t-il en me les tendant.

Je piquai un fard.

— Oh et depuis quand es-tu disposé à m'aider ? lui demandai-je.

Il esquissa un demi-sourire.

— Il vaut mieux que ce soit avec moi puisque je suis là, affirma-t-il.

Je ne le croyais pas : alors comme ça le petit roi devenait un bon samaritain !

Je regardai les arbres s'agiter avant de tourner la tête vers lui et de braver son regard. J'avais pris ma décision. Il voulait faire son malin ? Eh bien il allait trouver plus fort que lui à ce jeu.

Je plaçai donc lentement mais sûrement un pied devant l'autre, le regard fier et la tête haute. En faisant les quelques pas qui nous séparaient, je récupérai mes béquilles d'un coup de main rapide.

Il élargit son sourire. Je plissai les yeux et fis demi-tour. Je le laissai alors, seul.

Une fois rentrée à l'intérieur, tous les regards se tournèrent sur moi. Julien s'interposa entre ma personne et mon lit. Je me redressai pour affronter son regard. Denis se leva, prêt à me défendre.

— T'es pas seulement juive, hein ? observa Julien.

Denis s'avança mais je l'arrêtai d'un signe de la main.

— Je suis juive et française. Ma mère était allemande, avouai-je sèchement. Elle m'a appris leur culture et leur langue. La chanson n'était pas en allemand. Elle était en yiddish.

J'attendais un commentaire de la part de mon meilleur ennemi. Il ne vint pas.

— Ç'aurait été plus simple de nous le dire depuis le début, m'assura André.

Il n'était pas inintelligent mais disons qu'il n'était pas brillant non plus. Il faisait partie de ces personnes qui n'ont que des amis pour faire leur renommée, qui aiment faire la foire et qui n'aiment pas être remises en question.

Pierre, lui, était déjà plus stratège. Il n'était pas un mouton, non, mais il prenait parti : il aimait la renommée.

Julien était clairement un meneur, il se faisait naturellement remarquer. Il avait une prestance qui faisait que les gens le croyaient et ne remettaient pas en doute sa parole. Ce que je n'aimais pas, c'était qu'il utilisait son influence à mauvais escient. J'étais persuadée qu'il avait un rôle au sein de la Résistance, mais je n'avais aucun moyen de le prouver. Quoi qu'il en soit, rien n'excusait son comportement.

C'est pour toutes ces raisons que leur attitude me déplaisait. Ils m'insupportaient et je me plaisais à les rembarrer. Ils avaient besoin que je leur tienne tête.

Marceau, lui, était différent. Étrangement, c'était lui que je comprenais le plus. Déjà, il était résistant, donc il alliait la parole aux gestes. Aussi, même si je ne l'aurais jamais avoué, il était attentionné et réfléchi. De plus, il savait se faire respecter, lui aussi était un meneur. La différence avec Julien était son côté plus altruiste, plus bienveillant. N'importe qui pourrait penser qu'il n'avait que des qualités, néanmoins nous savions tous que c'est faux.

Chapitre 16
Samedi 22 janvier 1944

Le lendemain, alors que je revenais de la salle de bain accompagnée de Jeanne, une rumeur circulait : un nouvel arrivant était dans l'hôpital.

— Mais si, je l'ai vu ! assura Antoine.

Tout le monde était agité.

— Et comment pouvais-tu savoir que c'était lui ? lui demandai-je.

Les garçons se tournèrent vers moi.

— Oh mais c'est que la princesse est revenue, me taquina Marceau.

Mon regard croisa celui de Denis, puis revint sur Antoine. J'attendis sa réponse sans broncher.

— Ben... balbutia-t-il, il était devant le Docteur Rigot et Anne, il avait un bandage et la moitié de la tête brûlée.

J'avais un mauvais pressentiment. J'inspirai, pour garder mon calme, puis m'approchai légèrement de lui.

— Je repose ma question, répétai-je. Comment pouvais-tu savoir que c'était lui ?

Anne et le Docteur Rigot entrèrent à ce moment-là et je m'assis sur mon lit.

— Ah ! Nous allons avoir notre réponse, me chuchota Denis.

Le docteur se mit au milieu de la pièce et nous enveloppa d'un regard évoquant le respect.

— Aujourd'hui, vous allez devoir faire bon accueil à un nouveau camarade, Pierre. Vous serez deux Pierre, annonça-t-il en s'adressant au Pierre des petits rois.

En entendant ce prénom, mon sang ne fit qu'un tour : je repensai au matin qui avait suivi la destruction de ma maison. Ce matin, où Pierre et ses cousins s'en étaient pris à David et moi.

Mais pourquoi me mettais-je dans un état pareil ? J'étais en sécurité ici. Le Pierre que j'avais connu ne pouvait pas être là !

— Il est brûlé au visage, reprit le docteur, et sa famille a jugé bon de l'envoyer dans un hôpital où il y a des enfants. Il lui faudra du temps pour se remettre de ses blessures. Pierre, tu peux venir.

Il était là, devant nous, avec son sourire jusqu'aux oreilles. Je le reconnus tout de suite. Pierre Martin était vivant et debout, devant moi.

Oui, c'était lui, en chair et en os. Cela me donna la nausée. La rage me remplit tout entière. C'était le comble !

Je me redressai sur mon lit, le regardai d'un œil meurtrier. Il balaya la salle d'un air supérieur avant de se focaliser sur moi. Je redressai la tête, le toisant. Une tension palpable électrisait l'air.

Le Docteur Rigot parti, nos yeux ne se délacèrent pas. Denis me donna un coup de coude dans les côtes mais il était hors de question que je perde ce combat. Je me levai alors en m'appuyant sur mes deux béquilles.

— Beh alors ? l'attaquai-je armée de toute ma hargne. Qu'est-ce que tu fais ici ?

Il n'y avait presque aucun bruit dans la salle hormis celui émis par les plus jeunes qui avaient repris leurs jeux.

— Tu le vois bien, riposta-t-il. Je me soigne.

Il fallait que je reste calme.

— En effet, fis-je mine de comprendre. Je vois que toutes les mauvaises actions que tu as faites se sont retournées contre toi !

Il se rapprocha d'un pas. Un de plus et j'allais le défigurer entièrement.

— Et toi ? T'as rien à te reprocher non plus ? me questionna-t-il.

Je ne comprenais pas ce qu'il voulait dire.

— Me reprocher quoi ? lui demandai-je à mon tour. Ce n'est pas *moi* qui m'amusais à tabasser les autres. Tout ce que j'ai fait honore les principes de la justice et de l'égalité.

C'était un drôle de combat. Aucun de nous deux ne perdait ni son sourire ni sa fierté. Pourtant, il y avait là une haine qui remontait à des années d'affronts. Elle ressemblait à deux ennemis menant une bataille à jamais incomprise tel le Vengeur du Peuple et l'amiral anglais.

— Au début, je croyais que vous étiez des ex, intervint Julien, mais…

Je le fusillai du regard. Ce n'était vraiment pas le moment.

— Mais non, enchaîna Denis, il y a une rancœur entre les deux. Et puis elle ne serait jamais sortie avec quelqu'un d'aussi prétentieux que lui. En plus, cela à l'air de remonter à plus loin.

Je ne savais pas si c'était un compliment ou une simple supposition, c'est pourquoi je ne relevai rien.

— Alors princesse ? commença Marceau. Vas-tu nous éclairer ? Qu'est-ce qui est juste et égalitaire ?

Je le snobai méchamment.

— J'allais le faire, répliquai-je.

Je quittai alors ma zone de confort et me tint debout au milieu de la pièce. Mon regard alla de Marceau à Pierre et se fixa sur ce dernier, face à moi. J'expliquai.

— C'est l'histoire d'une jeune fille et de son petit frère, racontai-je. Elle venait de voir toute sa famille se faire tuer dans l'explosion de sa maison. Elle décida de partir le plus vite, le plus loin et le plus discrètement possibles pour échapper aux nazis et pour protéger son frère. Malgré sa prudence, le lendemain, elle sentit que quelqu'un les suivait. Alors, elle cacha son frère et fit face à ses poursuivants. C'était Pierre et ses cousins. Un combat s'en suivit. Elle les dégomma tous un à un... mais oublia le principal. Il la saisit par-derrière, tel un lâche, et tous se mirent à la frapper. Elle n'abandonna pas la bataille ! Elle esquivait, coup après coup, jusqu'à ce que des officiers les trouvent. Elle devait partir aussi vite que possible, retrouver son frère et s'enfuir avec lui. Mais les soldats tirèrent et son assaillant, pétrifié de peur, se servit d'elle comme d'un bouclier. Elle prit une balle dans les côtes. Les voyant avancer, il la poussa au sol et lui écrasa le bras.

Je fis une pause et serrai les dents. Je le regardai droit dans les yeux et haussai un sourcil. Il ne perdait pas son sourire arrogant.

— Alors elle se releva et partit chercher son frère, poursuivis-je. Ils marchèrent encore et encore jusqu'à se trouver devant la maison d'une vieille amie. Mais celle-ci les avait trahis. Alors, elle lui indiqua une fausse piste pour qu'on ne les retrouve jamais. Puis, ils s'enfuirent. Mais des policiers, qui recherchaient les lâches, les rattrapèrent. Leur chien donna un coup sec et lui déboîta la jambe. Elle le combattit et réussit à s'en sortir. Et là, elle entendit des balles et vit des taches rouges trouer son frère. Paralysée, elle attendit que le glas sonne. Finalement, ce n'était pas à elle qu'il était destiné.

Mon regard transperçait durement Pierre si bien qu'il perdit son sourire. J'appréciai ce moment.

— C'est une bien belle histoire, ma chère amie, reprit-il d'un air hautain. Mais est-ce vraiment la vérité ?

Emportée par la haine, je lui mis une droite mémorable qui le fit reculer de trois pas. J'entendis du mouvement derrière moi et je fis signe de ne pas avancer en relevant la main droite.

— Tu sais ce qu'elle te dit ta « chère amie » ? menaçai-je. Que si tu n'avais livré personne, jamais tu ne serais dans cet état là et jamais tant de gens ne seraient morts à cause de toi !

Je ramassai ma béquille, que j'avais laissée tomber, et me dirigeai vers Denis. Mon visage affichait un air victorieux et je ressentais une rage démesurée. Par moments, je me demandais comment on pouvait avoir tant de sentiments contradictoires à la fois.

— Et qu'est-ce qui s'est passé après, hein ? me demanda-t-il en revenant vers moi, menaçant. Qu'est-ce qui s'est passé pour ma famille ? Tu t'en fous hein ?

Il fit un pas. Marceau se plaça entre nous. Je me retournai si violemment que Denis me retint par le bras.

— Vous pensiez vraiment que j'allais le frapper à nouveau ? les interrogeai-je.

Un silence s'installa dans la salle.

— C'est-à-dire, répondit André, qu'après lui avoir mis un coup de poing on s'attend à tout.

Je soupirai.

— Mais je ne m'appelle pas Pierre, moi ! Pardon, Pierre, m'adressai-je à celui du gang des quatre. Je parle de Pierre Martin, celui qui attaque les gens dans le dos parce qu'il a peur,

peur de ceux qui sont au-dessus de lui. Alors, pourquoi apporter de l'importance à ce qui lui est arrivé ?

Pierre avait l'air réellement touché. Je l'avais déstabilisé.

— Parce que ce n'est pas moi qui ai fait arrêter tous ces gens ! Vous mettez tous des choses sur mon dos mais je n'en suis pas à l'origine ! expliqua-t-il.

Facile de dire cela lorsqu'on a tant prouvé le contraire…

— C'est simple de rejeter la faute sur les autres et encore plus de fuir ses responsabilités, lui fis-je remarquer.

Il baissa d'un ton.

— C'est ma tante et mon oncle qui les vendaient, confia-t-il. Je ne pouvais pas leur dire d'arrêter. J'avais peur oui, c'est vrai. J'avais peur de me faire embarquer par les boches.

Denis me lâcha et je marchai dans la direction de Pierre, les mâchoires contractées.

— Si, Pierre, tu aurais pu les sauver, affirmai-je. Tous autant qu'ils sont.

J'étais juste devant lui.

— Comment, ô génie, aurais-je pu les sauver ? me demanda-t-il dans un excès d'énervement.

Je n'avais plus besoin de le rabaisser puisqu'à ce moment-ci, tout le monde savait quelle pourriture il était.

— En les prévenant, répliquai-je calmement.

Je le regardai, presque compatissante devant son expression de culpabilité. J'arquai un sourcil et traçai mon chemin sans un regard en arrière.

— J'ai changé, lâcha-t-il, m'arrêtant dans ma marche. Je ne te dénoncerai pas. Je te le promets.

Je tournai légèrement la tête vers la gauche en regardant au sol.

— On verra, dis-je avant de reprendre mon chemin vers l'aile Ouest.

J'espérais qu'il tiendrait sa promesse, en tous cas, il le faudrait puisqu'on allait la mettre à l'épreuve.

Chapitre 17
Dimanche 23 janvier 1944

Le lundi vingt-trois janvier, à six heures du matin, Anne vint me chercher et me dirigea jusqu'à la salle d'auscultation. Là-bas, j'y appris que je n'avais plus besoin de béquilles.

La veille, le Docteur Virginie m'informa que je n'avais plus besoin de ses services en me renvoyant dans la salle. Il m'avait dit que j'avais tellement bien travaillé que la prochaine fois que je me casserai quelque chose, je n'aurais pas besoin de rééducateur étant donné que je le faisais moi-même !

— C'est pour aujourd'hui, m'apprit le Docteur Rigot. Nos sources nous ont informés de leur arrivée.

Je compris instantanément de quoi il était question.

— Ils viendront à huit heures, m'annonça Anne. Nous devons t'évacuer.

Tout en parlant, elle cherchait quelque chose dans les tiroirs.

— M'évacuer ? répétai-je. En vous laissant tous ici ? Non. Il doit y avoir une autre solution.

Elle s'arrêta et me regarda droit dans les yeux.

— Non, il n'y en a pas ! continua-t-elle. Tu dois partir ! Fais-le aussi pour nous.

Elle se rapprocha de moi et me serra les mains.

— Pour aller où ? l'interrogea le docteur. Elle a raison. Il est trop tard pour partir.

Ils se regardèrent, inquiets, avant de revenir à moi.

— Il nous faut trouver un plan, affirmai-je.

Nous avions bien passé une trentaine de minutes à l'échafauder. Puis, nous mîmes notre réflexion à exécution.

Je partis me vêtir en infirmière et nous retournâmes dans la salle.

— Aujourd'hui, dit à haute voix le Docteur Rigot, nous allons recevoir la visite de la Gestapo. Comme vous le savez, Mélanie n'apparaît pas dans les registres et il est trop tard pour la faire partir. De plus, cela ne servirait à rien puisque le climat est encore plus dangereux à l'extérieur. C'est pourquoi nous l'appellerons Ombéline Rouget. Vous ne la voyez jamais, à part à l'infirmerie. Vous ne savez rien d'elle à part son nom. Est-ce bien clair ?

L'atmosphère était pesante.

— Oui ! répondirent ensemble les garçons.

Tous semblaient impliqués et sérieux mais j'avais peur que ce ne soit qu'une façade.

— Si certains d'entre vous ont envie de craquer, ajouta Anne, rappelez-vous que si elle est dénoncée nous partirons tous avec elle, comme complices. De plus, vous recevrez des traitements bien particuliers pour vous faire parler ! J'espère que vous avez bien compris.

Un court silence suivit. Il se fit rapidement remplacer par la ferveur de ces jeunes Français, prêts à défier l'occupant. Ils prenaient les armes.

Marceau avait raison, c'était la guerre.

— Oui ! répétèrent tous ensemble les garçons.

Je me tenais droite et je regardais devant moi, le regard absent.

Denis m'observait. L'espace d'un instant, je lui rendis son regard, puis le fis coulisser vers Pierre. Il le suivit et opina de la tête, m'assurant ainsi qu'il allait le garder à l'œil.

Le docteur et Anne partirent et je leur emboîtai le pas.

Il était huit heures et je faisais les cent pas dans la réserve. Soudain, Anne entra.

— Ils sont là, m'annonça-t-elle.

Je n'étais ni surprise ni effrayée, ce qui la fit sourire.

— Tu es courageuse, commenta-t-elle avant de repartir. C'est bien.

C'était faux. J'étais prête, tout simplement.

Je me mis à ranger les bocaux, positionnés sur la table à côté de moi dans l'étagère d'en face.

La réserve était grande, rectangulaire. La porte se trouvait à l'extrême gauche lorsque l'on rentrait. À quelques mètres se trouvaient six rangées de trois étagères, toutes mesurant deux mètres de long et un mètre de large. Des fauteuils roulants et des brancards meublaient le fond de la pièce, et une vieille table en bois occupait le milieu.

Cela faisait bien un quart d'heure, voire trente minutes, que j'étais là et je n'avais toujours aucune nouvelle.

J'entrepris de ranger toutes les étagères, lorsque j'entendis des pas résonner dans les escaliers. Je me dirigeai dans cette direction, attendant des nouvelles de Anne.

Quelle ne fut pas ma surprise quand je vis un homme de la Gestapo avancer vers moi !

— Que puis-je faire pour vous ? lui demandai-je faussement en souriant.

— Il y en a une là ! cria-t-il.

Je fronçai les yeux, jouant mon rôle de petite fille étonnée et me laissai conduire par cette pourriture qui me prit par le bras.

J'étais à présent au milieu de la pièce. Un autre officier, plus grand et imposant, entra et vint se positionner devant moi, suivi par un autre, correctement coiffé.

— Qui es-tu ? me demanda-t-il.

Je fis mine d'être très concernée et leur répondit sagement.

— Ombéline Rouget, dis-je. Je peux vous aider ?

Il s'approcha de façon menaçante.

— Oui, tu vas nous aider, acquiesça-t-il. Tu vas nous révéler ta véritable identité.

Je compris qu'ils n'étaient pas venus ici par hasard. *Ils savent*, me chuchota mon instinct.

— Je vous l'ai déjà dit, je suis Ombéline Rouget, répétai-je. Une simple aspirante infirmière.

Je tentais de jouer le jeu du mieux possible mais je savais que cela allait être compliqué.

— Tu n'es mentionnée nulle part dans les registres de cet hôpital, m'expliqua-t-il. Ils te cachent. Tu es une résistante.

Mon visage se peint alors d'une incompréhension.

— Vous vous méprenez ! le contredis-je. Jamais je ne remettrais en cause les décisions de notre Maréchal. Pour rien au monde, je ne serais résistante !

Il fit un pas de plus vers moi.

— Alors pourquoi ton nom n'apparaît-il pas dans ce maudit registre ? insista-t-il. Tu sais, pour l'instant nous utilisons des méthodes très douces, en comparaison de celles des interrogatoires. Il est plus facile d'entendre quand l'interrogé ne crie pas.

Il fallait que je reste concentrée, ne laisser paraître aucune faille dans mon jeu.

— Monsieur, je vous promets que jamais je n'aurais la force de mentir, dis-je d'une voix apeurée.

Ce que je disais me révulsait.

— Tu mens, m'accusa-t-il.

Il décroisa ses bras de son dos et fit craquer ses phalanges.

— Mais non ! protestai-je. Dire que je suis juive serait tout aussi fou que de m'accuser de résistante !

Je sais, je venais de lui révéler la vérité. Cependant, j'avais lu que c'était une technique de manipulation très efficace.

— Juive ? Toi ! se moqua-t-il. Ils ont le nez proéminent et la peau de la couleur des ordures ! Toi, tu as le teint de porcelaine et un nez doux et petit.

Un nez doux et petit ! Qu'est-ce que c'était que cette blague ?

Leur vision des Juifs ainsi que cette façon de parler m'insupportaient. De surcroît, le fait qu'il me tutoie, pour je ne sais quelle raison, m'énervait au plus haut point !

— Avoue ! m'ordonna-t-il. Ou ton sort sera bien plus funeste.

Je me reconcentrai immédiatement.

— Je suis ici en stage, dis-je. Pas pour mener des actes de rébellion, mais pour apprendre !

Il commençait à s'agiter et ce n'était pas très rassurant.

— Mais voyons, se moqua-t-il, « en stage » ?

J'espérais intérieurement la venue d'Anne parce que la situation commençait sérieusement à m'échapper.

— Oui, mon père est mort et je n'ai nulle part où aller, mentis-je. C'est pourquoi le Docteur Rigot a proposé de me garder en stage jusqu'à ce que je trouve un endroit pour me loger.

Il se retourna et posa ses gants.

— Je ne te crois pas, médit-il.

Là, je n'étais pas sereine et je n'étais plus dans mon jeu d'actrice.

— Procurez-vous des papiers ou je ne sais quoi ! proposai-je. Vous verrez que je suis une honnête fille.

Il revint subitement et promptement jusqu'à moi.

— C'est ce que nous allons voir, lâcha-t-il.

Il me bouscula en arrière. Je ne luttai pas, pour paraître plus frêle.

Il fit un signe de la tête à un mastodonte en uniforme, placé derrière moi à côté de la première étagère. Ce qui suivit se passa très rapidement : l'homme la poussa et elle me tomba dessus. Toutefois, au lieu de me laisser faire ratatiner, j'eus le réflexe de me protéger le visage avec le bras droit, de me coucher dos au sol et enfin de la soutenir, les bras en croix.

Or, mes forces diminuaient et toutes sortes de matériel réservé à usage médical me recouvraient. Cette bête avait recraché sur moi tout ce qu'elle contenait : les outils de chirurgie, les ciseaux, bistouris et autres flacons et compresses. Dans leur chute, ils m'éraflèrent de toute part et je sentis des morceaux de verre se planter dans ma peau.

Je n'avais pas crié mais le vacarme fut épouvantable. J'espérai, pendant un court instant, que quelqu'un viendrait m'aider même si je savais qu'ils l'en empêcheraient. *Tu es seule et tu sais comment t'en sortir, tu l'as toujours fait*, pensai-je. Je ne pouvais pas rester ainsi plus longtemps.

Alors, je pivotai entièrement sur mon flanc gauche et retins mon assaillant de bois avec mon bras droit pendant que je m'extirpais en rampant. Les bords de cet assemblage de menuiserie m'entaillaient la peau à chaque mouvement. Une fois arrivée à la frontière entre la liberté et cette douloureuse étreinte, j'utilisai mes dernières forces pour me pousser le plus loin possible.

Ce fut à ce moment-là que je crai. La douleur apparut d'un coup. Je pouvais sentir le moindre impact.

Je me mis sur les coudes, dos au sol, et soudainement une main m'attrapa le visage. Cette fois-ci, j'étais prête à riposter, plus de jeux d'actrice ! C'était la guerre et je n'allais pas me laisser faire ! Cependant, elle n'appartenait pas à l'officier mais à Anne. Elle me fit un petit hochement de tête rassurant de manière à me dire : « C'est bientôt fini . »

Elle m'aida à me relever et regarda de façon menaçante le policier.

— Vous n'avez pas honte ! lui hurla-t-elle. Brutaliser ainsi cette jeune fille !

Il avança vers moi sans tenir compte de sa remarque.

— Madame, allons, poussez-vous ! lui ordonna-t-il. Nous ne faisons que notre travail !

Elle le retint en lui attrapant le poignet.

— Parce que c'est votre travail peut-être de malmener les enfants ? cria-t-elle.

Il se dégagea brutalement et la poussa.

— Non, mais de dénicher les résistants oui ! expliqua-t-il.

Anne était au bord des larmes.

— Ce n'est pas une résistante ! dit-elle. C'est ma fille.

Je ne savais pas si c'étaient ses larmes sincères ou non, mais l'illusion était parfaite.

— Son nom n'est mentionné nulle part ! vociféra-t-il.

Elle vint se placer entre l'officier et moi, tel un bouclier.

— Mon mari est mort avant que je ne puisse être mariée, déclara-t-elle. Si elle est venue ici, c'est parce que ma sœur est elle aussi décédée. Laissez-moi vous montrer son acte de naissance et vous verrez !

Résigné, il se calma, me regarda puis l'interrogea à nouveau.

— Pourquoi ne nous l'a-t-elle pas dit plus tôt dans ce cas ? la questionna-t-il.

Anne se tourna vers moi, furieuse.

— Allons Ombéline, tu aurais pu leur dire ! me gronda-t-elle.

Je continuai immédiatement ce petit scénario.

— Oui mais j'avais peur que l'on vous traite mal à la suite de cela ! Vous savez, le fait que je ne sois pas fille de parents mariés est très mal vu… improvisai-je. Je voulais vous protéger. Mais je leur ai dit que j'étais ici en stage et que mon père était décédé. Voyez, je n'ai pas menti !

Elle fouilla dans ses poches et en sortit un papier.

— Tenez, dit-elle à l'officier en le lui donnant. Le Docteur Rigot me l'a remis. Cela prouve son innocence.

Il prit l'écrit, le lut, et le donna à un autre homme situé à sa droite. Ce dernier vérifia sa véracité grâce à un carnet dans lequel étaient inscrits toutes sortes de renseignements sur l'hôpital.

— Tout est légal et officiel, confirma-t-il. Le seau, les informations. Nous avons eu tort de nous en prendre à cette jeune femme.

Il reprit le papier et le rendit à Anne, puis me regarda.

— Vous êtes très courageuse, me complimenta-t-il. Mais faites attention, cela vous perdra.

Sur ce, il partit accompagné de ses sbires. Anne m'observa attentivement.

— Mais qu'est-ce qu'ils t'ont fait… s'indigna-t-elle.

Je lui souris.

— Rien de grave, plus de peur que de mal, la rassurai-je. Il faut que nous remontions, ils ont besoin de toi aux urgences.

Tout à coup, elle ouvrit grand les yeux.

— Les urgences ! s'esclaffa-t-elle. Il faut que j'y retourne ! Mais toi, ça va aller ?

Je me dépoussiérai les épaules d'un coup de main.

— Oui, affirmai-je. Ce ne sont que des bouts de verres. Au fait, désolée pour ta robe. Je crois qu'elle est fichue.

En effet, elle était déchirée sur le côté gauche. Anne m'embrassa et monta.

On aurait dit que j'avais fait la guerre ! J'étais trempée et j'avais des bouts de verre de partout. Je ne devais pas être belle à voir. De plus, mon cou était très sensible. Néanmoins, j'attendis d'être en haut pour pouvoir tout enlever et me soigner.

Ainsi, victorieuse sur l'adversité, je montai les marches une à une. Je me dirigeai vers la salle de bain. Je n'allais sûrement pas toquer à la porte d'un cabinet : les médecins devaient avoir suffisamment de travail !

Une table sur roulettes avec plein de matériel médical était là, dans le couloir. On aurait pu croire qu'elle m'attendait.

Je m'en approchai, la décalai de façon à me mettre dos au mur.

Je fermai les yeux et profitai de cet instant de paix. Je pouvais entendre le vrombissement des moteurs, les Citroën Traction Avant qui quittaient l'hôpital. J'enlevai ma coiffe d'infirmière, rendant la liberté à mes cheveux.

Posant ma jambe droite sur un barreau de la table, je relevai légèrement ma robe pour découvrir l'importance des dégâts. Il y avait là un véritable champ de bataille : j'étais couverte de plaies, de bleus et de sang.

Je craquai alors mon collant, pris une pince médicale et enlevai tous les débris un à un. Je n'avais pas mal, ou plutôt, je n'avais plus mal. C'était comme si j'étais une machine, sonnée, incapable de ressentir la moindre sensation, le moindre sentiment.

Je regardais les débris comme s'ils étaient l'incarnation de ces foutus boches. Une fois enlevés, je me désinfectai et me pansai. Je fis de même de l'autre côté. Enfin, je relevai les manches et répétai la même opération sur mes bras.

Je passais délicatement ma main droite sur ma blessure au cou quand je tressaillis. Cette anesthésie passagère que j'avais ressentie se dissipa et je redevins un être humain.

Alors, je poussai la table du bout de mon pied et tournai la tête vers la salle. Marceau, Denis, Julien, André et les deux Pierre étaient là et me fixaient.

Je leur accordai mon regard.

Je me sentais faible, cependant je devais montrer que j'étais invincible et partis vers la salle de bain.

Il y avait là un miroir. Cette plaie que j'avais au cou laisserait sûrement une belle cicatrice, mais elle changeait aussi mon visage, ma prestance. Elle donnait l'impression que j'étais une survivante et que j'avais franchi plein d'obstacles. En bref, elle me définissait.

Je la désinfectais quand je vis Marceau s'appuyer contre l'encadrement de la porte.

— Qu'est-ce que tu fais là ? lui demandai-je sans même le regarder.

Je sentais son regard posé sur moi.

— Je voulais savoir comment tu allais, me répondit-il.

Je posai mon coton imbibé de désinfectant à côté du robinet et me tournai vers lui, toujours avec cet air de défi.

— Toi, Marceau, tu es venu me demander comment j'allais ?
m'exclamai-je.

Il sourit.

— Ça t'étonne tant que ça, princesse ? commenta-t-il.

Je repris mon coton et remis du désinfectant.

— C'est-à-dire… commençai-je, que oui. Oh, j'oubliais ! Je
ne suis pas une princesse.

Il avança vers moi. Je reposai le tube et campai sur mes pieds,
debout, les bras croisés sur ma poitrine.

— Avec les gars, me raconta-t-il, on a entendu un connard de
la Gestapo crier qu'il y avait quelqu'un en bas. L'officier qui
était avec nous a souri puis a chuchoté à ses chiens que c'était
sûrement la personne signalée. Denis n'avait pas lâché le
nouveau d'une semelle et je t'avoue qu'il s'est tenu à carreau.
Ensuite, on a entendu un grand fracas et des bruits de verre. On
s'est regardés avec Denis et il m'a fait un signe de la tête pour
m'inciter à rester calme et ne pas leur sauter dessus. Dans tous
les cas, il y avait des officiers près de la porte, tout aurait pu
dégénérer. Après ça, on a entendu Anne hurler sur un des
officiers et tout le monde est remonté sauf toi. Quand je t'ai
aperçue dans le couloir, j'ai compris que ce qui s'était passé en
bas, ce n'était pas juste une discussion amicale.

Son récit me fit sourire et je m'approchai de lui, désinvolte.

— Et alors tu vas me dire que tu t'es inquiété pour moi ? le
questionnai-je.

Je scrutai sa réaction.

— Eh bien, au début j'ai juste vu ta plaie au cou, m'expliqua-
t-il. Après, il y a tous ces pansements qui m'ont… oui, inquiété.
Alors, dis-moi princesse, que t'est-il arrivé ?

Je regardai derrière lui pendant un instant, l'esprit ailleurs,
puis me replongeai dans ses yeux.

— Une chose très simple... lui répondis-je sérieusement. La princesse te prouve qu'elle n'est pas une simple princesse mais une véritable guerrière.

Il me sourit puis dirigea son regard vers ma nuque.

— Tu veux que je t'aide peut-être ? me proposa-t-il.

Je réfléchis pendant quelques instants.

— Je pense que je n'ai pas le choix, consentis-je.

Je soupirai.

— En effet, princesse, affirma-t-il.

Je pris une seringue et me retournai vers lui.

— La prochaine fois que tu dis ça, le menaçai-je, je te plante cette aiguille dans le bras !

Il n'eut pas l'air si surpris que cela, venant de ma part, mais ça fit quand même de l'effet.

— D'accord, c'est bon ! ria-t-il. Maintenant, laisse-moi faire.

Je fis basculer mes cheveux sur l'épaule opposée et m'appuyai contre l'évier.

— Juste avant, lui demandai-je, il s'est passé quoi là-haut ?

Je pus sentir ses muscles se contracter.

— Rien de vraiment fou, me dit-il. Ils nous ont demandé nos noms, la raison de notre arrivée ici et...

Je l'observai dans le miroir.

— Mais... ils t'ont frappé, observai-je, médusée.

Il esquissa son fameux demi-sourire.

— T'inquiéterais-tu pour moi ? s'enquit-il.

— Non ! m'empressai-je de lui répondre.

En réalité, je ne pouvais nier ressentir de l'inquiétude vis-à-vis de Marceau.

— Quoique... me repris-je. Oui, je m'inquiète pour toi. Tu ne m'as pas répondu, t'ont-ils frappé ?

Il déchira l'emballage d'une compresse.

— Oui, me confirma-t-il. Je leur ai répondu trop...
impoliment. Ne bouge plus maintenant.

Il me soigna avec douceur et délicatesse.

— J'ai appris à faire ça avec les forces de la Résistance, finit-
il par dire.

Pourquoi avait-il besoin de m'apprendre cela ? Il savait que
je voulais y entrer.

Déçue, je glissai mes cheveux par-dessus le pansement qu'il
venait de poser et m'écartai. Il saisit mon poignet. Je me tournai
vers lui et vis qu'il était sérieux.

— Euh... je voulais te dire que j'ai mal réagi... concéda-t-il,
et que si tu veux venir avec moi dimanche, tu le pourras.

Je chassai instantanément les sentiments négatifs qui avaient
tenté de faire surface. Il n'était pas aussi arrogant que ce que
j'avais pu penser.

Je lui souris, reconnaissante.

— Eh bien à dimanche, convins-je.

Chapitre 18
Dimanche 30 janvier 1944

Nous étions le dimanche trente janvier et j'allais enfin rencontrer les forces de la Résistance. C'était grâce à Marceau, oui, mais bon, il fallait faire avec !

Le matin, je m'étais levée de bonne heure. J'avais choisi mes vêtements de manière à ce qu'ils soient pratiques, c'est-à-dire un pantalon noir en coton assez ample avec une chemise blanche et une veste noire. Les infirmières avaient récemment fait un tri dans leurs vêtements et avaient placé ceux qu'elles me prêtaient dans une commode de la petite pièce arrière de la salle de bain.

J'avais informé Denis de mon excursion et, même s'il n'avait pas été très enthousiaste, il savait qu'il ne pourrait rien faire pour m'empêcher d'y aller. Si je le lui avais dit, c'était avant tout pour qu'il sache que, si jamais il ne me voyait pas rentrer, il ne fallait pas qu'il s'inquiète mais qu'il prévienne Anne de mon absence pour un motif de son choix.

Denis était devenu mon meilleur ami. Je savais que je pouvais compter sur lui et vice-versa, même si je ne me confiais jamais à personne jusqu'ici.

Après avoir attendu l'arrivée des premiers parents, Marceau me fit un signe de la tête et je le rejoignis dehors. Il m'indiqua une petite faille dans la haie, du côté de l'aile Est, et je passai au travers.

Nous avancions dans un silence de plomb, même les oiseaux s'étaient arrêtés de chanter. C'était comme si la nature elle-même était attentive à nos moindres mouvements.

— Pourquoi m'as-tu aidée ? lui demandai-je, rompant le silence.

Il me regarda d'un air interrogateur.

— Quand ça, princesse ? me questionna-t-il à son tour.

S'il m'appelle une nouvelle fois comme ça, je le frappe, songeai-je.

— Lorsque j'ai fait tomber la lampe dans mon sommeil, l'éclairai-je.

Il réfléchit pendant quelques instants.

— C'était un accident, commença-t-il à répondre, et dans tous les cas, tu ne pouvais pas la rembourser.

Je fus d'abord étonnée, puis je pris une expression enjouée.

— C'est fou comme tu peux être gentil et attentionné quand tu veux ! commentai-je.

Il y eut un nouveau silence, puis je le brisai une seconde fois.

— Ils le savent ? lui demandai-je.

Il sourit.

— Qu'est-ce qu'ils devraient savoir, princesse ? me questionna-t-il.

OK, là, je vais le frapper ! pensai-je.

Sans prendre le temps de réfléchir, je le giflai. Il mit sa main sur sa joue, la regarda, décontenancé.

— Hé ! geint Marceau. Qu'est-ce que j'ai fait encore ?

Je levai les yeux au ciel.

— Réfléchis, génie ! pestai-je.

Il rit.

— D'accord, *princesse*, se moqua-t-il.

Je le dévisageai.

— T'es sérieux là ? l'interrogeai-je.

Je le méprisais.

— D'accord, d'accord ! me dit-il, son demi-sourire aux lèvres.

Je repris ma marche, d'un pas rapide.

— Tu penses qu'ils savent que je viens avec toi ? répétai-je.

Il m'emboîta le pas.

— Non, me répondit-il. On va les surprendre.

Je me retournai tout à coup vers lui et arborai un sourire.

— J'ai une idée, l'informai-je. On va vraiment les surprendre.

Nous étions sous un vieux chêne entouré de buissons assez grands. Ils nous cachaient, une fois accroupis.

À l'aide de sa main, Marceau balaya un tas de feuilles qui révéla une trappe en bois. Il m'observa et j'acquiesçai. Il l'ouvrit et s'y glissa. J'en fis de même.

Il y avait là un escalier en bois et la distance entre le plafond et le sol était au moins de deux mètres. La pièce était de petite taille mais il y avait une porte fermée sur le mur droit. Au milieu de la pièce se trouvait une table où se tenaient quatre jeunes garçons.

Au sol, je passai instantanément le couteau que je tenais dans la main sous la gorge de Marceau que j'attirai, dos à moi, contre mon corps.

— Au premier mouvement que je vois, dis-je avec un accent allemand, je lui tranche la gorge ! Vous pensiez vraiment qu'on ne vous trouverait pas ! Mais pour qui nous prenez-vous, les dindons de la farce ?

Ils étaient tous surpris. J'arborai un sourire.

— On vous prend pour ce que vous êtes, des nazis ! cria un blondinet.

Il était le plus éloigné des quatre par rapport à moi.

Contente de voir notre supercherie fonctionner, je continuai le plan : je poussai violemment Marceau contre la table. Le blondinet dégaina son couteau et m'attaqua en pic à glace, c'est-à-dire avec la lame du couteau vers le bas.

Instinctivement, je lui assénai un coup à la gorge et parai le sien immédiatement à l'aide de la main droite.

— Oh ! m'étonnai-je en le regardant dans les yeux. Un gaucher !

Ni une ni deux, je lui envoyai un coup de coude gauche dans la tête et profitai de son étourdissement pour le faire basculer au sol. Je dégageai son arme d'un coup de pied et lui en assénai un dans les côtes, le faisant rouler vers le mur.

Toutefois, je fis attention à mes gestes puisque mon but n'était pas de le neutraliser, au contraire. Mais je devais aussi montrer que je savais me battre. Aussi, je savais que ce n'était pas fini : Marceau me laisserait m'imposer à eux tout en respectant certaines limites. Je pris alors le couteau, narguai Marceau et le glissai dans mon dos.

Un autre garçon, brun cette fois, m'attaqua. Il avait un revolver d'ordonnance modèle dix-huit cent quatre-vingt-douze, une arme semi-automatique. Le temps qu'il le pointe sur moi, je parai son bras droit à l'aide du mien et le fit tirer dans le vide. Je pivotai et lui assénai un coup dans les parties génitales, ce qui le plia en deux. J'en profitai pour saisir son arme et la pointai sur sa tête.

— Si vous bougez, les menaçai-je, je tire.

Avant que je n'aie pu faire quoi que ce soit, Marceau se leva et me lança dix francs.

— T'avais raison ! avoua-t-il. C'est bon, t'as gagné.

Je souris, fière de moi, et lui tendis le pistolet en faisant passer le manche de son côté.

— C'est quoi cette blague ? demanda le blondinet en regardant Marceau dans les yeux.

Ce dernier soupira.

— Non mais sérieux les gars, vous me foutez la honte, là ! jura-t-il. Vous vous êtes fait avoir comme des bleus ! Et après on dit que c'est ça, les forces de la Résistance ?

L'un d'entre eux s'approcha.

— Mais qu'est-ce que ça veut dire ? l'interrogea un garçon roux sur ses gardes.

Je me redressai, menton haut.

— Que mon instinct ne me trompe jamais, lui répondis-je de ma véritable voix. Tu vois Marceau, je t'avais dit qu'on allait les surprendre... mais quand même ! Je pensais que vous saviez reconnaître vos ennemis.

Ils me fusillèrent du regard.

— Et voilà qu'elle parle français ! s'esclaffa le grand brun.

J'arquai mon sourcil gauche.

— Je n'ai jamais parlé autrement que français, lui fis-je remarquer.

J'entendis un souffle de protestation.

— Qu'est-ce qu'elle fait là ? questionna le roux.

Je croisai les bras sur ma poitrine.

— Vous pourriez lui demander directement, intervins-je, appuyée contre l'échelle.

L'ambiance était pesante mais je ressentais un brin de fierté.

— C'est vrai ! approuva le brun. T'es qui ?

Je lui fis un clin d'œil et m'avançai.

— Officiellement parlant je ne suis personne, leur exposai-je, mais ceci dit, avant, j'avais une identité. Je m'appelle Mélanie et je voudrais rentrer dans les rangs de la Résistance.

Les garçons me regardèrent, étonnés. Le blondinet et le rouquin eurent une conversation silencieuse. Je les fusillai du regard.

— Et pourquoi te ferait-on confiance ? demanda le rouquin.

Je gardai mon air sérieux.

— Parce qu'on est tous dans le même camp, lui répondis-je.

Ils s'observèrent, suspicieux, et je redevins le centre de leur attention.

— Tu n'es donc pas allemande ! comprit le blondinet.

Je hochai négativement de la tête.

— Non, confirmai-je.

Je pouvais sentir leurs yeux penchés sur moi mais cela ne m'impressionnait pas.

— Il faut que tu nous en dises plus, m'interrogea le brunet.

Je pris une inspiration et me lançai.

— Je m'appelle Mélanie. Ma famille entière a été exterminée par les boches parce que nous étions juifs. Je connais l'allemand mais ne comprends ni ne porte dans mon cœur le régime nazi. Je sais me battre, mes anciens amis me l'ont appris, et je pourrai apporter un regard nouveau à vos attaques. De plus, j'ai l'esprit stratège. Je n'aurais aucun mal à éliminer un homme, si cela était nécessaire, finis-je par dire en regardant Marceau.

Un garçon se leva. Depuis mon arrivée, il était assis à la table et n'était pas intervenu. Il était grand, fin, châtain et avait des yeux noisette.

— Elle a tout à fait sa place parmi nous, affirma-t-il.

Les autres l'interrogèrent du regard.

— Les femmes sont vues comme des bonnes à rien par les boches, expliqua-t-il, mais apparemment, on a pêché la crème de la crème.

Je le fixai droit dans les yeux.

— Vous êtes en manque de femmes, dis-je en m'adressant aux autres. Alors ce n'est pas la peine de cracher sur les volontaires.

Marceau vint se placer entre moi et les garçons. Il avait compris que s'ils continuaient de me traiter comme cela, je n'allais pas garder mon calme très longtemps.

— Quelqu'un s'oppose-t-il à son intégration ? questionna-t-il en se plaçant au milieu de la pièce.

Personne ne broncha.

— Bien, alors maintenant, vous n'aurez plus un mot à dire, ordonna-t-il.

Ils prirent tous place autour de la table et je m'installai en bout.

— Tu arrives pile-poil, commenta le plus grand d'entre eux. Nous allions former notre plan d'attaque contre la milice du coin. Et nous avions justement besoin d'une diversion. Mais avant de t'expliquer tout cela, saches que je m'appelle Antoine.

Il me tendit la main et je la serrai fermement.

— Et moi c'est Jacques, continua le brunet.

Il me fit un signe de tête pour me saluer.

— Louis, se présenta le blondinet.

Lui, il tenta une révérence mais cela ne me fit que sourire.

— Georges, finit par dire le rouquin.

Je les dévisageai davantage.

Jacques était assez grand, le teint basané et moucheté de taches de rousseur et avait les yeux bleus tandis que Louis était de taille moyenne, pâle comme un linge et avait les yeux verts.

Georges possédait des yeux verdâtres, avait la peau pâle et des taches de rousseur.

— OK, alors comme tu le sais, il y a une voie ferroviaire à quelques kilomètres d'ici, m'informa Louis. Nous allons la faire sauter et attirer les collabos dans un guet-apens dans la forêt. Tout est prêt et calculé à la seconde près. Il nous manquait juste quelqu'un pour les y conduire.

J'étais heureuse de me sentir utile mais il était vrai qu'ils allaient devoir tester ma confiance.

— Ta mission, si tu l'acceptes, enchaîna Georges, sera de divertir les boches pendant cinq minutes, puis de les emmener sur une fausse piste.

J'allais devoir improviser. Le souci était que je n'avais jamais été très bonne en impro.

— Il faudra aussi que tu nous ramènes un papier, les interrompit Antoine. C'est une liste avec tous les noms des résistants et des personnes livrées, ainsi que les traîtres qui les ont démasqués et balancés au pied de la milice.

Il mimait tous les mots qu'il prononçait, ce qui était assez comique. Cependant, il ne perdait pas son sérieux.

— T'es fou ! On peut pas lui demander ça ! contestèrent Louis et Georges.

Je soupirai et croisai mes bras sur la poitrine : ils devaient se mettre d'accord.

— Il faut voir ça comme une mise à l'épreuve, admit Jacques. Un silence se fit.

— Parfait, tranchai-je.

Nous avions ensuite passé la fin de la journée à voir et revoir notre plan dans les moindres détails. J'avais pris connaissance de chaque pièce du commissariat et des heures exactes de chaque action à commettre.

Mardi matin, à dix-heures dix, il me fallait être au commissariat. Marceau serait positionné devant le rond-point dans une Citroën Traction-Avant volée qu'il avait appris à conduire avec le père d'Antoine. À dix heures et quart, les quatre autres garçons seraient arrivés sur la ligne ferroviaire. Antoine ferait le guet pendant que Georges et Louis dévisseraient les rails et les orienteraient vers le lac et que Jacques installerait la bombe.

De mon côté, il faudrait que je retienne les policiers, avant qu'ils n'aillent faire leur ronde de ce côté-ci de la ville. Je devrais leur dire avoir repéré des résistants et devrais faire le nécessaire pour qu'ils se rendent au point de rendez-vous, dans la forêt. Une fois partis, je n'aurais qu'à prétendre aller aux toilettes pour pouvoir dérober le dossier. Les garçons allaient faire exploser les rails à dix-heures trente-cinq très précisément. La cavalerie attendrait les miliciens dans une maison abandonnée, où je devais les orienter.

La mission avait été commanditée par d'autres résistants basés de l'autre côté de la ville. C'étaient des adultes. Marceau leur avait communiqué le plan dès la fin de son élaboration. J'avais aussi appris les codes.

Je repartis vers l'hôpital peu après Marceau. Je sentais qu'ils me cachaient quelque chose tous les cinq puisque Louis et Georges étaient beaucoup trop méfiants et distraits. Je pensais qu'ils essayaient de retrouver quelqu'un... quelqu'un qui les avait trahis.

J'en parlerai avec Marceau.

Chapitre 19
Mardi 1er février 1944

Le lundi était passé très vite et nous étions le mardi premier février.

J'ai toujours envié les hommes puisqu'ils pouvaient se vêtirent sans être jugés. Nous, les femmes, nous étions souvent l'objet de remarques sexistes, juste parce que nous voulions porter ce que nous désirions.

J'avais opté pour une tenue décontractée, discrète, de tous les jours. J'avais enfilé une chemise et une jupe marron, encore une fois assez ample, se terminant au niveau des genoux. J'avais aussi mis des chaussures à petits talons pour pouvoir courir plus facilement. Mes cheveux, très longs, étaient étirés en un chignon à la manière coiffée décoiffée.

Clothilde m'avait aussi prêté une paire de collants et une veste caramel à boutons qui m'allait à la perfection. Cette dame n'était peut-être pas toute fine, mais elle m'avait expliqué que cette tenue avait appartenu à sa plus jeune fille.

J'étais partie vers les neuf heures pour pouvoir observer et prendre connaissance du terrain. Juste avant de me rendre au poste de police, je me rendis à la base. Les garçons m'attendaient déjà, excepté Marceau qui devait venir un peu plus tard.

— Salut ! me lança chaleureusement Jacques.

Je le saluai d'un signe de tête.

— Salut, lui répondis-je avec un sourire en coin. Salut les gars.

Louis fourra ses mains dans ses poches et se mit à les fouiller.

— Tiens, me dit-il en me tendant un talkie-walkie. On pourra communiquer jusqu'à ce que tu sortes des bois, après ça, j'te fais confiance.

Georges s'approcha de moi, à son tour.

— Et voilà pour toi, me dit ce dernier en me tendant un pistolet d'ordonnance modèle dix-huit cent quatre-vingt-douze.

Je l'insérai à l'intérieur de ma veste, dans la doublure que j'avais rembourrée de façon à ce qu'on ne le distingue pas. Je me dirigeai alors jusqu'à l'échelle puis me ravisai. Je me retournai vers eux.

— Vous savez, dis-je en souriant malignement, vous pouvez avoir confiance en moi.

Puis je montai l'échelle. Je marchai jusqu'à la lisière de la forêt et m'arrêtai pour prendre mon talkie-walkie.

— Ici Citrine, lançai-je. À vous.

J'attendis quelques instants puis une voix me répondit.

— Ici Fer, lança Antoine. À vous.

C'étaient des noms de code qu'ils s'étaient déjà trouvés auparavant. Ils n'étaient pas dignes d'un grand film d'espionnage mais ça faisait l'affaire. Ils se les étaient octroyés en référence à d'anciens miniers de la région qui avaient péri lors d'un coup de grisou.

— Devant la basse-cour, dis-je, à vous.

Nous parlions en message codé au cas où notre appel serait intercepté.

— Le drapeau s'abaisse, m'informa-t-il. À vous.

J'inspirai, anxieuse.

— Merde à vous, conclus-je. Terminé.

D'accord, alors ils vont y aller, pensai-je. *Allez go.*

Rapidement, je creusai un trou à mains nues et, après avoir fracassé le talkie-walkie, je l'enterrai. Dès lors, je me dirigeai vers le commissariat.

C'était parti pour l'opération *Cinéma*.

Dix heures neuf : je me trouvais devant le commissariat.

Dix heures dix : j'entrai.

À l'accueil se trouvait un agent. Autour de moi se déplaçaient plein d'hommes vêtus de l'uniforme de la milice. Ils s'activaient comme des fourmis.

En fait, c'était exactement cela : j'étais dans une fourmilière. Entre les fourmis obéissant à leur reine nazie et leurs proies qu'elles traquaient sans relâche, cette image n'était pas vague mais réelle.

— Vous cherchez quelque chose ? me demanda un milicien.

Je lui souris et m'approchai.

— À vrai dire, je viens plutôt faire mon devoir de citoyenne, répondis-je.

Il ouvrit grand les yeux, intrigué.

— Et qu'est-ce donc ? m'interrogea-t-il.

Je pris un air sérieux et de confidence.

— J'ai trouvé une base de résistants, mentis-je.

Tout d'un coup, le silence se fit.

— Êtes-vous sûre de vous ? me questionna un autre homme : un gradé.

Je hochai promptement de la tête.

— Oui tout à fait sûre, dis-je.

Les deux miliciens se regardèrent un instant, puis leur attention revint sur moi.

— Venez nous montrer où ils sont basés, m'invita l'homme.

Je m'approchai d'une table et vis une carte grande ouverte. Je m'aperçus que c'était une carte de notre région. Il y avait des punaises à certains endroits précis ainsi que des cercles rouges délimitant des zones assez vagues.

— Mais comment les avez-vous trouvés ? s'enquit le secrétaire en me prenant par le bras.

Heureusement pour moi, je m'étais préparée à cette question.

— J'avais un ami que je suspectais de trahison, récitai-je avec entrain, et ce matin, alors que je me promenais en sa compagnie, j'ai entendu quelque chose grésiller : c'était son talkie-walkie. Il s'est excusé, surpris, et est parti répondre plus loin. Mais je l'ai suivi. J'ai compris qu'ils allaient vous tendre un guet-apens. Ils parlaient des bois de l'autre côté de la ville. Ils disaient aussi que d'autres se cacheraient dans une maison abandonnée.

Soudain, un policier vint nous interrompre.

— Monsieur, vous m'avez fait appeler ? intervint-il.

Le commandant se tourna vers lui et me désigna.

— Oui, cette demoiselle a démasqué un nouveau résistant ! se réjouit-il. Quel est son nom ?

Je hochai de la tête, le saluant, même si en réalité je ne ressentais que du mépris pour lui.

— Henri Blanchard, improvisai-je, me souvenant du nom du dossier que je devais chercher.

Avant que le policier ne parte, le commandant l'arrêta.

— Dites aux hommes de se rassembler dans la cour, une nouvelle mission nous attend, lui dit-il avant de se retourner vers moi. Reprenez mademoiselle.

Je repris mon air concentré et parlai calmement en n'omettant aucun détail.

— Ils disaient qu'une bombe exploserait à onze heures sur la voie ferrée. Je crois que c'est un piège. Ils veulent vous attirer là-bas pour mieux vous surprendre. Ils disaient aussi qu'un groupe serait dans une petite maison proche du commissariat, pour mieux vous attaquer.

Les trois hommes se regardèrent.

— Et pourquoi ferions-nous confiance à une enfant ? demanda le plus grand.

Il fallait que je trouve quelque chose. Quelque chose d'incontestable.

— Parce que je vais venir avec vous, décidai-je, afin de vous montrer quelle est cette maison. Parce qu'il nous faut exterminer ces lâches, cette vermine ! Il faut faire vite, nous n'avons plus beaucoup de temps !

Un silence se fit puis celui que je pensai le commissaire se redressa.

— Bien, trancha-t-il, préparez les troupes. Vous en enverrez un quart se positionner sur le chemin de fer. Vous leur direz d'attendre mes ordres. Les autres viendront avec moi.

En leur proposant de les accompagner, j'avais changé le plan prévu. J'espérais qu'il serait meilleur et j'espérais pouvoir m'en sortir.

Cependant, il fallait que je trouve le dossier.

— Monsieur, puis-je savoir où sont les toilettes pour dames ? quémandai-je.

Il me répondit respectueusement, sans rien suspecter. À ce moment-ci, je m'étais demandé pourquoi il était passé dans le camp d'Hitler, il me donnait l'impression d'avoir un bon fond.

— Bien sûr, ils sont en face, au bout du couloir, m'informa-t-il. Mais ne traînez pas.

Je le remerciai *à contre-cœur* poliment, puis me dirigeai vers ceux-ci.

Tout le monde s'activait, j'avais l'impression que le temps était en accéléré. C'était parfait : personne ne me remarquait.

Je pris alors discrètement la première porte à gauche sur laquelle était inscrit « archives », puis passai la tête.

Il n'y avait personne.

J'entrai.

Je parcourus rapidement les étagères du regard, puis trouvai celle où était inscrit « peines classées ». À partir d'ici, je pouvais observer plein de casiers cubiques. Parmi eux, il y en avait un qui était cadenassé. Je détachai alors deux épingles que j'avais cachées dans mon chignon et crochetai la serrure.

À l'intérieur, il y avait de nombreux dossiers. Certains étaient intitulés « collaborateurs », d'autres *« maquis »* et encore d'autres « Juden » – *« Juifs »* en allemand.

Je regardai alors les dossiers des collaborateurs et cherchais le nom « Henri Blanchard ». Je le trouvai et pris le dossier. J'ouvris ma veste, l'insérai dans mon chemisier, pour ne pas qu'on puisse le remarquer, et la refermai. Puis, je fermai vite le casier avec le cadenas et sortis discrètement.

Personne ne m'avait vue. Ils étaient tous dehors, vers le garage. En m'approchant, je pus remarquer que le commissaire leur exposait un plan. Ils étaient vraiment très nombreux.

— Bien mademoiselle ! conclut-il en m'apercevant. J'espère que vous ne nous avez pas menti. Vous allez nous accompagner jusqu'à cette vieille maison.

Je baissai la tête mais à l'intérieur, quelle satisfaction ! Je me rendais compte que ma vengeance prenait tournure.

— Allons-y ! ordonna le commissaire.

J'étais montée dans sa voiture et les avais guidés à l'extrémité de la forêt, empruntant des chemins à l'intérieur des bois. Une fois arrivés en face d'une masure, je les fis s'arrêter.

— C'est ici, leur dis-je.

Intérieurement, j'espérais que la bombe avait explosé et que tout se déroulait comme prévu.

Les miliciens sortirent de leurs Renault et encerclèrent la maison. J'étais restée là et attendais.

Soudain, des coups de feu retentirent. C'était un spectacle étonnant : la neige tombait, les maquisards descendaient des arbres dans lesquels ils s'étaient cachés, d'autres tiraient de la maison et d'autres encore arrivaient par-derrière. Ce fut un tir nourri de part et d'autre. Les miliciens, bien que plus nombreux, s'étaient fait piéger.

Je pris mes jambes à mon cou et me dirigeai au second point de rendez-vous. Antoine devait me retrouver là-bas pour que je lui remette le dossier.

Il était là, près de la voiture de son père, celle que Marceau et lui savaient conduire, et m'attendait.

— C'est un véritable coup de maître ! m'informa-t-il. Nous avons fait exploser le train et personne, aucun milicien, aucun soldat, n'était là pour nous embarquer. Et toi, tout s'est bien passé ? Pourquoi es-tu essoufflée ?

Je souris.

— Oui, j'ai le dossier. Je vous avais bien dit que vous pouviez avoir confiance en moi ! lui fis-je remarquer. Je reviens de la maison piégée, j'ai dû les conduire jusque-là moi-même.

Avant de pouvoir ajouter quoi que ce soit, des tirs et des cris nous interrompirent. Je les entendais se rapprocher de plus en plus.

— Il faut qu'on y aille ! dit-il d'une voix pressante.

Nous observâmes autour de nous.

— Oui, effectivement, approuvai-je.

Nous démarrâmes en trombe.

Antoine se gara à la lisière de la forêt, vers une clairière assez loin de la base afin que personne ne puisse nous retrouver. C'est alors que nous discernâmes un bruit de moteurs : quelqu'un nous avait suivis et ce n'étaient sûrement pas des marchands de bonbons.

— Cours ! me cria-t-il.

Il ne fallait pas me le dire deux fois.

Je retirai mes chaussures et les cachai sous une branche d'arbre tombée par terre. Il me fallut moins d'une seconde pour que mes pieds s'adaptent à la fraîcheur du sol enneigé.

Je m'étais ensuite tapé le sprint de ma vie. Je rattrapai Antoine en moins de cinq secondes.

— On va où ? lui demandai-je.

Il s'arrêta, regarda mes pieds et comprit que c'était plus pratique pour courir.

— OK, suis-moi, me commanda-t-il.

Nous parcourûmes la forêt en courant et arrivâmes enfin en haut d'une falaise d'au moins cinq ou six mètres d'à pic. En bas, il y avait un lac gelé. La couche de glace n'avait pas l'air très fine.

— Je pense qu'on les a distancés, me dit-il, essoufflé.

Je me concentrai et étudiai notre environnement.

— Je ne pense pas, le contredis-je en fronçant les sourcils.

Il me regarda, interrogateur.

— Comment ça ? me questionna-t-il.

Je mis le doigt sur mes lèvres.

— Écoute, lui conseillai-je.

Il tendit l'oreille et, comme moi un peu plus tôt, entendit du bruit. Nos poursuivants étaient loin.

Nous étions sur le point de reprendre notre course quand, tout à coup, des cris jaillirent tout autour de nous. Nous nous sentîmes piégés. Une idée me vint à l'esprit.

— On n'arrivera jamais à les arrêter seuls, il faut faire diversion, constatai-je.

— OK, je reste, décida-t-il.

Je pris le dossier et le lui tendis.

— Non, tiens ! m'opposai-je. Tu connais ces bois par cœur, tu sais où aller, moi je me perdrais et, au pire, je finirais avec une balle dans le cœur. Ce dossier n'arrivera jamais à bon port avec moi. En plus, tu es bien plus important que moi… non seulement aux yeux de Marceau et des autres, mais aussi aux yeux de la Résistance.

Il me dévisagea comme s'il regardait une folle.

— C'est n'importe quoi ! nia-t-il.

— Tu les entends aussi bien que moi ! Ils sont là ! À quelques pas… insistai-je. Pars ! Maintenant ! Je saurai les retenir.

Je lui plaquai le dossier sur le torse et le poussai.

— Allez, cours ! lui ordonnai-je. J'ai mon arme pour me défendre !

Il partit.

Rapidement, je couvrais les traces d'Antoine. Puis, j'observai mon environnement dans l'espoir de trouver une porte de sortie.

Néanmoins, le seul constat que je fis était que j'étais *seule*, comme d'habitude.

Je vis deux miliciens arriver, le revolver à la main. J'étais debout, droite, le menton haut et j'attendais.

— Que fais-tu ici ? me demanda l'un d'eux.

Je fis semblant d'être déboussolée.

— Un résistant m'a attaquée, mentis-je.

Ils se regardèrent et firent un rapide état des lieux.

— C'est pour ça que tu as une arme et qu'il n'est pas là ? commenta l'autre. Allez, on t'embarque.

Sur ce, le second décrocha son talkie-walkie.

— On a eu la fille, informa-t-il son interlocuteur. Il n'y a plus personne dans le secteur. Retour à la base.

Alors que le premier s'approchait pour m'emmener au commissariat, je reculai d'un pas.

— Allez, viens ! m'ordonna l'autre en me tenant en joue. Ce n'est pas le moment de rire !

Le premier avança d'un pas. Je reculai d'un pas. Il avança encore. Je reculai encore. Il avança une dernière fois. Je fis de même.

Mon talon était dans le vide. Je reculai alors mon second talon. Seul l'avant de mes pieds me maintenait à la terre ferme.

Je ne voulais pas être embarquée car l'issue serait fatale. Les garçons pourraient mettre les forces de la Résistance en danger pour me libérer et le Docteur Rigot pourrait être dénoncé. De plus, je ne voulais pas leur faire cette faveur. *Ils ne m'auront pas*, pensai-je.

Jamais.

Je jetai mon revolver au sol. Le milicien baissa son arme.

Je basculai dans le vide.

Je ne me souviens pas avoir fermé les yeux, pourtant tout était noir. Je ne voyais pas le ciel, je me voyais chuter et je me voyais tomber dans l'eau. Ce moment dura une éternité.

Tout cessa lorsque mon corps se fracassa sur la couche de glace.

Mes yeux, toujours ouverts, regardaient le haut de la falaise. Mais sous le choc, la glace se brisa.

L'eau troubla ma vision. Je coulai comme une plume tombant d'un arbre, lente et gracieuse. Mes cheveux s'étaient détachés et prenaient vie tels les serpents pétrifiants de la Gorgone. Mes bras, inertes, tentaient d'attraper... je ne sais quoi.

Je ne pouvais pas nager. Je n'y pensais même pas.

C'était comme si une rupture entre mon corps et mon esprit s'était créée. C'était comme si j'acceptais de me noyer.

Mais non.

Secousse, air, secousse, air. Non : insufflations et compressions thoraciques.

Mélanie... appela une voix dans ma tête. *Mélanie !*

Tout à coup, je revins à moi, ouvris les yeux et crachai des litres d'eau.

Puis, quelqu'un me mit sur le côté. Quelqu'un me frictionna jusqu'à ce que je m'arrête de tousser. Je ressentis de la chaleur, on m'avait recouverte d'une veste.

C'était certainement Jacques : il était penché au-dessus de moi. Alors, je vis Marceau, trempé jusqu'aux os, assis contre un arbre et reprenant sa respiration. Louis était debout et s'occupait de lui.

Je tentai de m'asseoir.

— Oh là ! dit Jacques. Doucement ! Tu viens juste de revenir à la vie ! Attends, je vais t'aider.

J'essayai de remettre mes idées en place.

— Tu... tentai-je de dire à Marceau. Tu m'as sauvée ?

Il étira son fameux demi-sourire et colla sa tête contre l'arbre tout en me regardant.

— Ça t'étonne tant que ça, princesse ? me taquina-t-il avec effort.

Je me redressai et contractai les mâchoires.

— C'est pas parce que je suis en mode post-mortem que je ne peux pas te frapper, lui lançai-je.

Je tournai la tête et observai les deux autres. Ils étaient bouche bée. Je pense que le fait que je sois si vite remontée sur pied ne les avait pas laissés de marbre.

— Bon, on y va ? leur demandai-je.

Ils se regardèrent, Marceau se leva et m'aida à en faire autant.

— Mélanie a raison, approuva-t-il. Il ne faut pas tarder si on ne veut pas les recroiser.

Il se tourna vers la forêt, observa les alentours et revêtit sa veste. Je remarquai qu'elle était sèche.

— Je rêve ou tu viens d'être d'accord avec moi ? m'étonnai-je.

Louis passa devant lui et prit la tête de notre petit groupe.

— On a assez traîné et j'ai pas envie d'avoir votre mort sur les bras ! nous balança-t-il.

Je le suivis alors.

Tout à coup, je fus prise de tremblements et trébuchai. Marceau me rattrapa à temps.

Il m'observait de ses yeux gris-vert. Je m'écartai, ne lui laissant pas le temps d'apprécier le contact. Je plongeai mon regard dans le sien, lui faisant comprendre qu'il n'aurait pas à recommencer, avant de reprendre mon trajet, le pas chancelant.

Je tremblais de plus en plus mais y fis abstraction.

Plus on avançait, plus j'avais de la difficulté à rester consciente et debout. Presque arrivés, je m'appuyai contre un arbre, puis m'affaissai.

Je me souviens avoir battu des paupières et aperçus mon petit frère, David. Il était assis contre l'arbre en face et me regardait. Les garçons s'arrêtèrent.

Des sons semblaient sortir de leurs bouches mais je n'entendais rien.

David me contemplait toujours, souriant, puis se leva. De la neige se logeait dans ses cheveux. Je restai là, immobile, à le fixer. Il se rapprocha de moi.

— Marche Mélanie, marche, me chuchota-t-il à l'oreille. N'abandonne pas.

Il se recula, devint flou et disparut de ma vision.

Tant bien que mal, je me relevai et me rendis compte que les garçons s'étaient positionnés autour de moi. Ils m'observaient étrangement.

Je compris alors ce que tout cela voulait dire : j'étais en pleine hypothermie.

— Il faut vite qu'on retourne... à la base, tentai-je de dire. Je suis en... hypothermie.

Je me rappelais ce que j'avais appris avec mon père sur ce sujet.

Phase un : hypothermie légère. Le sujet est conscient mais a des phases d'amnésies, d'apathie, des difficultés d'élocution ou peut encore avoir des troubles de la vision. Il a des frissons et sa pression artérielle et sa fréquence cardiaque sont élevées. De plus, il peut aussi être en tachypnée. Et moi, j'étais dans cette phase.

En effet, tout ce que je voulais dire était coupé par des tremblements et des spasmes. Je n'allais pas tarder à entrer en phase d'hypothermie modérée. J'accélérai alors le pas.

Les garçons me suivaient, stupéfaits. C'était comme si je savais exactement où aller : je tournais quand il le fallait et allais tout droit sans jamais leur demander confirmation.

Une fois devant notre fameux arbre, je m'enfouis dans les buissons et dégageai la trappe du revers de la main. Mais une autre m'en empêcha : c'était celle de Marceau.

— Les gars sont repartis pour atténuer le grabuge et tirer des informations, m'informa-t-il. Je vais rester avec toi.

Je roulai des yeux.

— Génial, commentai-je sans aucune émotion. Il ne me manquait... plus que ça.

Il m'observait comme si j'étais en train de mourir.

— Je vais descendre en premier, et toi après, me proposa-t-il.

— Pour que tu profites... de la vue ? m'interloquai-je. Sans façon.

Puis j'ouvris la trappe.

Il me retint encore une fois, mais par le poignet cette fois-ci. Je n'étais pas énervée, ce qui me prouvait que mon état n'était pas normal.

— Je ne vais pas bien... c'est clair, avouai-je. Mais je sais encore... descendre une échelle.

Il soupira bruyamment.

— Comme tu voudras, s'énerva Marceau.

Je descendis donc, chancelante. Je tenais fermement les barreaux et posais précautionneusement un pied après l'autre. Le sol atteint, je tombai sur les genoux.

Marceau sauta pratiquement du haut de l'échelle et me rejoignit.

— T'es content ? lui demandai-je sans aucune émotion. Je ne suis maintenant... plus qu'une vulgaire... petite princesse.

J'attrapai le bord de l'échelle pour m'aider à me relever.

— C'est faux, me contredit-il. Une princesse serait dans les bras de son beau prince charmant.

Je le regardai droit dans les yeux et relevai le menton.

— Si tu crois... que je vais te faire cet honneur... tu me prends vraiment, commençai-je à dire, essoufflée, pour une quiche.

Il rit.

— J'ai très bien vu que tu n'en es pas une, m'avoua-t-il. Tu as presque donné ta vie pour un gars que tu ne connaissais pas et après ça, t'es toujours vivante ! Et au lieu de tomber dans les pommes ou je ne sais quoi, tu tombes sur les genoux !

J'observai l'échelle et pris une inspiration.

— Ouais beh... on parlera de mes... exploits plus tard, dis-je d'un ton morne. D'après mes symptômes... je vais bientôt tomber... dans le coma.

Je me relevai en m'appuyant sur l'échelle.

— Il y a une chambre si tu veux à côté, m'informa-t-il.

Je secouai la tête.

— Il ne faut... surtout pas que... je m'endorme, lui dis-je.

Il parcourut la pièce du regard. Il semblait gêné.

— Non mais il faut que tu te changes, me rappela-t-il. Tu ne dois pas rester avec des vêtements trempés.

— C'est vrai, m'inclinai-je.

Nous nous dirigeâmes vers la pièce. Elle était encore plus petite que la précédente et comportait un lit et une petite commode.

— Comment... vous avez fait... rentrer ça là ? l'interrogeai-je.

Il se dirigea vers le meuble.

— C'est pas la question, déclara-t-il tout en cherchant des vêtements à ma taille. Malheureusement, on n'a pas grand-chose. Tiens.

Il me mit de côté un pantalon et un t-shirt puis sortit. J'étais comme dans mes rêves, mais assez présente pour le faire.

Prête, je rouvris la porte et le rejoignis.

— Il me faut... quelque chose... de chaud, balbutiai-je.

Après avoir réfléchi pendant un court instant, Marceau enleva son pull, dévoilant son torse, nu et sculpté, et me le tendit. Je roulai des yeux et j'avoue que je n'étais pas franchement étonnée : c'était du grand Marceau.

— Non mais... t'es sérieux là ? murmurai-je.

Il souffla, exaspéré.

— Oui. Allez, mets-le, m'ordonna-t-il.

Je détestais que l'on me donne des ordres.

— T'es bien un... mec, commentai-je, secouée de tremblements.

J'observai son vêtement et campai sur ma position.

— Si tu penses que j'ai l'habitude de me mettre torse nu devant des filles, s'indigna-t-il, tu te leurres. Allez, mets-le !

Je décroisai alors les bras et l'enfilai. Il était vrai qu'il faisait plus chaud avec.

— Alors, qu'est-ce qu'on fait maintenant ? me demanda-t-il.

J'essayais de me souvenir tant bien que mal des prochaines étapes à mettre en place et, après quelques secondes, je me rappelai.

— Hypothermie... modérée, commençai-je à réciter. Le patient... peut être en proie... à la bradypsychie, un trouble... permanent... de la fonction... de la parole. Son... état va... de l'obnubilation... au coma. Il peut passer... par une phase... d'excitation... cérébrale ou... de bien-être. Sa peau... est glacée... et cyanosée. Plus de... frissons mais... des tremblements... très fins. Fréquence cardiaque... ralentie et... pression artérielle... quasi imprenable.

Je n'aimais pas cela : c'était comme si je ne pouvais plus parler.

Je me laissai porter par le mur un instant, appuyant la tranche de mon bras contre celui-ci, avant de fermer les yeux.

Soudain, je sentis des bras m'enlacer et un corps chaud se coller à mon dos.

— Marceau ? demandai-je.

Je sentais la chaleur m'englober.

— Ne t'endors pas, m'interdit-il. OK ?

Je serrai les poings.

— Profiter... de la... situation, essayais-je de dire, c'est vraiment... pas malin.

Il n'était pas à l'aise, je pouvais le ressentir.

— Si je t'enlace, se justifia-t-il, c'est parce qu'on m'a dit que la chaleur corporelle était la meilleure chaleur, ou un truc comme ça. En plus, il ne faut vraiment pas que tu t'endormes, et je sais que dans mes bras, tu ne dormiras pas.

C'était vrai : je ne pouvais pas m'endormir dans ses bras puisqu'il m'insupportait au plus haut point. Enfin... ce n'était plus si vrai que cela... je ne le détestais plus.

Est-ce que l'aversion que j'éprouvais envers lui s'était transformée en sympathie ?

En réalisant que je me posais une telle question, mon sang ne fit qu'un tour.

— Marceau... articulai-je, je te hais.

J'avais pu sentir qu'il souriait.

Ce long moment avait été plus ou moins désagréable, néanmoins, son plan marchait. Ma chaleur corporelle remontait et je me réveillais de plus en plus, au fur et à mesure que les minutes s'égrenaient.

— Je crois que c'est bon, finis-je par déclarer au bout d'un certain temps. Je ne bégaye même plus.

Il hocha négativement de la tête.

— Tu sais très bien que t'es toujours gelée, protesta-t-il. En plus, tu trembles encore.

Je soufflai.

— Tu n'es qu'un petit con, conclus-je.

Il haussa les épaules.

— Un petit con qui te sauve la vie, réfuta-t-il.

J'orientai ma tête vers la gauche afin de mieux lui parler.

— Un petit con qui profite de la situation, fis-je remarquer.

Il n'avait pas essayé de me contredire. Peut-être avais-je fini par le vexer en fin de compte.

Il avait beau m'énerver, je ne pouvais pas nier que l'attention qu'il me portait me faisait chaud au cœur. En fait, mes organes étaient tellement engourdis par le froid que je sentais littéralement cette chaleur m'envahir. Toutefois, j'étais bien trop fière et butée pour l'admettre.

À nouveau, les hallucinations me reprirent. J'avais l'impression que David était en face de moi. Je tentai de les repousser. Je ne voulais pas qu'elles me submergent encore… cela faisait trop mal.

Je fermai les yeux, m'imposai de ne plus y penser et posai ma tête contre le torse de Marceau.

— Eh… s'inquiéta-t-il. Ne t'endors pas. D'accord ?

Il ne fallait pas que je perde mon objectif de vue.

— Non, lui assurai-je. J'essaie juste de concentrer toute la chaleur que j'absorbe dans chaque parcelle de mon corps et caler ma respiration sur la tienne.

Petit à petit, mes muscles retrouvaient leur vigueur et arrêtaient de trembler, tout comme ma respiration se normalisait.

— Tu vois, dis-je espièglement, ma technique aussi marche.

Puis, je me dégageai gracieusement et me retournai vers lui, pour pouvoir le regarder dans les yeux.

178

— La prochaine fois que tu fais ça, le menaçai-je, hypothermie ou non, je te mets à terre… pour de bon !

Il sourit.

— Bien sûr, me répondit-il.

Je m'approchai de lui, hostile.

— Et ne pense pas que cela va changer de ce que je pense de toi ! lui expliquai-je en pressant mon index contre son torse.

C'était un véritable combat.

— Bien sûr, princesse, répétait-il en arborant son sourire en coin.

Ce n'était pas possible ! Comme il m'énervait ! J'avais envie de l'anéantir.

— Tu veux qu'un jour je te tue, c'est ça ? m'écriai-je.

Je soufflai, exaspérée.

— Exactement, articula-t-il.

Qu'aurais-je dû faire ? Le gifler ? J'eus beau penser à cette possibilité, je n'en fis rien. J'avais été confrontée à trop de violence dans la journée pour pouvoir m'y résoudre. Aussi, il m'avait sauvée et je lui en étais reconnaissante.

Irritée par son comportement, je levai les yeux au ciel, me retournai et le laissai.

Une fois dans la chambrette, j'étendis mes vêtements encore humides sur le lit, m'allongeai dessus et, la tête lourde, m'endormis.

En me réveillant, je me sentais déjà beaucoup mieux mais il devait vraiment être tard. Je revêtis mes vêtements, complètement chauds.

Sur une chaise, je vis le pull de Marceau. Je souris. *Comment est-il rentré, sérieux ?* me demandai-je. *Quand même pas torse nu ?* Le connaissant, il aurait pu.

Je trouvais ce haut vraiment très stylé, mais je savais que si je le portais, tout le monde le reconnaîtrait. Et je n'avais vraiment aucune envie que l'on sache que j'avais été avec Marceau.

Je le pris et sortis.

Une fois arrivée devant l'hôpital, je l'accrochai à la branche d'un arbre, dans l'arrière-cour. Quand je rentrai, tous les yeux, enfin les moins désirables, étaient braqués sur moi.

— Beh alors, s'enquit Pierre. T'étais où ?

Je soupirai et le fusillai du regard.

— Ça ne te regarde pas, lui répondis-je froidement.

Réellement, je n'étais pas d'humeur.

— Moi, je te le dis, commenta Julien, il y a un mec là-dessous.

Je me redressai et décroisai mes bras.

— S'il y en a un, ris-je, il est bien plus chanceux que vous tous !

Je pus entendre des sifflements alors que je me dirigeais vers mon lit.

— Néanmoins, je n'en ai pas, repris-je. Comme vous venez de me le confirmer, personne n'aurait le courage de me supporter. Je pense que je l'aurais tué avant qu'il ne se passe quoi que ce soit, dans tous les cas.

Je m'approchai de Marceau.

— Avant que j'oublie, lui chuchotai-je, ton pull est accroché dans l'arbre de l'arrière-cour.

Je lui fis un clin d'œil, puis m'installai sur mon lit.

— Merci bien, princesse, me dit-il en esquissant son demi-sourire.

J'entendis un rire à ma gauche.

— Mélanie… lâcha Julien. Tu es vraiment un mystère.

Lorsqu'Anne me vit, elle m'emmena directement dans la salle de bain. Je ne lui avais rien raconté, elle savait très bien que je n'aimais pas parler de moi.

J'avais pris du temps pour me laver ce soir-là. La sensation de l'eau sur ma peau avait été tellement bénéfique que je n'arrivais pas à en sortir.

Une fois dans mon lit, je repensai à tous ces évènements, à cette journée si intense. J'étais noyée puis ramenée à la vie. Sans oublier le fait que Marceau m'ait sauvée... Marceau. Oui, Marceau ! Pas le gentil petit Jacques, non, Marceau !

Moi qui pensais que c'était vraiment un crétin fini, en fait, c'était une personne à part entière. En bref, un garçon bien. De plus, il m'avait sauvée de l'hypothermie.

Dans la vie, il y a toujours des surprises et pas seulement désagréables.

Chapitre 20
Dimanche 6 février 1944

Durant le reste de la semaine, rien de spécial ne s'était produit. Heureusement, le week-end m'avait empêchée de m'ennuyer.

Alors que, le dimanche, tous les enfants étaient à la messe accompagnés de leurs parents, j'étais partie à la base, suivie par Marceau. Une fois entrée dans la forêt, il me rattrapa. Arrivée à l'intérieur de la base, nous saluâmes alors les gars et nous nous installâmes autour de la table.

— À la suite de la récupération du dossier, commença Louis, nous avons pu prouver la présence d'un traître et le retrouver... Et ce, grâce à Mélanie et nous lui disons merci.

Je me redressai.

— Ce Henri, le coupai-je, il était votre ami, n'est-ce pas ? Mais qu'est-ce qu'il vous a fait pour que vous en fassiez une histoire personnelle ?

Ils se regardèrent tous et aucun n'osa me répondre.

— Oui, finit par trancher Antoine. Un jour, on s'est rendu compte qu'il y avait une taupe au sein des forces de la Résistance et qu'elle était de notre côté de la ville.

Je sentais un brin de tension planer dans l'air.

— Il logeait des espions allemands et leur donnait nos infos, compléta Georges.

Son regard restait rivé au sol. Je sentis une tristesse l'embaumer.

— Il est parti dès le jour où on l'a démasqué, m'informa Jacques.

Je hochai la tête, compréhensive.

— C'est pour ça qu'on n'a pas réussi à t'accorder notre confiance, m'expliqua Georges, même si on a pleinement foi en Marceau.

Je jaugeai ce dernier du regard.

Avais-je confiance en lui ? En eux ? Je n'en étais pas encore sûre.

— Tu as risqué ta vie pour moi mardi, intervint Antoine, et on t'en sera tous reconnaissants… bien que nous ne sommes pas restés pour t'aider…

Je m'appuyai sur la table.

— Ne vous inquiétez pas, je m'en suis très bien sortie toute seule, répondis-je avant de me raviser. Toutefois, je ne peux nier que j'ai quand même été quelque peu… aidée par Marceau.

Nous nous regardâmes tous, dans un silence absolu que je rompis.

— À partir de maintenant, sachez que j'ai pleine confiance en chacun de vous, finis-je par conclure en tendant ma main au centre de la table.

Les garçons m'observèrent et Jacques réagit promptement.

— Moi aussi, promit-il.

Louis se ragaillardit.

— Je marche, promit-il à son tour.

Antoine hocha de la tête.

— Moi aussi, enchaîna-t-il.

Georges se rapprocha de la table et me fit un signe de la tête.

— Il est clair que moi aussi, répondit-il.

Tous regardèrent Marceau.

— Bien sûr Mélanie, conclut-il en me regardant droit dans les yeux.

Nos six mains, toutes empilées les unes sur les autres, signèrent, en ce jour du six février dix-neuf cent quarante-quatre, un pacte irrévocable.

Après avoir plongé mes yeux dans chacune des prunelles de mes camarades, je retirai ma main.

— Bien, notre colis devrait bientôt arriver à bon port, dit Jacques non sans appréhension.

L'air se chargea soudainement d'électricité. Je me levai et m'appuyai contre le mur, à la droite de l'échelle.

Plusieurs minutes s'étaient écoulées avant que la trappe ne s'ouvre. Un jeune homme, blond aux yeux bleus, parfait stéréotype de l'aryen, descendit de l'échelle, suivi de près par un homme qui devait avoir la vingtaine, brun aux yeux marrons.

— Alors les gars ! Oh ! Excusez-moi mademoiselle ! corrigea-t-il en me voyant. Il n'y avait pas le colis mais on a réussi à attraper un autre type d'ordure.

Je me tournai vers eux, les interrogeant du regard.

— Comment ça ? Ce n'est pas la première fois qu'il s'en tire sans que vous l'attrapiez ? demandai-je pendant que l'homme l'attachait à l'échelle avec une corde.

Louis hocha négativement de la tête, l'air contrit.

— Non, me répondit-il. À chaque fois qu'on retrouve sa piste et qu'on est sur le point de l'arrêter, il s'enfuit. Parfois, les boches avec qui il était en contact n'ont pas le temps de riposter.

On profite alors de l'effet de surprise pour les capturer et essayer de les faire parler mais…

Antoine piétinait.

— Le souci, compléta-t-il, c'est que ce sont de véritables machines de guerre qui ne parlent pas ! En plus de ça, la seule langue qu'ils connaissent c'est l'allemand mais, nous, on ne parle pas le boche !

Je me tournai vers l'homme qui nous avait amené le nazi.

— Pas plus que nous, mademoiselle, ajouta-t-il. Nous, on veut les expédier aux Alliés mais… ils meurent entre-temps. Ils toussent, crachent du sang et finissent par rejoindre le Diable.

Dès qu'il était arrivé, le nazi s'était mis à me fixer de façon étrange. Quelque chose n'allait pas, je le sentais.

Les garçons et l'homme continuaient de discuter à propos des moyens de le faire parler et du lieu où pouvait se trouver ce mystérieux Henri, mais je ne les écoutais plus. Aussi, lentement, je m'approchai de l'aryen, puis m'arrêtai.

— Attendez… marmonnai-je, quelque chose cloche…

Ils parlaient toujours. Non : Marceau s'était décroché de la discussion.

Il y avait un objet qui reflétait la lumière émise par la lampe sous la corde. Je ne voyais ni ne discernais ce que c'était.

— Attendez ! dis-je plus fort. Il…

Mais à peine avais-je commencé ma phrase que je compris instantanément. Je tentai alors de prendre le revolver que l'homme avait posé sur la table, après avoir ligoté le nazi, mais celui-ci m'attrapa par le bras et m'attira dos à lui. Marceau cria un ordre que je ne réussis pas à entendre et ils se mirent tous en garde, prêts à l'attaquer.

Une lame était placée sur mon cou et du sang coulait de son bras : on ne s'en était pas aperçu. Il était une véritable machine à tuer, un espion boche qui ne recule devant rien pour anéantir et démasquer des résistants.

— Si vous tentez de m'arrêter, je la tue ! hurla-t-il avec un accent allemand.

Il me fallait une idée et rapidement.

Bon, d'accord, réfléchis-je. *Il t'utilise pour faire pression... mais, s'il n'a plus de moyen de pression, il est démuni. D'accord, tu sais quoi faire, cela va être humiliant, mais seulement pendant quelques secondes.*

Ni une, ni deux, je mis mon plan en action.

Alors qu'il maintenait sa lame sur ma gorge, je fis semblant... de m'évanouir. Oui, de m'évanouir : s'il n'avait plus de quoi faire chanter les garçons, il n'était plus crédible.

Mon plan marchait. Il était dérouté. Son regard faisait des allers-retours entre les garçons et mon corps immobile. Il desserra la pression de sa lame, me lâcha et se rua sur eux.

En moins de cinq secondes, je réagis : je rabaissai sa main armée, lui assénai un coup de coude dans la tempe et un coup de pied dans les parties génitales. Étourdi et plié en deux, je me retrouvai en position de force et pus récupérer son arme. Je me servis du manche pour l'assommer : il s'écroula au sol.

Alors que je regardais son corps maintenant inerte, je sentis une main me tirer en arrière par l'épaule et une autre me maintenir par le bras. Je n'essayai pas de me débattre, c'était sûrement Marceau ou Antoine.

Ils m'éloignèrent de ce type et je repris mon calme. Je pouvais sentir qu'ils me surveillaient du coin de l'œil. Dans tous les cas, je n'allais rien faire, j'étais bien trop essoufflée et raisonnable.

— Waouh ! Alors ça, c'est du grand art ! me complimenta cyniquement l'homme. Non mais ça ne va pas ! T'as failli tuer notre seul indice !

Je me retournai soudainement et m'avançai vers lui.

— Oui et bien si la petite fille en détresse n'avait rien fait, l'engueulai-je, elle serait sûrement morte, et l'indice avec !

Il me visa avec son arme. Sûre de moi, je me redressai et levai la tête.

— Non mais c'est qui celle-là, hein ? hurla plus l'homme qu'il ne demanda. Qu'est-ce qu'elle fout là ?!

— Arrête ! protesta Marceau en se positionnant entre nous. C'est moi qui l'ai amenée ici. Elle est douée dans des domaines dans lesquels nous ne le sommes pas. Elle peut nous aider.

Il toisa Marceau pendant quelques secondes puis se reconcentra sur moi.

— Ah oui ? Pourquoi tu lui fais confiance, hein ? le questionna-t-il. Je pensais que tu étais le plus intelligent mais tu embarques la première fille venue dans notre affaire ! Et en plus, tu as le béguin !

Je poussai doucement Marceau et abaissai lentement l'arme.

— Vous savez ce qu'elle vous dit la fille ? l'interrogeai-je calmement. Elle vous dit qu'elle peut vous aider. Comment ? Elle peut faire parler votre indice. Pourquoi ? Tout simplement parce qu'elle sait parler allemand. Et ça, Marceau le sait, parce qu'elle vient du même hôpital que lui. C'est pourquoi il lui fait confiance.

L'homme se retourna vers la table et posa son revolver. Il réfléchit quelques secondes.

— OK. Je vous entends, avoua-t-il. On va attacher ce fichu boche à une chaise et vous, les gars, vous vous posterez autour. Vous les surveillerez pendant qu'elle l'interrogera.

Les garçons se regardèrent mais Antoine fit un pas en avant.

— Pas question qu'on les surveille, intervint-il. On a pleinement confiance en elle. On l'installera dans la chambre à côté. Il sera ligoté et nous, on sera ici au cas où ça se passe mal.

L'homme réfléchit une seconde fois avant d'approuver.

— Bon, je vois que vous maîtrisez. Maurice, toujours là pour vous servir mademoiselle, se présenta-t-il enfin, poliment. Je vais vous laisser. C'est votre affaire maintenant.

Avant de remonter l'échelle, il se retourna en souriant.

— Vous êtes très étonnante mademoiselle, conclut-il avant de partir.

Après son départ, nous regardâmes le nazi.

— Qu'est-ce qu'on fait, maintenant ? demanda Louis.

Antoine l'observa avant de se tourner vers moi.

— On l'attache solidement à une chaise, lui répondit-il. Et on laisse Mélanie se débrouiller avec lui. Je suis sûr qu'elle va gérer.

Chapitre 21
L'interrogatoire du dimanche 6 février 1944

L'espion nazi avait mis une bonne dizaine de minutes à reprendre ses esprits. Je m'étais installée sur le lit.

À son réveil, il m'observa en souriant.

— Du weißt es nicht, Schlampe ! *Tu ne sais rien, salope !* m'insulta-t-il.

Il était pathétique.

— Du machst mich Mitleid. *Tu me fais pitié,* lui balançai-je. Sieh dich an, unfähig, gegen eine Frau zu kämpfen. *Regarde-toi, incapable de te battre contre une femme.*

Sur ce, il ricana et me regarda droit dans les yeux.

— Warum würde eine deutsche Schönheit wie Sie Widerstand leisten? *Pourquoi une beauté allemande comme toi aiderait des résistants ?* me demanda-t-il. Ich kann dir etwas Besseres als Geld geben… *Je peux te donner quelque chose de mieux que de l'argent…*

Je souris.

Non mais il croyait sérieusement que me faire de l'œil changerait quelque chose ! Il me donnait envie de vomir.

— Denkst du wirklich, dass dein hübsches Gesichtchen mich beeindruckt und dass ich dich freilassen gehe ? *Tu penses vraiment que ton joli minois m'impressionne et que je vais te relâcher ?* l'interrogeai-je sarcastiquement.

Il dodelina de la tête et prit un air serein.

— Nein, aber ich kann meine Niederlage erkennen. In wenigen Stunden würde ich sterben. *Non, mais je sais reconnaître ma défaite. Dans quelques heures, je mourrai,* m'expliqua-t-il. Vorher möchte ich sehen, wie du die Seiten wechselst. Schließe dich uns an. *Avant, je veux te voir changer de camp. Rejoins-nous.*

— Sie werden mich niemals dazu bringen, meine Meinung zu ändern ! *Tu ne me feras jamais changer d'avis !* l'informai-je. Weißt du warum? Weil ich Jüdin bin. *Tu sais pourquoi? Parce que je suis juive.*

Il se raidit. Le dégoût et le mépris l'envahissaient. Je pouvais enfin voir son véritable visage.

— Auf jeden Fall wirst du ausgerottet ! Wie deine Mitmenschen ! *De toute façon, tu vas finir exterminée ! Comme tes semblables !* cracha-t-il.

J'agitai lentement la tête de droite à gauche.

— Ich bin Jüdin, sie sind Widerstandskämpfer und du, bist nichts. *Je suis juive, ils sont résistants et toi, tu n'es rien,* m'énervai-je. Du versuchst, mich zu bestechen, aber im Grunde weißt du, dass es nichts nützt. Genauso wie es sinnlos ist, dass ich mit dir rede. Wir wissen beide, dass du sterben wirst. Und zwar lange vor mir. *Tu essaies de me corrompre, mais au fond, tu sais que cela ne sert à rien. Tout comme il est inutile que je te parle. Nous savons tous les deux que tu vas mourir. Et ce, bien avant moi.*

Il me regarda tranquillement.

Dégoûtée, je repris.

— Und du wolltest mich glauben, dass du der nette kleine Nazi bist ? *Et tu voulais me faire croire que tu es le gentil petit nazi ?* le questionnai-je, outrée. Und du dachte, es würde arbeiten ? Weil ich ein Mädchen bin ? *Et tu pensais que ça allait marcher ? Parce que je suis une fille ?*

Ce n'était pas croyable de voir à quel point les femmes étaient sous-estimées ! Pour qui me prenait-il ? De plus, même si mon instinct me disait qu'il était sincère, cela me désolait de voir que les gens pouvaient déraper si facilement.

Pourtant, je voulais parvenir à mes fins.

Je soufflai. L'impatience me gagnant, je poussai ma chaise. Écartant les bras, je posai les mains sur mes cuisses et le regardai droit dans les yeux.

— Erzählen Sie mir von Henri Blanchard. Wo versteckt er sich ? *Parle-moi d'Henri Blanchard. Où se cache-t-il ?* tentai-je.

Je savais bien qu'il n'allait rien me dire. Alors, je décidai de fouiller ses poches.

Rien à droite. À gauche, sous son mouchoir, un bout de journal plié en quatre où était griffonné « *Minuit. Derrière l'hôtel de ville* ».

Interloquée, je le regardai. Il ne laissa rien paraître.

Il était là, droit, assis sur sa chaise. Je compris : c'était le rendez-vous avec Henri Blanchard.

Je n'en croyais pas ma chance : j'avais réussi à dégoter une information !

Confiante, je me plaçai face à lui et plongeai mes yeux dans les siens.

— Sie sehen, am Ende weiß ich. *Tu vois, j'ai fini par savoir,* lui dis-je, fière de moi.

Quelques instants plus tard, il commença à cracher du sang. Peut-être contenait-il du poison dans une fausse dent ? Peut-être avait-il eu le temps d'en consommer avant d'être arrêté par les résistants ?

Je n'ai jamais su quelle était la cause de sa mort mais, même si je ne lui avais face qu'une seule fois, cela m'avait suffi.

Bien que ce spectacle fut horrible, je le visionnai. Je pense que c'était ma manière d'affronter l'ennemi. Peut-être qu'il avait dit vrai et peut-être que j'allais mourir mais, à cet instant, c'était lui qui quittait le monde des vivants.

Quelle que ce soit la raison pour laquelle j'étais restée, je ne pouvais plus retourner en arrière.

Je finis par décroiser mes jambes et sortis de la pièce. Tous m'attendaient et me regardaient comme s'ils voyaient le messie.

— Alors ? s'empressa de me demander Antoine.

Je redressai la tête.

— Il est mort, lui répondis-je du tac au tac.

— Ha… soupirèrent-ils tous.

La frustration se fit entendre.

— Mais, j'ai réussi à en tirer une info… leur déclarai-je avec un sourire en coin.

Le silence s'installa.

— Et donc ? m'interrogea Louis.

Je m'avançai vers la table.

— Ce soir, à minuit, à l'arrière de l'hôtel de ville, les informai-je.

Je pus ressentir un mouvement d'excitation.

— T'es la meilleure ! me complimenta Georges en tapant dans ma main.

Je lui fis un clin d'œil.

— Je savais que ton petit sourire signifiait que tu en avais tiré quelque chose, commenta Marceau.

Je l'observai, victorieuse.

— Bon, c'est pas tout mais il faut que vous capturiez ce traître, leur fis-je remarquer.

Je croisai mes bras sur la poitrine.

— Tu ne viendras pas ? me questionna Louis.

Je souris.

— Non, c'est à vous de régler cette histoire, lui expliquai-je. Eh, les gars ! Je ne vais pas tout faire toute seule !

Nous nous mîmes dès lors à monter un plan.

Heureusement pour eux, si je n'avais pas été là, ils se seraient fait capturer au moins deux fois ! Nous nous étions inspirés de l'originale, l'opération *Taupe*, qui était ensuite devenue l'opération *Exfiltration*.

Le plan final était simple : à vingt-trois heures trente, ils allaient se rendre à la mairie et l'encercler. Ensuite, ils n'auraient plus qu'à attendre l'intrusion d'Henri et le capturer. Le lendemain, je reviendrais pour donner un coup de pression lors de son interrogatoire et pour aider les gars.

Je repartis en fin d'après-midi et Marceau m'avait raccompagnée.

Cela avait été tellement amusant, vous n'imaginez même pas ! Pour être sérieuse, ça l'avait été. J'aurais pensé le retour plus mouvementé.

— Il s'est passé quoi avec le nazi ? me demanda soudainement Marceau.

Je me tournai vers lui, surprise.

— Comment ça ? l'interrogeai-je à mon tour.

Je m'arrêtai.

— Quand tu es revenue, tu avais l'air… changée, clarifia-t-il.

Je repris ma marche.

— Depuis quand dois-je t'expliquer ma vie ? m'énervai-je.

Il m'emboîta le pas.

— Oh je ne sais pas moi ? Peut-être parce que je ne suis pas si abject et déplorable que tu ne le pensais ! s'exaspéra-t-il. Je voulais juste savoir.

Je continuai de marcher, en faisant craquer les branches qui jonchaient le sol.

— Je ne suis pas censée être sous contrat, protestai-je. Tu sais, la gentillesse, c'est gratuit.

Il s'arrêta.

— Oui ben ce n'est certainement pas une qualité dont tu as hérité ! affirma-t-il.

Je pris une longue inspiration, arrêtai ma marche et me retournai, face à lui.

— Tu ne sais rien de moi ! hurlai-je. Tu ne peux pas parler de ce que tu ne sais pas !

Il plissa ses yeux.

— D'accord Mélanie. Mais peut-être que si tu t'ouvrais un peu aux autres au lieu de nous rembarrer ce serait mieux ! me cracha-t-il au visage.

Je pris un air méprisant.

— Peut-être que si vous ne vous comportiez pas comme des machos, je vous parlerais plus gentiment, lui fis-je remarquer.

J'arquai mon sourcil gauche.

— Ce n'est pas une raison pour nous parler mal tout le temps, me dit-il. Tu es intelligente, pourquoi n'es-tu pas aussi sympathique que ce dont tu en as l'air ?

Sa remarque me surprit. Moi, « intelligente » ? Et ce, venant de Marceau ?

— Peut-être parce que vous ne m'en laissez pas l'occasion, lui répondis-je. Je ne sais pas si vous vous rendez compte de votre manière de me parler mais elle est exécrable.

Il hocha négativement la tête.

— Parce que tu trouves que tu me parles mieux actuellement ? me demanda-t-il. Et puis, ne nous mets pas tous dans le même panier, je ne suis pas Julien.

Je me tus. Je regardai dans le vide.

En fait, non, je regardais les flocons tomber, derrière Marceau. Je repensais à ce que m'avait dit le nazi.

— T'as raison, admis-je. Je me comporte vraiment comme une peste.

Son visage se radoucit. Avant qu'il ne puisse ajouter quoi que ce soit, je repris.

— Mais tu vois, j'en ai ma claque que l'on me sous-estime, lui avouai-je. Jeune fille. Résistante. Juive. Tout est toujours un prétexte pour me cracher au visage. Si seulement les gens pouvaient m'écouter au lieu de me juger sans cesse...

L'image de l'aryen me tourmentait. Je ressassais cette impression de supériorité qu'il pensait avoir sur moi ainsi que l'expression qui s'était peinte sur son visage lorsqu'il avait appris que j'étais juive. Oui, peut-être que si les gens m'écoutaient au lieu de me juger sans cesse... peut-être que j'irais mieux.

— Il a compris qui tu es... essaya de comprendre Marceau, et il t'a offensée ?

Je fermai les yeux, tentant de mettre un mot sur ce que j'avais ressenti.

— Non. Je m'attendais à sa réaction. J'y suis habituée, expliquai-je. Cependant, il m'a fait repenser à tous ces hommes qui pensent que s'ils te sifflent, s'ils te touchent même sans que tu ne le veuilles il ne faut pas t'énerver. Après tout : « c'est un compliment », « c'est flatteur » ! Ce n'est pas pour rien que je sais me battre. Et ce n'est pas pour rien non plus que je suis si... méchante.

Je marquai une courte pause, me mordis l'intérieur des joues et repris, dès que je trouvai les bons termes.

— Et maintenant, avec cette guerre qui pervertit tout... je doute. Aurais-je dû fuir ? Ai-je tout fait pour protéger mon petit frère ? Ai-je été trop faible ? Ai-je encore ma place quelque part ?

Marceau s'approcha de moi et essaya de capter mon attention. Je confrontai son regard.

— Tu es une personne vraiment très forte, Mélanie, me rassura-t-il. À mes yeux, tu n'es pas quelqu'un de méchant. Tu es une personne bien à qui il est arrivé de mauvaises choses. En plus, tu as été persécutée toute ta vie et tu trouves encore des actes à te reprocher. Crois-moi, tu es forte. Aussi, tu as entièrement ta place dans ce monde. Ici, comme n'importe où ailleurs. Je suis désolé que tu te sois sentie si seule, mais regarde et écoute les personnes qui sont autour de toi. Tu verras qu'il y en a encore sur lesquelles tu peux compter.

Ses mots avaient beau me réconforter et j'avais beau vouloir le croire, je n'y arrivais pas.

Le monde dans lequel j'avais grandi était rempli de tellement d'inégalités et d'injustices que je ne pouvais pas me laisser imaginer que je puisse être heureuse ou, ne serait-ce que considérée.

Je secouai négativement la tête.

— Non, Marceau. Là, c'est toi qui te trompes, réfutai-je amèrement. Peut-être qu'il y a quelques personnes de confiance autour de moi, mais pourquoi est-ce que j'aurais le droit au bonheur alors que tant d'autres personnes souffrent ? J'ai l'impression d'échouer à chaque fois que j'entreprends de faire quelque chose et que tous ceux que j'aime finissent par avoir mal… Je te remercie sincèrement d'avoir été là pour moi mais j'ai cette impression de ne plus savoir qui je suis…

Je sondai son regard. Ce dernier était réconfortant et compréhensif.

— S'il te plaît Marceau, terminai-je, je peux me débrouiller seule. Prends soin des autres, pas de moi. Je n'ai pas envie que quelqu'un soit encore blessé par ma faute.

J'avais besoin qu'il me laisse. J'étais perdue et il fallait que je me retrouve.

— Tu es quelqu'un de bien, Marceau, avouai-je sans prendre le temps de réaliser mes dires. Même si tu m'énerves, tu es vraiment quelqu'un de bien. Et des personnes comme toi, je n'ai pas l'habitude d'en rencontrer. Alors, s'il te plaît, juste… laisse-moi partir.

Ainsi, avant qu'il ne puisse répondre, voire que je ne change d'avis, je tournai les talons et me dirigeai vers le passage.

Chapitre 22
Lundi 7 février 1944

Le lundi sept février, je partis très tôt. Personne ne me demanda pourquoi je me levais si tôt et cela m'allait très bien. Je savais que les infirmières émettaient des hypothèses, mais elles attendaient le moment où je serais prête à leur en parler de moi-même.

Avant de partir, j'avais parlé avec Denis, comme d'habitude d'ailleurs. Je m'étais demandé si ce qu'avait dit Marceau était vrai, même si, de toute évidence, il avait dit cela sous le coup de la colère.

Je savais que mon attitude, toujours sur la défensive, pouvait énerver. Toutefois, j'étais une forte tête, c'était comme cela. Rien ni personne ne pourrait le changer. Après tout, on m'avait toujours enseigné que c'était « manger ou être mangé ».

Arrivée à la base, je me rendis vite compte qu'ils étaient tous sous tension. J'avais déjà ma petite idée de ce qui était en la cause, et j'étais bien décidée à la faire disparaître.

— Vous l'avez attrapé ? demandai-je aux garçons.

Il y avait de l'orage dans l'air.

— Oui, me répondit Antoine. Heureusement que Marceau est revenu hier soir parce que, sans lui, il aurait filé.

Marceau fit un pas en avant et s'approcha de la table.

— C'est bien tout ça, commenta-t-il, mais il ne veut quand même pas parler. On l'interroge depuis hier soir... le conseil des résistants a déjà jugé son dossier. Il va être exécuté.

Il me fallait les calmer, sans quoi aucune décision raisonnable ne pourrait être prise.

— Et, compris-je, même si, bien sûr, il vous a trahis, vous ne pourriez pas... ?

Marceau pesta.

— Quoi, plaider en sa faveur ? cria-t-il. On a tout essayé. Nous, tout ce qu'on veut, c'est qu'il avoue. Mais pour cela, ils doivent nous laisser du temps pour le faire parler.

Je réfléchissais à une vitesse folle.

— Je... commençai-je en cherchant mes mots pour ne pas les énerver encore plus, je vais essayer de vous aider.

J'ouvris alors la porte et pénétrai dans la pièce.

Dans cette dernière se trouvait un jeune homme. Il avait le teint pâle, des taches de rousseur, les cheveux blonds et les yeux marron.

— Qui es-tu ? me questionna-t-il.

Je l'ignorai et m'installai.

— Nous ne sommes pas là pour parler de moi, mais de toi, lui répondis-je.

Il me regarda un court instant avant de reprendre.

— Ah je vois, dit-il, tu es celle qui me remplace. Oui, celle dont ils parlaient hier... celle qui a fini par tirer des informations de mon espion.

Je levai le sourcil.

— Ton espion ? l'interrogeai-je. C'est donc bien toi qui as aidé à la réussite de tous ces meurtres. Saches que je ne suis pas un billet de remboursement. Je n'ai jamais pris ta place.

Il sourit.

— Oh, et pourquoi penses-tu être là ? me charria-t-il. Pour ton talent ? Pour ton originalité ? Pour ta féminité ?

J'inspirai et expirai calmement. Il ne fallait en aucun cas que je rentre dans son jeu.

— Peut-être bien, conjecturai-je, mais là n'est pas la question. Tu as donc envoyé tous ces boches tuer des innocents.

Il ferma les yeux.

— Je te dirai la même chose qu'aux autres, me prévint-il. Je ne suis pas coupable. Tout ce que j'ai pu commettre a été juste et aucune infamie ne reste à relever.

Il semblait sûr de lui, cependant, je sentais que je pouvais encore le faire parler.

— Pourtant, tu m'en as déjà dit plus qu'à eux, lui fis-je remarquer. Tu n'es peut-être pas le coupable, mais tu as tout de même contribué à la mort de tous ces innocents.

Après avoir esquissé une légère grimace, il me répondit.

— Non, démentit-il.

Il rouvrit ses yeux.

— Si tu avais tes propres espions, c'était bien pour faire quelque chose, lui prouvai-je.

— Oui, mais aucun acte injuste n'a été commis, répéta-t-il.

Je le fixai du regard.

— Je ne te demande pas s'ils étaient justes ou pas. Mais si tu as participé ou commis des crimes ! protestai-je.

Il arqua son sourcil droit.

— Des crimes ? Non, assura-t-il.

Il ne me semblait plus être en accord avec lui-même et fixait le sol.

— Quoi alors ? essayai-je de comprendre.

Il releva la tête.

200

— Une *purification*, sortit-il.

C'était un cas désespéré. Jamais il n'avouerait.

Pour lui, il n'avait jamais commis de crime mais des « actions justes ». Et cela me donnait envie de lui ôter toute parole.

— Tu les as trahis pour commettre une purge ! conclus-je. Tu les as trahis pour purifier le monde, mais de quoi ?

Il était littéralement fou et je pouvais désormais le voir.

— D'êtres infâmes et transmetteurs de la peste ! me balança-t-il. D'êtres vivants proliférant et portant des maladies mortelles... des *rats*.

Je comprenais ce qu'il voulait dire. Il pensait aux Juifs.

— Pourquoi tiens-tu tant à mourir ? lui demandai-je. Même ton bon Dieu ne pourra pas te pardonner !

Il serra les dents et m'accorda un regard noir.

— Si je dois être sauvé et amené à vivre dans un monde infesté de ces pourritures à quatre membres, cracha-t-il, alors je préfère mourir !

Je le regardai droit dans les yeux, impassible. C'était son choix. Il allait devoir l'assumer maintenant.

Je me levai alors et rejoignis la porte.

— Je comprends pourquoi tu es ici, reprit-il. Tu as quelque chose... pendant un instant, j'ai même failli...

Il s'arrêta net dans sa phrase, le regard perdu dans ses pensées.

— Oui, Henri ? Qu'avais-tu failli faire ? Je t'écoute, essayai-je de le faire avouer.

Son regard, frisant par brefs instants la folie, redevint soudainement terne.

— ... croire que tu étais une Sainte, acheva-t-il en se moquant.

Sérieusement ? pensai-je. *Il est irrécupérable.*

Je tournai la poignée et sortis.

— Je suis désolée, m'excusai-je auprès des garçons. Tout ce que j'ai pu obtenir est le fait qu'il avait ses propres espions et qu'il menait une purge contre... les « rats ».

Je ne pouvais pas nommer les véritables destinataires de cette insulte.

— Autrement dit, comprit Jacques, contre les Juifs.

J'opinai de la tête, pour confirmer.

— Merci. C'est déjà plus que ce que nous avons eu tous les cinq réunis, me rassura Georges. C'est ce qui ressemblera le plus à un aveu... de toute façon, on n'a plus le temps.

Quelque part, j'étais déçue. Mais il avait lui-même choisi sa mort.

Je n'avais aucun regret à avoir, j'avais fait tout ce que j'avais pu. Il ne méritait pas le pardon. Ni lui ni l'aryen de la veille.

J'étais restée avec les garçons toute la matinée.

C'étaient eux qui devaient l'exécuter, étant donné que c'était leur affaire. J'avais bien vu qu'aucun d'entre eux ne le voulait le faire : il est difficile de tuer un homme.

Marceau finit par se porter volontaire.

— C'est l'heure, dit Louis. Viens, Georgi, on le ramène.

Nous étions tous les quatre disposés en arc de cercle, orientés vers les haies cachant la trappe, nos armes à la main. Je sentais bien que Marceau n'était pas serein, malgré son sérieux.

Henri montra enfin sa tête, maintenu fermement par Georges et Louis.

Il était calme. Il était resté debout et souriait, comme s'il attendait son trépas avec hâte. Il était comme ce nazi que j'avais interrogé la veille. Ils attendaient tous deux la mort comme une vieille amie.

Lentement, Marceau leva son revolver, ne supportant plus ce visage cynique.

Cependant, quelque chose l'empêchait de tirer et ce quelque chose était le passé. Il avait réalisé et surmonté tant d'épreuves avec Henri, qu'il n'arrivait pas à tirer. Aucun des autres garçons ne bougeait.

Doucement, je m'approchai alors de lui. Je le regardai quelques secondes. Une fois à ses côtés, je levai lentement le bras et mis Henri en joue.

— Tu es prêt ? demandai-je à Marceau d'une voix douce.

Il aurait pu laisser tomber son arme, mais il ne perdit ni sa détermination ni son sérieux.

— Oui, me répondit-il.

J'inspirai.

— Ensemble, chuchotai-je.

Un long silence se fit. La nature elle-même se tut.

— Maintenant, approuva-t-il.

Et nous tirâmes, en même temps.

Je dirigeai mon tir vers son torse tandis que Marceau visa la pleine tête. Je voulais que ce soit lui qui gagne ce combat et non moi. De plus, je ne voulais pas tuer un homme. Coupable ou non. Collabo ou non. Nazi ou non. Je trouvais que la mort était un châtiment dont la décision ne m'appartenait pas.

Cette pensée était-elle sincère ? ou la vérité était-elle que j'aurais voulu le voir souffrir ?

Le corps d'Henri tombant au sol me coupa dans mes pensées. Marceau se tourna vers moi.

— Merci, lâcha-t-il dans un souffle.

Je l'observai, cherchant une réponse.

— Vois cela comme un moyen de me faire pardonner, lui répondis-je finalement.

Il hocha de la tête.

— Excuses acceptées, princesse, affirma-t-il.

Un jour, une de mes balles se logera dans ton corps, Marceau, songeai-je. Je pensai tellement fort que ceci lui arracha son demi-sourire habituel.

Je me retournai ensuite et rentrai à l'hôpital.

Je me rappelle avoir entendu quelque chose comme : « *Elle a un caractère de cochon, mais qu'est-ce qu'elle en jette* », suivi d'un « *Celui à qui elle confiera son cœur sera le plus chanceux de nous tous* » et enfin d'un « *Cherchez pas les gars, elle n'est pas pour nous. Je suis même quasiment sûr qu'elle vous a grillés* ».

Chapitre 23
La trêve de 1944

Après ce jour, rien ne fut pareil. Il y eut comme une trêve hivernale.

En effet, j'avais beaucoup réfléchi à ce que Marceau m'avait dit et j'avais essayé d'être plus tolérante avec les garçons.

Au début, on ne pouvait clairement pas parler tous ensemble plus de deux minutes parce qu'il y en avait toujours un qui finissait par en offenser un autre, et cela créait des conflits qui nous opposaient pendant des heures entières.

Nous avions un petit échange, chaque matin, qui devint rapidement une sorte de rituel. Il nous permettait de passer le temps plus facilement. Il commençait pratiquement toujours par une pique lancée par Julien, dès qu'il revenait de la salle de bain.

— Que fait notre chère Mélanie ? demandait-il. Elle drague ?

Je soufflais, afin de ne pas m'énerver.

— Elle parle à des personnes plus intelligentes que toi, ripostais-je en interrompant une discussion avec Denis. Es-tu vexé que les autres s'intéressent plus à moi qu'à toi ?

J'arquais alors mon sourcil. Le prenant de haut, j'arrêtais de le considérer.

— Pas le moins du monde, enchaînait-il. Si cela était vrai, peut-être… mais je sais très bien que ça ne l'est pas.

Et là, il me piquait dans ma personne et je rentrais de nouveau dans son jeu.

— Comment ça, « ça ne l'est pas » ? m'offusquais-je. Tu sais très bien que si. Tandis que tu ne restes qu'avec ta secte, moi, je parle à d'autres personnes, aide et rencontre de nouveaux individus tous les jours.

Alors, il se levait et se tenait debout, au centre de la salle.

— Ah la bonne blague ! s'exclamait-il.

Je souriais, espiègle.

— Exactement, continuais-je, mon humour me permet de rencontrer de nombreuses personnes.

Et, à ce moment-ci, il pestait.

— Si seulement tu avais de l'humour ! protestait-il.

Donc, j'en profitais.

— Parce que selon toi, je n'ai pas d'humour ? rétorquais-je.

Il était très buté, tout comme moi.

— Non, me confirmait-il.

C'est pourquoi je n'aimais pas laisser un combat qui pouvait être gagné.

— Alors c'est ce que l'on va voir ! le défiais-je.

Et chaque matin, nous avions droit à ce petit échange. Bien sûr, il n'était jamais identique à la réplique près. Le plus important était, bien entendu, le fond de ce que nous disions, afin d'introduire la journée dans la bonne humeur.

Au début, je pensais que Julien répétait cela pour s'amuser mais je me rendis finalement compte que c'était parce qu'il aimait voir son entourage rire et, en effet, c'était plutôt cocasse.

Entre les seaux d'eau coincés en haut des portes, les tubes de peinture que nous versions dans les bacs destinés à laver le sol, les claque-doigts que nous posions juste derrière les pieds des agents d'entretien et tant d'autres gamineries, nous enchaînions les farces.

Cependant, Denis était celui avait qui je parlais le plus.

Depuis mon arrivée à l'hôpital, une forte complicité s'était nouée entre nous. Je ne parle pas de celle qui lie deux personnes qui s'aiment mais bel et bien de celle qui lie deux meilleurs amis.

Tous les dimanches, sa petite sœur et sa mère venaient. Elles étaient vraiment très gentilles. Elles m'avaient immédiatement intégrée dans le cercle familial qu'elles formaient. Nous ne parlions jamais de l'occupation mais des différentes choses qu'elles avaient faites la semaine.

J'appréciais tout particulièrement la compagnie de la petite, Colette, qui permettait à mon esprit de s'évader. Dès que je passais du temps avec elle, je ne pouvais m'empêcher de voir David exister à travers son comportement. Elle avait la même façon de rire que lui, adorait jouer à cache-cache et ne pouvait pas se calmer sans que je lui aie touché le bout du nez.

Toutefois, physiquement, elle était son exact opposé : elle était blonde aux yeux noisette et avait la peau rosée alors qu'il était brun aux yeux bleus avec la peau dorée. J'avais cette belle impression de faire partie de leur famille.

Quand elles n'étaient pas là, Denis et moi passions la plupart de nos journées à discuter, lire, rire et débattre ensemble. Je ne profitais pas de ce moment pour lui parler de mes cauchemars ni de mes expériences auprès des résistants, mais pour penser à autre chose et me libérer de toutes mes préoccupations.

Être avec lui était comme être avec le grand frère que je n'avais jamais eu : il me donnait des conseils sur telle ou telle façon de faire, sortait avec moi dès que j'en avais l'envie et m'enseignait même l'anglais !

De plus, dès le début, il n'avait cessé de m'encourager à faire la paix avec moi-même. En effet, depuis que j'avais perdu ma famille, je me détestais. Je me reprochais ce qui leur était arrivé et surtout le décès de mon plus jeune frère. Même si je les aimais tous autant, c'était de lui que je m'occupais le plus depuis sa naissance.

Peut-être que si j'avais fait Shiva, il ne serait pas mort, songeai-je un jour. *En fin de compte, peut-être que Dieu existe.*

À l'instar de mon père, je n'avais jamais été très pieuse. J'avais toujours été passionnée par les sciences et très peu tournée vers la religion. Je n'avais jamais fait l'effort d'apprendre les principes du judaïsme ou d'écouter les histoires que notre mère nous contait à partir de la Torah. Aussi, je n'avais retenu que le nom de ce rituel et ne savais même pas en quoi il consistait dans les détails… seulement qu'il se pratiquait à la suite d'un décès… D'autre part, je trouvais que mes actes avaient manqué de courage ou de conviction et remettais alors toujours leur tragédie sur mes épaules.

Ainsi, quand Denis apprit ce que je ressentais, il me poussa immédiatement à accepter que ce qui s'était passé ne dépendait en aucun cas de moi mais du monde dans lequel nous vivions. Au fur et à mesure des mois qui s'écoulaient, bien que je n'eus pas réussi pas à me pardonner, je fis évoluer la confiance en moi en une force encore plus précieuse que toutes les armes qui pouvaient avoir été créées.

Du côté des résistants, je n'avais jamais été aussi certaine de ce que je faisais avec quiconque : nous nous faisions tous confiance et, si cela avait été difficile de l'accorder pleinement à Marceau, j'avais fini par la lui octroyer.

Nous n'avions plus eu de mission à part quelques-unes de repérage et de transmission de messages, mais ce n'était rien de compliqué.

Nous nous étions rendu compte que les rares fois où les miliciens ou les nazis me voyaient, ils me laissaient pratiquement toujours tranquille, notamment lorsque je me promenais en ville. Pour eux, j'étais au-dessus de tout soupçon. Ceci avait sûrement un lien avec le fait que j'étais une jeune femme ayant leur physique.

Pour les transmissions de message, c'était donc moi qui les donnais en main propre aux résistants. Mais, pour les missions de repérage, je restais dans l'ombre puisque je ne pouvais pas m'arrêter dans un bar ou encore me faire aborder. Nous avions jugé plus judicieux avec les garçons que personne ne connaisse mon nom, même un faux, ni ne soit dans la capacité de me reconnaître.

De plus, comme je savais parler allemand et que j'en avais un bon accent, j'avais assuré quelques missions de décodage et de déchiffrage. J'avais réussi à intercepter un ordre nazi et à le détourner à notre avantage en me faisant passer pour un de leurs agents.

La plupart du temps, je faisais mes missions avec Jacques parce que le courant passait vraiment bien avec lui, c'était comme avec Denis. Georges et Louis avaient confiance en moi et ils savaient que je faisais correctement le travail, cependant ils réussissaient mieux leurs coups ensemble.

Quant à Antoine, c'était un garçon très courageux et il était un peu le leader du groupe. Néanmoins, à mon arrivée, je m'étais imposée, j'avais voulu me faire entendre. À ma grande surprise, il avait pris cela vraiment bien et me sollicitait beaucoup, même pour l'élaboration des plans.

Marceau avait des qualités que je n'avais même pas soupçonnées. Il n'était pas le plus grand mais donnait une impression de sécurité, c'était comme cela.

En parlant de l'âge, ils avaient tous dix-huit ans, sauf moi qui en avais dix-sept. J'étais donc la seule femme, mais aussi la benjamine du groupe.

Je ne faisais plus d'aussi terribles cauchemars qu'avant, toutefois j'en faisais toujours.

Ils commençaient tous dans une jolie clairière. C'était en été. Il faisait beau et chaud. Des coquelicots coloraient les hautes herbes et je courrais au milieu d'eux. J'étais vêtue d'une jolie robe champêtre et n'étais pas terrifiée.

Au contraire, j'étais joyeuse. Joyeuse d'être libre. Puis, je tendais la main pour prendre une fleur.

Là, tout basculait.

Dès la seconde où je l'arrachais, le ciel se couvrait et il se mettait à pleuvoir. Cependant, ce n'était pas seulement la pluie qui menaçait, mais bel et bien une tempête. Un éclair frappait le sol juste en face de moi et des gouttes de sang s'écrasaient sur ma peau. Elles provenaient des nuages. C'était comme s'ils *pleuraient du sang*.

L'orage s'amenuisait. Le vent et la pluie pourpre s'amplifiaient.

Je me réfugiais alors dans la forêt avant de me mettre à courir. Je ne savais pas ce que je cherchais, mais je cherchais.

Soudainement, alors que je passais entre deux arbres entremêlés en forme d'arche, je me retrouvais vêtue d'un pantalon et d'une veste de couleur vert kaki, ainsi que d'une chemise blanche. J'avais un revolver à la main et les cinq garçons étaient au tour de moi.

Tout à coup, je sentais la main d'Antoine me pousser, m'évitant ainsi de prendre une balle.

Tandis que je tombais au sol, une branche d'arbre s'abattait sur moi et me bloquait. Puis, un aigle, immense, passait au-dessus de moi et enlevait Antoine. Impuissante sous cette branche, Marceau venait m'aider et m'emmenait jusqu'à une intersection de deux routes où se tenaient deux voitures, orientées en sens opposés.

Il pleuvait toujours, mais cette fois de la vraie pluie. Puis, il me laissait. Je le rattrapais par le poignet, cependant, lorsqu'il se retournait, ce n'était pas son visage mais celui de ma mère qui apparaissait.

Elle me reprochait tout : la mort de ma famille puis celle de David, mes échecs successifs lors des interrogatoires de l'aryen et de Henri, ma faiblesse et même ma fierté. Les évènements qui suivaient devenaient confus.

Le sol se dérobait sous mes pieds. Je tombais alors dans ce qui semblait être le vide absolu. Tout était noir, froid et sans aucune âme qui vive. Je n'avais pas le temps de respirer que je percutais ce qui semblait être de la glace et la brisais. Lorsque j'observais ce qu'il y avait à mes côtés, je discernais un corps : celui d'Antoine.

Dès que je m'approchais pour lui porter secours, un homme m'attaquait. Je n'avais d'autre choix que de me battre puis de courir. Toutefois, il me suivait. Où que j'aille, il était là.

Il était partout et je n'étais nulle part.

Il venait enfin le moment où je réussissais à rejoindre l'hôpital. Néanmoins, dès que je pensais être à l'abri, celui-ci explosait sous une bombe.

L'homme se transformait en ombre et appelait les siens. Je me retrouvais alors pourchassée par une horde de fantômes qui finissait par se changer en aigle avant de m'attraper.

Puis, je me retrouvais dans un sous-sol, torturée par toutes les visions qui me hantaient depuis ma naissance, jusqu'à l'arrivée de Marceau.

Il attrapait ma main, m'enlaçait, et là, toute la peine et la douleur que je ressentais disparaissaient. La vie me semblait tout de suite plus simple et j'arrivais à me défaire de tout ce qui me tourmentait.

Une fois, tout cela achevé, je touchais délicatement sa joue. À ce contact, il disparaissait.

Étrangement, je n'étais pas triste, non : je me sentais libre. C'était comme si son existence était basée sur mon bien-être.

Sur ce, je me réveillais en sursaut, perlant à grosses gouttes.

Je ne voulais pas croire à ce que je rêvais. Si cela était vrai, beaucoup de gens allaient perdre la vie et je serais impuissante face à cette situation. Pire, cela signifiait même peut-être que j'allais être à l'origine de la mort de Marceau, et ce, de façon consciente et délibérée.

Pour chasser ces mauvaises pensées, j'allais prendre une bonne douche et attaquais une nouvelle journée le plus sereinement possible.

Chapitre 24
Dimanche 9 avril 1944

Les jours défilaient et nous finissions par passer de février à avril. Cette période de paix était alors révolue.

Je m'entendais toujours aussi bien avec les garçons et il n'y avait aucun problème de ce côté. Cependant, un jour, Denis commença à tousser et petit à petit son état empira.

Une fois, il fit une crise de toux telle que les médecins n'eurent pas d'autre choix que de l'emmener dans le service des urgences. Ce fut ainsi que mon meilleur ami tomba malade et, comme pour Lore, son état se dégrada très rapidement. Les médecins ne réussissaient pas à déterminer sa maladie et cela m'inquiétait.

Néanmoins, je devais me concentrer sur autre chose.

Avec les résistants, nous avions monté une mission pour le dimanche neuf avril, c'est-à-dire le jour de Pâques. L'opération était simple : nous devions exfiltrer un soldat américain qui s'était « crashé » dans la ville deux semaines auparavant. La milice et les nazis avaient tenté de le retrouver mais sans succès.

Le matin de ce neuf avril, Denis dormait toujours quand je partis. Je m'étais vêtue d'un pantalon et d'une chemise. Il faisait déjà chaud en ce début d'avril et on redoutait une future sécheresse.

Alors que je sortais de l'hôpital et passais par un des trous de la haie, je remarquai que Marceau m'attendait. En effet, il était appuyé contre un chêne et m'observait.

J'allai vers lui.

— Ça fait longtemps que tu m'attends ? le questionnai-je.

Il fit mine d'évaluer le temps en regardant le soleil.

— Non, à peine cinq minutes, me répondit-il. Bon allez, on y va. Il ne faudrait vraiment pas arriver en retard aujourd'hui.

Il était vrai que je n'aurais pas voulu mettre mes coéquipiers dans le pétrin.

Nous avions donc marché jusqu'à la base et cette fois, calmement. Une mission nous attendait et nous étions tendus.

— Tu peux avoir confiance en moi, lui assurai-je.

Il s'arrêta et me regarda droit dans les yeux.

— Qui a dit que je ne te faisais pas confiance ? me demanda-t-il tout en arborant son sourire en demi-lune.

J'étais sincère. Je ne voulais pas que l'un de nous meure à cause d'un manque de confiance.

— Je n'ai pas toujours été très sympa, reconnus-je. Mais je n'hésiterais pas à te sauver la vie, quoi qu'il en coûte.

Il soupira.

— Je le sais, affirma-t-il. Mais je ne sais pas si de ton côté tu as confiance en moi. Pour moi, la question ne se pose pas.

Je ris espièglement et me retournai pour reprendre notre chemin.

— Je pense que ce sera à moi de te sauver cette fois-ci, lui fis-je remarquer à haute voix.

Une fois arrivés à bon port, la bonne ambiance qui s'était installée se dissipa rapidement. Tout le monde était sous tension.

Nous avions un plan, toutes les conditions étaient réunies pour que l'on y arrive, mais nous avions peur.

Tout d'abord, il nous faudrait récupérer l'américain dans la forêt, lequel serait amené par des maquisards de l'autre côté de la ville. Nous espérions qu'il n'ait ni été identifié ni suivi. Effectivement, la milice avait engagé les services de la Gestapo depuis deux semaines pour le retrouver.

Ensuite, il nous faudrait rejoindre la ligne ferroviaire où l'arrière d'un train exploserait, éliminant les officiers. À l'intérieur, des résistants nous y attendraient pour le récupérer et l'emmèneraient de l'autre côté de la frontière.

Les forces résistantes, occupées à faire des rondes dans la forêt, nous laissaient cette responsabilité.

C'était l'opération *Far West*.

— Il est onze heures et quart, dit soudainement Georges, m'interrompant dans mes pensées. Il faut y aller.

Jacques et moi partîmes avec Marceau dans la voiture du père d'Antoine, tandis que celui-ci et les deux autres garçons allèrent de leur côté.

Arrivés dans la forêt, Marceau gara la voiture derrière une rangée de haies sauvages et partit prendre position à l'entrée du bois. Il était équipé d'un talkie-walkie pour nous prévenir en cas de besoin.

Je n'étais pas sereine. Pourquoi ? Parce qu'avant de partir nous nous étions changés et que j'avais revêtu la tenue de mon cauchemar. C'étaient les vêtements que la mère de Jacques avait cousus...

Inspire, expire, me dis-je tout en avançant le plus sereinement possible. *Ce n'était qu'un rêve, tu le sais...*

Alors que Jacques continuait tout droit, je bifurquai sur le côté pour me diriger vers les rails. Une fois près de ceux-ci, je montai dans un arbre assez loin du chemin de fer, mais assez proche pour pouvoir observer ce qui se passait, et attendis.

Nous possédions tous un talkie-walkie que nous ne devions utiliser qu'en cas d'urgence. Antoine, qui avait emmené Louis et Georges, devait se placer à la seconde extrémité de la forêt tandis que Georges devait attendre l'américain, accompagné de Louis.

Tic-tac, tic-tac... Midi moins le quart : Louis et Georges avaient récupéré l'américain.

Tic-tac, tic-tac... Onze heures quarante-huit : ils avaient rejoint Jacques.

Tic-tac, tic-tac... Midi moins dix : ils étaient à quelques pas de moi.

Je les voyais d'ailleurs. À moins que... non : ils n'avaient pas de vêtements noirs mais de couleur vert kaki.

La Gestapo, songeai-je. *Il y a la Gestapo !*

Je dégainai alors mon talkie-walkie et parlai le plus distinctement et faiblement possible.

— Les gars, ici Citrine, déclarai-je. Est-ce que vous me recevez ? À vous.

J'attendis un instant avant d'entendre des grésillements.

— Ici Mercure, Cuivre et Plomb. On te reçoit cinq sur cinq, m'affirma Jacques. À vous.

J'attendais la réponse de tous les garçons.

— Affirmatif pour Fer, me confirma Antoine. À vous.

Il ne m'en restait plus qu'un.

Un silence se fit, puis il se brisa.

— De même pour Etain, répondit Marceau. À vous.

J'inspirai.

— OK, commençai-je. Mercure, Cuivre et Plomb, n'avancez pas plus. Des officiers de la Gestapo longent la ligne du train.

Restez où vous êtes avec le colis. Vous taperez un sprint dès que vous entendrez l'explosion. À vous.

Je scrutai les officiers, attendant de pouvoir changer mes ordres.

— Bien reçu Citrine, répliqua Mercure. On attendra. Terminé.

En face, ils étaient maintenant une bonne trentaine. Quelqu'un les avait prévenus, c'est sûr. Il s'était passé quelque chose chez les résistants de ce côté de la ville que nous ne savions pas.

Heureusement pour moi, j'étais montée assez haut et les feuilles me camouflaient. Je pus apercevoir le train arriver.

Les officiers s'écartèrent et se rapprochèrent de mon arbre. À ce moment-ci, c'était une certitude : quelqu'un les avait informés de notre plan.

Le train roulait et ne ralentissait pas. Pendant un court instant, j'eus peur. Nous allions être piégés.

Toutefois, mes craintes furent vite balayées quand l'arrière du train explosa.

Des hommes sortirent à l'avant. Le chauffeur fut bâillonné et attaché aux rails par des résistants. Les officiers de la Gestapo les encerclèrent et l'un d'entre eux se mit à parler... à sa manche ? Non, il utilisait un talkie-walkie.

— Ici Citrine, ici Citrine, lançai-je. Prévenez la cavalerie, c'était un piège. Terminé.

Alors que je voyais Jacques, Georges et Louis arriver par-derrière, je décidai de prendre un des soldats en joue et d'attendre le signal du premier.

Les secondes s'écoulaient et les maquisards avaient de moins en moins de possibilités de replis. Mais j'attendis le signal.

Tout à coup, un hululement de chouette se fit entendre. Cinq tirs fusèrent droit sur les officiers. Ils furent suivis d'autres encore. Les résistants se retrouvèrent soudainement en supériorité numérique.

Des hommes s'écroulèrent mais les officiers survivants s'enfuirent. Les coups de feu ne s'arrêtaient pas.

Pendant que des résistants séparaient le premier wagon des autres, Jacques leur amena l'américain tandis que Georges, Louis et moi le couvrions.

Je neutralisais le plus d'opposants possible. Peut-être était-ce immoral, peut-être étais-je devenue aussi mauvaise que mes ennemis, cependant je ne sentais aucun remords.

Le temps de la pitié et du pardon était révolu.

Les maquisards finirent par détacher le conducteur, lequel remonta dans sa locomotive et redémarra. Jacques descendit et se plaça face à mon arbre. Pour l'instant, personne ne m'avait touchée.

Le train partit, nous restions seuls face à une nouvelle vague de nazis.

Ils étaient une bonne quinzaine et nous n'étions que quatre. Néanmoins, il ne fallait pas désespérer, nous allions y arriver !

Ainsi, nous combattions. Cela ne faisait que quelques instants, que j'entendais déjà des voitures arriver. Elles roulaient à toute vitesse, les unes sur les rails, les autres à côté. Ils étaient là… Toute chance de survie disparaissait.

Non, non, ce ne fut pas le pied d'un boche que je vis sortir d'une voiture mais bel et bien celui de Marceau. Des résistants l'accompagnaient !

Les tirs reprirent de plus belle. Cette fois, les officiers étaient perdus.

Cependant, je m'étais réjouie trop vite. Des troupes de soldats nazis arrivèrent par la forêt et nous prirent par surprise. Antoine, qui ne les avait pas vus, se fit assommer et embarquer. Dès lors, j'entrepris de tirer sur ses ravisseurs.

Tandis que je visais, ce fut avec stupeur que j'entendis une balle me frôler. Je me retournai immédiatement dans la direction de mon assaillant et vis qu'il allait recommencer. Le temps qu'il charge, c'était trop tard : je lui avais déjà tiré dessus.

Une balle me toucha la cuisse.

Déséquilibrée, je tombai.

Au lieu de chuter par terre comme une vulgaire feuille d'automne, je me rattrapai à une branche un peu plus basse. Puis, après avoir jeté un rapide coup d'œil au tour de moi, je m'y agrippai et m'y installai. Je tirai sur mon assaillant.

Dans le même élan, je remarquai que deux hommes visaient Marceau.

— Marceau ! hurlai-je.

Il se retourna, et je mis hors d'état de nuire les deux hommes qui le menaçaient. Mais la branche sur laquelle je m'étais installée était non seulement mal-camouflée, mais elle était aussi très instable.

Alors que je me hissais à une autre branche se trouvant juste au-dessus, une balle se perdit et m'érafla la main.

Je lâchai la branche.

La chute, cette fois-ci, ne fut pas longue. Par contre, une fois au sol, une vive douleur m'envahit. Je ne pouvais ni respirer, ni parler, ni même bouger.

Ne panique pas, respire, me conseillai-je. *Ton souffle va revenir. Ne panique pas...*

Je fermai les yeux et respirai du mieux que je pus. Néanmoins, ce fut une erreur : quand je les rouvris, je vis la branche qui m'avait sauvée me tomber dessus.

Dans un mouvement de réflexe, je mis mes avant-bras en croix au-dessus de ma tête pour m'en protéger. Hélas, cela ne l'empêcha pas de tomber et de me blesser.

Une douleur intense et brutale s'empara de moi. Je retins cependant un cri de douleur. Je frappai le sol avec mon poing et me demandai comment j'allais me dégager. Je savais que je m'étais fêlé les côtes.

Alors que j'essayais de soulever la branche, elle se déplaça toute seule.

— Viens ! dit soudainement Marceau en me tendant la main.

Je l'attrapai et essayai tant bien que mal de me relever.

Autour de moi, on se serait cru sur le front : les tirs fusaient et des hommes à terre râlaient pendant que d'autres tentaient de se relever. Nous n'étions pas assez nombreux et de nouveaux assaillants arrivaient de tout côté.

Il nous fallait partir.

— On bat en retraite ! ordonnai-je.

Alors, ils coururent.

Dès le premier pas, je sentis une forte douleur m'enserrer les côtes et m'arrêtai de respirer. Je repris mon souffle avec difficulté avant de regarder mes amis.

Les yeux de Marceau rencontrèrent les miens. Il appela Jacques et lui fit un signe de tête avant de s'approcher de moi. Soutenue par mes amis, nous nous dirigeâmes vers la voiture.

Nous étions cinq : Jacques, Georges, Louis, Marceau et moi. Mais où était Antoine ? Derrière ? Caché ? Parti ? Attrapé ?

Arrivés, je m'appuyai contre la voiture et cherchai Antoine du regard.

Clic : le bruit d'un fusil à pompe.

Je me retournai et remarquai avec stupeur qu'un officier me tenait en joue.

Et maintenant ? me demandai-je. *Qu'est-ce qui se passe ?*

Je n'eus même pas le temps de tenter quoi que ce soit qu'une tache rouge s'était déjà formée sur son thorax. Il tomba à terre.

Devant moi se tenait Marceau, brandissant son arme. Avant même que je n'aie pu le remercier, je me hissai dans la voiture. Il m'avait sauvée, encore une fois. Et là, je me sentais comme une princesse potiche en détresse.

— Il ne faudrait pas que cela devienne une habitude, le prévins-je.

Nous nous regardâmes.

— On est quitte maintenant, me fit-il remarquer, alors ne cogite pas trop. Bon, il faut vraiment y aller. Jacques est blessé.

Avant qu'il n'ajoute quoi que ce soit, Louis s'installa à l'avant et Marceau démarra. La banquette arrière avait été baissée pour que Jacques reste allongé, entre Georges et moi.

— Roule ! commandai-je à Marceau. Vite !

Jacques perdait beaucoup de sang. Sous les sièges se trouvait une pharmacie de secours. Je la pris et cherchai de quoi désinfecter sa plaie.

La balle s'était logée dans son ventre et le trajet jusqu'à l'hôpital risquait d'être mouvementé. Malgré tout, je réussis à stopper le saignement. Je pris aussi le temps de déchirer le haut de mon pantalon et de bander fortement ma cuisse.

Louis et Georges emmenèrent Jacques aux urgences. Ils prétendirent qu'ils étaient dans le train lorsqu'il a explosé. Les médecins ne leur en demandèrent pas plus et prirent Jacques en charge.

En les attendant, je m'installai sur le siège passager.

— Tu aurais dû y aller, me dit Marceau.

J'observai ma cuisse.

— Non, laisse tomber. Ils finiront par me dénoncer. En plus, je n'ai rien de grave, le rassurai-je. Je verrai avec le Docteur Rigot.

Georges et Louis revinrent, inquiets.

— Et maintenant ? les questionnai-je. Que faisons-nous ?

Marceau retint sa respiration.

— Au mieux, ils exécutent Antoine demain, expliqua-t-il. Au pire, il parle et il finira condamné pour traîtrise… tout comme nous.

Chapitre 25
Lundi 10 avril 1944

Je n'avais pas réussi à dormir de la nuit.

Malgré les soins apportés par le Docteur Rigot, la douleur au niveau de mes côtes ainsi que les tourments m'empêchèrent de m'assoupir.

Après avoir discuté avec Louis, Georges et Marceau la veille, ce dernier se gara à l'arrière de l'hôpital et Louis alla chercher de l'aide. Le Docteur Rigot et Anne ne mirent pas longtemps à arriver. Lorsqu'ils me virent, ils m'aidèrent à regagner l'hôpital.

Là-bas, ils retirèrent la balle, soignèrent mes plaies et bandèrent mes côtes. Ils n'étaient pas inquiets pour ma guérison : j'étais déjà passée par là et ils savaient que j'allais m'en remettre. Cependant, même s'ils ne le montraient pas je savais qu'ils s'inquiétaient, non seulement pour moi, mais aussi pour Marceau.

Effectivement, ce n'était pas la première fois qu'il revenait couvert de bleus et autres blessures. Ils prirent, comme à leur habitude, grand soin de nous et finirent par nous reconduire dans la salle.

Marceau était exténué et s'endormit rapidement. *Tant mieux pour lui*, songeai-je. *Il mérite ces quelques heures de paix.*

Quant à moi, je ne pus m'empêcher de réfléchir aux différentes causes de l'arrestation d'Antoine : était-ce ma faute ? aurais-je dû en faire plus ? aurais-je pu le sauver ?

Toutes ces questions me tourmentaient mais comment y remédier ? Je me sentais impuissante.

C'est alors qu'une voix presque inaudible m'appela.

— Mélanie, Mélanie, est-ce que tu dors ? m'interrogea Denis, affolé.

— Non, calme-toi. Je suis là. Tout va bien, le rassurai-je.

Toutes les nuits, il se réveillait en panique et toutes les nuits, je devais intervenir.

Il était de plus en plus malade. Selon les médecins, ses jours étaient désormais comptés…

— T'étais où ? me demanda-t-il. Je ne t'ai pas vue ce matin.

Je lui souris, comme je le faisais lorsque Benjamin faisait un cauchemar.

— J'ai dû partir tôt pour aider… qui tu sais, lui répondis-je.

Même s'il était au courant, nous ne parlions jamais de la Résistance. Cela ne le dérangeait pas, néanmoins je pouvais sentir de l'inquiétude émaner de lui.

— Tu sais, tu dois faire attention… me recommanda-t-il.

Je hochai la tête.

— Oui, je sais, lui confirmai-je.

Il marqua un bref instant d'hésitation et continua sa phrase.

— Je voudrais que tu sois là quand je mourrai, me demanda-t-il.

Je me redressai.

— Denis, cela n'arrivera pas, lui assurai-je.

Il poussa un râle rauque.

— Je te considère comme ma petite sœur cadette, m'avoua-t-il.

Colette n'était pas venue ces derniers temps. Sa mère avait sûrement voulu la protéger des derniers instants de son grand frère.

— Pour moi aussi, tu occupes la place du grand frère que je n'ai jamais eu, lui confiai-je. Quoi qu'il en soit, tu ne mourras pas. Ils vont te soigner.

Il esquissa un sourire.

— Ah, c'est simple pour toi de dire ça ! se moqua-t-il. Tu as échappé à la mort bien plus d'une fois et je suis sûr que tu me caches encore bien des choses.

Si seulement tu savais, songeai-je. *J'en cache des choses, bien plus que ce que je peux le supporter... et ce, depuis ma naissance.*

Je ne lui avais jamais parlé des violences autant sur le plan moral que physique dont j'avais été victime au début de mon enfance, ni même de tout ce qui se passait au sein de la Résistance. Depuis mon septième anniversaire, je m'étais promis de ne partager mes peines qu'avec moi-même et de toujours me sortir seule de mes problèmes.

— Denis, changeai-je de sujet, je crois très fortement en ta guérison. Tu vas t'en sortir. Tu verras, tu auras le temps de vivre une belle vie, de voir tes petits enfants grandir et même de partir en Angleterre, comme tu me l'as dit.

Il se retourna dans son lit, cherchant une position plus confortable.

— Je te le répète : la mort te fuit, m'affirma-t-il.

Il se rendormit, bien calé dans ses oreillers.

Les discussions avec Denis étaient devenues assez brèves mais toujours plus intenses. En effet, il allait sûrement bientôt arriver aux portes de la mort et je n'étais pas sûre de réussir à contrôler mes émotions.

Je passai le reste de la nuit à penser.

Quand les infirmières arrivèrent le matin, je m'étais empressée d'aller m'habiller. Après avoir fait un brin de toilette, j'étais allée aux urgences pour savoir comment allait Jacques. Il était endormi et semblait aller mieux.

— Ça va ? me demanda la voix d'un garçon derrière mon dos.

Je savais très bien de qui il s'agissait : c'était Marceau.

En me tournant, je vis qu'il n'avait pas très bonne mine.

— Oui et toi ? l'interrogeai-je.

Il désigna Jacques d'un signe de la tête.

— Oui, m'affirma-t-il. Il va mieux ?

J'observai Jacques et consultai les quelques feuilles attachées à son dosseret.

— Ses constantes m'ont l'air stables, commentai-je. Tu es prêt ?

Son regard revint sur moi.

— Oui, me confirma-t-il, j'étais venu te chercher.

Ce matin, nous devions aller dans la forêt, devant un mur assez connu des résistants. C'était à cet endroit-là que des centaines d'entre eux étaient exécutés avant que la Tierce ne soit sonnée.

Marceau partit, je jetai un dernier coup d'œil à Jacques avant de quitter la pièce.

Toutefois, lorsque mon regard balaya les lits, quelque chose m'arrêta dans mon action. J'eus l'impression de voir une personne que je connaissais. Mais laquelle ?

Les trois femmes présentes ne me disaient rien et les hommes non plus, sauf... cet homme-ci. Il me rappelait quelqu'un. Mais qui ?

Alors que je me souvenais de son identité, je courus après Marceau qui était dehors.

Je le tirai par l'épaule pour qu'il se retourne.

— Quoi ? me demanda-t-il, surpris. Qu'est-ce qu'il y a ?

Je repris mon souffle. La douleur au niveau de mes côtes refit brièvement surface.

— Il est là ! lui dis-je. L'homme qui a tenté de me tirer dessus hier... Il est là.

Il hocha négativement la tête.

— Ce n'est pas possible, voyons, démentit-il. Je l'ai abattu.

Je calmai mon souffle avant de lui répondre.

— Non, sa blessure n'était pas fatale, lui expliquai-je. Et maintenant, s'il me reconnaît...

Il posa sa main sur mon épaule.

— Calme-toi, il ne peut rien te faire, essaya-t-il de me rassurer.

Ses paroles eurent le don de m'énerver encore plus. Je dégageai alors sa main de mon épaule.

— Moi, peut-être pas, mais vous, oui ! lui rappelai-je.

Il expira et me fit signe de retourner dans la forêt.

— Allez, viens, me conseilla-t-il, on verra tout ça ce soir.

Je le suivis mais je n'étais pas sûre de ce qui allait se passer là-bas.

Georges et Louis nous attendaient. Ce matin, nous ne pouvions percevoir aucun chant d'oiseaux : c'était comme si la forêt tout entière était soumise au suspens.

Nous nous retrouvâmes donc à quelques mètres du fameux mur. Les garçons nous donnèrent nos armes. Ils étaient en effet passés à la base avant de venir et en avaient profité pour les récupérer.

— Il faut faire quelque chose pour Antoine, leur dis-je.

Georges pesta.

— Et quoi donc ? me questionna-t-il. On ne peut pas risquer de se faire prendre.

Je me tournai vers eux.

— Mais réfléchissez, on peut tenter une embuscade ! insistai-je.

Ils se regardèrent et je pus apercevoir une lueur passer dans leurs yeux jusqu'à ce que Marceau ne l'intercepte.

— Mets-toi à sa place cinq secondes, commença-t-il. Il ne voudrait pas…

— Qu'on le sauve ? le coupai-je. Es-tu vraiment sûr qu'il ne voudrait pas être sauvé ? Qu'il ne voudrait pas continuer de vivre ?

Il hocha négativement la tête.

— Il ne voudrait pas que quatre vies soient bousillées pour une, s'énerva-t-il.

Un silence se fit.

— Quatre vies non, le contredis-je, mais une oui.

Ni une ni deux, je partis avec la ferme intention de le sortir de là.

— Mais t'es folle ! rétorqua Marceau en me retenant par le poignet. S'il était là, il nous demanderait de ne pas y aller ! Je suis sûre que si tu étais à sa place tu ne le voudrais pas non plus !

Je le foudroyai du regard.

— C'est vrai, avouai-je, mais je n'y suis pas ! On peut l'aider et c'est notre devoir !

Louis s'avança dans ma direction.

— Non, notre devoir est de survivre et d'aider la France à se débarrasser de ses tortionnaires ! contesta-t-il. Nous ne pouvons pas nous permettre de nous mettre en danger et de risquer de révéler des indices compromettants pour sauver un seul homme.

J'entendis le craquement d'une branche : c'était Georges.

— Taisez-vous ! nous ordonna-t-il. Ce débat est bien marrant mais il risque de nous faire repérer. Maintenant, soit vous vous taisez et vous avancez sans aucune intention héroïque, soit vous restez ici.

J'opinai alors de la tête et ouvris la marche.

Au fur et à mesure que nous approchions, je ralentissais. Je finis par m'arrêter et m'accroupis derrière une haie.

Tandis que les garçons prenaient place à ma droite, des hommes apparurent. Ils étaient sept : cinq d'entre eux étaient nazis, deux résistants. *Tout ce monde pour exécuter deux adolescents !* pensai-je.

Antoine et le second maquisard étaient maculés de sang et de traces de coups. Je ne voulais pas voir cela, pas sans rien faire.

Je me reculai alors discrètement et partis à gauche.

De ce côté, les arbres me cachaient pleinement. Je me frayai un passage jusqu'à atteindre la lisière de la forêt et, alors que je regardais Antoine pour réfléchir à une technique d'approche, nos regards se croisèrent.

Il m'observa, sereinement. C'était comme s'il avait accepté son sort. Il me fit un battement de cils pour me dire : *« Tout va bien, reste là où tu es. »*

J'opinai et, pendant que j'avançais mon pied gauche pour me tenir droite, acceptant que je ne riposterais finalement pas, une main vint me couvrir la bouche. Une autre maintint mon bras droit, m'empêchant d'utiliser mon arme.

— Ne bouge pas, me chuchota Marceau tout en reculant.

Quelle belle ironie ! Comment voulait-il que je ne bouge pas s'il voulait me faire reculer ?

Néanmoins, ce n'était pas le moment de se chamailler.

Sans quitter Antoine du regard, je suivis les mouvements de Marceau. Je dégageai sa main cependant il ne me lâcha pas totalement. Il ne voulait pas me laisser une seconde chance de m'enfuir.

Je restai là, la main agrippée à son bras pendant que nous assistions à la scène.

Antoine, qui avait lâché mon regard, fit un signe de tête à son complice. Ce fut ainsi qu'ils se firent leurs adieux.

Les nazis saisirent leurs fusils.

— Bewaffnete Pistolen ! *Pistolets armés !* cria l'un d'entre eux, à l'écart.

Ils armèrent.

— Zielen ! *En joue !* ordonna-t-il.

Ils mirent Antoine et l'autre résistant en joue.

— Face au mur ! aboya-t-il aux deux camarades.

Antoine et son coéquipier se tournèrent face au mur.

— À genoux ! hurla l'homme.

Les deux amis se mirent à genoux.

— Schießt ! *Tirez !* vociféra-t-il.

Et les officiers tirèrent.

Les balles crépitèrent et déchirèrent le calme pesant de la forêt.

Impuissante à ce spectacle, je ne pus que regarder la scène se dérouler. Nos deux amis, touchés à la tête, s'écroulèrent. Ils étaient partis, tels des chevaliers capturés et rencontrant la mort, non comme une ennemie, mais comme une alliée.

Lentement, je finis par dégager les bras de Marceau qui m'enserraient et mis de la distance entre nous. Après avoir observé les boches emmener les corps inertes, je m'en allai, plus furieuse que triste.

Je me dirigeai vers Georges et Louis, tout en laissant défiler le *Chant des Partisans* dans ma tête. Ils me stoppèrent dans ma marche.

Je restai droite, décidée et fixai loin devant moi.

— Non mais tu pensais à quoi ? me hurla Georges plus qu'il me le demanda.

Je tournai mon regard vers eux et souris, pleine de rancœur.

— Vous ne le saviez pas, n'est-ce pas ? Vous ne saviez pas ce que j'allais faire, leur fis-je remarquer. La prochaine fois que vous voudrez m'empêcher de m'approcher un peu plus de la mort et de ses soldats, je n'hésiterai pas deux fois avant de vous mettre à l'amende.

Marceau lâcha un rire moqueur.

— Tu veux donc dire que tes intentions étaient bonnes et tout à fait honorables ? commenta-t-il.

Un message muet passa entre eux.

— Tout à fait ! leur assurai-je. Que vaut une vie, s'il faut en perdre quatre autres pour la sauver : rien. C'est d'ailleurs vous qui me l'avez répété tout à l'heure. Vous ne savez pas ce que je pense.

Je fis ensuite un pas en avant et ils se poussèrent pour me laisser passer.

Tout à coup, un cliquetis se fit entendre. Je sentis un canon à l'arrière de mon crâne.

Que pensaient-ils ? Que j'allais rester là, pétrifiée ? Après tout, quelle femme sait se défendre face à une arme à feu ?

Utilisant ce que l'on m'avait appris, je réagis : je me retournai d'un coup et dégageai la main. Dans l'élan, je passai mon pied droit sous les pieds de mon assaillant. Il bascula en arrière. Son arme tomba. J'armai la mienne et la pointai dans sa direction.

— La prochaine fois que vous essaierez de me provoquer, les prévins-je, que je sois dans votre camp ou un non, je tirerai. Est-ce clair ?

Avant même que quelqu'un ait pu répondre, je décalai mon bras de quelques millimètres de la tête de Louis, toujours à terre, puis je tirai en l'air.

— N'essayez même plus de me trahir, les avertis-je, peinée.

Malgré tout ce tintouin, les oiseaux avaient repris leurs chants. Ils avaient tout de même la vie belle : personne n'avait pour unique objectif de tous les exterminer... quoique les êtres humains y arrivaient très bien.

— Te trahir non, me rectifia Georges, seulement te calmer et te raisonner.

N'ayant pas la force d'argumenter avec eux, je me retournai et continuai mon chemin.

Soudain, j'entendis Marceau siffloter un chant que je connaissais bien et qu'il avait l'habitude de siffler. Un chant que j'avais dans la tête. Un chant que l'on nomme aujourd'hui le *Chant des Partisans*.

Alors, tout en regardant droit devant moi, arrêtée, je l'entonnai.

— *Ami, entends-tu le vol noir des corbeaux sur nos plaines ?* chantai-je. *Ami, entends-tu les cris sourds du pays qu'on enchaîne ?*

Je me retournai et le regardai dans les yeux.

— *Ohé, partisans, ouvriers et paysans, c'est l'alarme,* le défiai-je. *Ce soir, l'ennemi connaîtra le prix du sang et des larmes.*

Puis, comme si cela avait réveillé notre âme de résistant et fait dissoudre nos rancunes, il se mit à m'accompagner.

— *Montez de la mine, descendez des collines, camarades !* reprîmes-nous ensemble. *Sortez de la paille les fusils, la mitraille, les grenades.*

Et enfin, cela ne suffisant pas, Georges et Louis nous rejoignirent.

— *Ohé, les tueurs à la balle et au couteau, tuez vite !*

Ohé, saboteur, attention à ton fardeau : dynamite...

C'est nous qui brisons les barreaux des prisons pour nos frères.

La haine à nos trousses et la faim qui nous pousse, la misère.

Il y a des pays où les gens au creux des lits font des rêves.

Ici, nous, vois-tu, nous on marche et nous on tue, nous on crève...

Ici, chacun sait ce qu'il veut, ce qu'il fait, quand il passe.

Ami, si tu tombes, un ami sort de l'ombre à ta place.

Demain, du sang noir séchera un grand soleil sur les routes.

Chantez, compagnons, dans la nuit la Liberté nous écoute...

Ami, entends-tu les cris sourds du pays qu'on enchaîne ?

Ami, entends-tu le vol noir des corbeaux sur nos plaines ?

Ce fut ainsi que, tous réunis par un même chant, nous nous quittâmes.

La première, je pris le chemin de l'hôpital.

Le vent commença à souffler et les branches à danser. C'était une manière pour la nature de me dire que rien n'était fini et qu'elle m'accompagnait sur ma route.

Tandis que j'arrivais devant le bâtiment, une angoisse me prit : celle de croiser le milicien. *Que va-t-il te faire ?* me demandai-je. *Si ça se trouve, il t'a oubliée...*

Je continuai alors mon chemin et me dirigeai vers les urgences, pour aller voir Jacques. Hélas, il n'était pas là. Ses parents l'avaient peut-être ramené chez eux. Après tout, il ne lui fallait que du repos.

En me retournant, je heurtai quelqu'un. Mon regard le dévisagea. Il me fallut une grande maîtrise de moi-même pour ne pas montrer ma panique : c'était l'officier.

— Ça va, mademoiselle ? me questionna-t-il.

Je lui souris.

— Oui très bien, lui répondis-je. Je ne vous ai pas fait mal ?

Il me rendit mon sourire.

— Non, tout va bien, m'affirma-t-il.

Il alla s'installer sur son lit. Mon anxiété se calma : il ne m'avait apparemment pas reconnue. Aussi, je retournai calmement dans la salle.

Denis dormait encore profondément et les garçons jouaient. Je passai le reste de la journée à réfléchir et à dessiner, afin de me distraire.

Une fois la nuit venue, après plusieurs heures de veille, je réussis enfin à trouver le sommeil.

Soudain, j'entendis des pieds nus sur le sol et sortir de la salle. Cela me réveilla.

J'avais toujours eu le sommeil léger, ce qui était un avantage lorsque vous étiez activement recherchée par les forces de l'Occupation.

Je me redressai dans mon lit et observai : c'était Bernard, le petit de onze ans. Où allait-il ? Je me levai et le suivis.

Alors que j'avançais à pas de loup dans le couloir, je surpris une discussion assez animée à l'accueil entre Bernard et un autre homme.

— Je vous le jure, suppliait-il, je ne veux pas vous tuer ! Je voulais seulement aller dehors !

Je pouvais déceler de la peur dans la voix.

— Je sais qu'ils sont là ! démentit l'officier. Tu es venu pour me tuer ! Avoue-le !

C'était l'homme sur lequel Marceau avait tiré. Il semblait complètement fou.

— Je vous le répète, monsieur : je ne suis pas résistant ! lui assura-t-il.

Un bref silence se fit.

— Alors qui sont-ils et que fais-tu là ? l'interrogea-t-il.

Bernard sanglotait.

— Je ne sais pas qui ils sont ! affirma-t-il. J'ai fait un cauchemar, je voulais juste aller dans le jardin. C'est Anne qui m'a conseillé de le faire ! Je suis désolé, j'aurais dû demander au Docteur Rigot avant !

Il me fallait agir et je n'avais pas d'autre idée ou de solution que d'intervenir.

— Que se passe-t-il ? questionnai-je pour détourner l'attention en entrant dans la pièce.

Le milicien plissa ses yeux.

— Toi... murmura-t-il. Mais, je te reconnais ! Tu es la résistante que j'ai failli abattre. Tu es leur complice !

Je pris une inspiration et restai droite.

— Oui, je le suis, avouai-je. Mais ce pauvre enfant que vous voyez ne fait pas partie de ce conflit. C'est un malentendu !

Pendant qu'il me regardait, en essayant de démêler le vrai du faux, il tira sur Bernard.

— Non ! criai-je.

La rage m'envahit.

Alors qu'il tournait son arme vers moi, je me précipitai sur lui, donnai un grand coup dans sa main droite, la faisant tomber au sol. Elle glissa jusque sous les bancs. Harassée de fatigue, je laissai mon regard airer dans la pièce.

Un coup de poing me ramena à la réalité. Je mis immédiatement mes mains en garde, prête à parer une nouvelle attaque. Je lui assénai un crochet droit dans la tête, néanmoins il l'encaissa bien. Il me lança un coup de genou dans le ventre et en profita pour me faire tomber en me faisant un croche-patte.

Au sol, il se positionna au-dessus de moi et essaya de m'étrangler. En guise de riposte, je lui mis les doigts dans les yeux et un coup au niveau de la trachée. Puis, je me dégageai et roulai sur la droite.

Désormais, c'était lui qui était dos au sol. J'en profitai pour enchaîner les coups de poing dans sa tête et finis par me relever, non sans lui avoir jeté un gros coup de pied dans les testicules.

Je me dirigeai immédiatement vers Bernard qui gisait au sol. Il hoquetait et du sang coulait de son nez et de sa bouche.

— Ça va aller, le rassurai-je de ma voix la plus douce possible. Tout va bien se passer.

Il s'était pris une balle au niveau du thorax et saignait abondamment.

J'arrachai un morceau de tissu de ma manche et fis un pansement. Je le posai sur sa plaie et appuyai fortement pour arrêter le saignement.

À peine avais-je terminé qu'une autre main me tira vers l'arrière et me releva. Un canon se colla contre ma tempe. J'étais là, le dos collé à mon assaillant et maintenue par son bras qui me barrait la poitrine. Je levai mes mains lentement vers ma tête, en prenant soin de placer ma main droite tout près de l'arme.

— Fais tes dernières prières ! me chuchota-t-il à l'oreille.

S'il avait compris que je savais me défendre, ce qu'il ne savait pas, c'est que j'étais une dure à cuire. Et ça, j'allais l'utiliser à mon avantage.

Dans un dernier élan de survie, je dégageai son arme en la poussant vers lui et me pliai en deux. Ceci fait, j'avais évité de me prendre une balle dans la tête. Son pistolet s'était enrayé : il allait donc devoir le manipuler avant de pouvoir à nouveau l'utiliser. Alors, je lui écrasai le pied et me projetai violemment en arrière afin de lui faire perdre son équilibre et de bloquer son arme entre nos deux corps.

Malheureusement, il pressentit mon mouvement et retira sa main. Il se prépara à m'assommer mais ce fut à cet instant que Marceau apparut.

Le milicien en profita pour me pousser en avant, rechargea son arme et lui tira dessus. Néanmoins, il n'était pas le seul à prévoir les attaques : je m'interposai, faisant rempart de mon corps.

La balle m'atteignit dans le bas du dos.

Tout en observant Marceau, je me tâtai et observai mes mains : elles étaient pleines de sang.

Lentement, je tombai sur mon flanc gauche. Marceau se précipita vers moi, me retint et m'installa doucement sur le sol.

Pendant ce temps, l'officier était parti chercher de quoi se défendre, après avoir vidé son chargeur sur moi. Marceau lui octroya un regard plein de haine et se dirigea vers lui pour le mettre définitivement hors d'état de nuire.

Au moment où ils se battaient, je sombrais petit à petit dans un état second, de plus en plus proche du coma et sans aucun doute, de la mort.

Alors que tout espoir semblait perdu, je tournai la tête en direction de Bernard : son torse ne se soulevait plus.

Soudain, je me retrouvai dans la neige quelques mois plus tôt. Ce n'était plus Bernard que je voyais mais David. Son petit corps frêle était inerte et je ne pouvais rien faire pour le sauver...

Tandis que je tendais mon bras vers mon frère, quelqu'un me souleva par la taille et me ramena contre lui.

Je n'avais pas lâché ce corps immobile des yeux et, lorsque mon crâne quitta le sol, mon cerveau se déconnecta. La tête et les bras pendants, je fermai les yeux et me laissai porter par ce sauveur inconnu.

Entre le rêve et la réalité, je pus sentir quelqu'un me déposer dans un lit. J'ouvris les yeux et vis Marceau.

— Sauve-le, lui demandai-je.

Tout redevenait flou.

— Calme-toi, me dit-il.

Malgré ses paroles, je ne pouvais pas rester impassible.

Je me débattis, ignorant la douleur qui me déchirait au niveau des reins. Je ne voulais pas qu'ils me sauvent, moi : je voulais qu'ils sauvent David ! Je ne pouvais pas le laisser mourir une seconde fois ! Cela était intolérable.

— Maintenez-la ! cria le Docteur Rigot. Elle ne doit pas bouger !

Je sentis des mains tenter de m'arrêter et, après quelques secondes de bataille, elles réussirent à me maintenir immobile.

— Laissez-moi... leur implorai-je de moins en moins fort. Sauvez-le...

Puis, je sentis une aiguille entrer dans mon bras.

Tout doucement, les mains me lâchèrent. Petit à petit, je sombrais dans un sommeil indésiré.

— Sauvez... le... lâchai-je.

Tout ce que je pouvais discerner était le regard inquiet des médecins. Enfin, concentrant ma vision sur le plafond, je pus sentir mes yeux s'assécher.

— Je vous... hais, finis-je par proférer dans un murmure. Je vous hais... tous.

Lâchant un dernier souffle, je pus sentir une larme perler le long de ma joue.

Et je fermai les yeux.

C'était la première fois que je pleurais. Contre toute attente, ce n'était pas de la tristesse que je ressentais mais de la rage : la rage d'être impuissante et médiocre.

Puis, tout laissa place à l'obscurité.

Lorsque je repris connaissance, j'étais seule. J'étais dans la salle et il faisait incroyablement beau, il faisait même trop beau. Les murs reflétaient un blanc luisant et je pouvais entendre les oiseaux chanter à corps perdu.

Je sentis une présence sur ma gauche. Là se tenait une femme : ma mère.

— Suis-je morte ? demandai-je, intriguée.

Elle me sourit et se plaça sur le rebord de mon lit.

— Non, me répondit-elle.

Je ne comprenais pas son comportement. Elle qui m'avait toujours méprisée, aujourd'hui elle devenait une mère aimante.

— Suis-je entrain de rêver ? l'interrogeai-je.

Elle hocha négativement de la tête.

— Non plus, affirma-t-elle.

Je cherchais des réponses dans son regard.

— Alors pourquoi es-tu là ? la questionnai-je. Et pourquoi es-tu si tendre avec moi ?

Elle passa délicatement la main sur ma joue et me regarda droit dans les yeux, d'un regard pétillant que je ne lui connaissais pas.

— Sache que je n'ai jamais cessé de t'aimer, m'informa-t-elle.

Je n'y croyais pas.

— C'est faux ! protestai-je. Tu m'as toujours vue comme une moins que rien. Tu m'as toujours *traitée* comme une moins que rien.

Son sourire devint triste.

— Je n'avais pas le choix, me dit-elle. Je savais qu'en faisant cela, je ferais de toi une fille forte et courageuse.

On a toujours le choix, pensai-je. *On est du camp des nazis ou de leurs opposants. On trahit ou on reste loyal. On protège ou on violente. On aime ou on n'aime pas.*

J'opinai négativement de la tête et tournai mon regard vers le lit de droite.

— Nous n'avons pas beaucoup de temps, déclara-t-elle, mais assez pour que je te demande de faire plus attention à toi.

Je souris, sarcastiquement, et redirigeai mon regard vers elle. Je voulais non seulement la défier mais aussi deviner quelle était la véracité de ses paroles.

— Qu'est-ce que cela peut bien te faire ? la sondai-je, interloquée.

Elle me sourit et rangea une mèche de cheveux derrière mon oreille.

— J'ai toujours cru en toi, m'avoua-t-elle. Si je me suis comportée comme une mère odieuse, c'est parce que je savais que tu étais destinée à de grandes choses. Tu es une des seules survivantes de notre famille. Ne te lamente pas de ne pas avoir pu sauver tes frères et Salomé, mais contente-toi de vivre. Tu ne pourras pas toujours échapper à la mort. Ne te sacrifie pas pour des personnes qui ne te donnent rien en échange et encore moins pour des personnes pour qui tu n'as aucun compte à rendre. Survis dans ce monde de brutes, Mélanie. Survis dans ce monde où nous n'avons pour l'instant pas notre place…

Ce fut en prononçant ces derniers mots qu'elle disparut, tout comme l'ensemble de la pièce et moi-même.

Chapitre 26
Mardi 11 avril 1944

Lorsque je rouvris les yeux pour la seconde fois, je fus assaillie par le doute, l'incompréhension et la surprise.

Était-ce un rêve ? Venais-je réellement de voir ma mère ? Avait-elle vraiment prononcé de gentilles paroles à mon égard ?

Dans le même temps, je m'aperçus que je n'étais plus dans la même pièce.

Celle-ci était beaucoup plus petite. À ma droite, il y avait seulement un mur et une fenêtre que je pouvais rejoindre en deux pas et devant moi, un mur espacé de mon lit de trois mètres et caché par quelques meubles dont une table, une chaise et une commode. À ma gauche, se trouvait à nouveau un mur mais aussi la porte, placée aux trois quarts de celui-ci. Un petit canapé trônait, et, sur ce dernier Marceau.

Il était assis, les avant-bras posés sur ses cuisses, et contemplait le sol.

Pendant que je repris mes esprits, le Docteur Rigot entra.

— Ah, elle se réveille ! s'exclama-t-il.

Sur ce, Marceau dirigea son regard vers moi. Je pouvais lire à l'expression de son visage du soulagement et de la colère.

Je me doutais que pendant que je rêvais bien tranquillement, il avait dû sévèrement se faire corriger par le Docteur Rigot... et je savais que j'allais avoir droit aux remontrances, moi aussi.

En observant le médecin, je discernai de la fureur, bien que camouflée derrière des années de pratique. Cependant, elle éclata.

— Qu'est-ce qui t'a pris ? m'interrogea-t-il.

Je respirai avant de prendre la parole.

— J'ai tenté de sauver Bernard, lui répondis-je d'une voix étranglée.

Il s'approcha à l'extrémité de mon lit et posa ses mains juste au-dessus du dosseret.

— Pourquoi es-tu allée avec les résistants ? continua-t-il.

Ça y est, songeai-je. *On y est.* Après tout, il y aurait bien fallu en discuter un jour. Néanmoins, j'étais persuadée qu'il l'avait déjà deviné.

— Te rends-tu compte de tes agissements ? reprit-il. Tu es à peine remise et tu continues ? Ne te rends-tu pas compte de ce qui se passera si tu es prise ? Est-ce que...

Pendant qu'il énumérait toutes ses craintes, je le dévisageai, impassible.

Peut-être était-il adulte et en bonne santé, mais il pouvait aussi comprendre que personne ne pouvait décider mieux que moi de ce que je devais faire. Aussi, ne supportant plus de me laisser traiter comme une gamine écervelée, je décidai de réagir.

— Je suis morte ! criai-je.

Marceau arrêta de regarder ses mains et releva la tête. Le Docteur Rigot, quant à lui, stoppa net son sermon.

— Je suis morte, répétai-je. Depuis ce jour où David est parti, je ne suis plus qu'une âme errante, essayant de sauver le plus de personnes possible. Je n'ai plus rien qui me rattache à ce monde, je n'ai plus personne. Peu importe ce que je fais, peu importe ce que je crois. Et vous… vous continuez à me dire que la vie est belle alors que j'aurais dû finir dans un de ces camps pour Juifs ! Et puis, je n'ai même pas pu sauver mon petit frère…

Ma voix se brisa. Je pris un instant, le regardai dans les yeux et repris dans un souffle.

— Si on me demande mes papiers, je ne peux même pas les donner. Si je me fais torturer, je n'entraînerai personne dans ma chute. Si on m'emmène dans un de ces camps, ce ne sera jamais à cause de mon identité puisque je n'en ai plus. Et puis, même du point de vue juridique, je suis morte. Voilà pourquoi je suis devenue résistante ! Voilà pourquoi cela m'est égal d'avoir un corps criblé de balles et même de souffrir ! Après tout, un cadavre n'a pas mal, finis-je de dire dans un souffle.

Le Docteur Rigot ouvrit la bouche mais, avant même qu'il ait eu le temps de dire quoi que ce soit, Marceau intervint.

— Tu n'es pas qu'un bout de papier, affirma-t-il en me lançant un regard profond. Finalement, peut-être que tu ne comprends pas ce que c'est d'avoir peur de perdre quelqu'un…

Il se tourna vers le Docteur Rigot.

— Quoiqu'il en soit, c'est moi qui lui ai proposé d'infiltrer nos rangs, pas elle, s'adressa-t-il au médecin. C'est moi.

J'avais deviné depuis un longtemps déjà que le Docteur Rigot était impliqué dans toutes les actions de la Résistance. Effectivement, quoi de plus pratique que d'avoir un médecin de son côté.

À la suite de sa prise de parole, Marceau et moi nous nous fixâmes.

Nous ne nous livrions pas un simple échange de regards, mais bel et bien un combat. Il redevenait le froid, glaçant et inflexible, et moi j'étais la chaleur, fiévreuse et étouffante.

— C'est moi qui t'y ai poussé, commentai-je sèchement.

Il hocha négativement de la tête.

— Mais c'est moi qui ai commis l'erreur de te faire venir, protesta-t-il.

Je ne savais pas vraiment pourquoi, mais quelque chose me poussait à défendre Marceau. C'était peut-être parce que la faute était véritablement mienne.

— Arrêtez vos chamailleries de vieux couple ! nous coupa le Docteur Rigot. Je ne t'en tiendrai pas rigueur, Mélanie. Pour cette fois, du moins. Je prends en compte le fait que tu aies essayé de sauver la vie de ce malheureux Bernard.

Je pus déceler de la tristesse et de la compassion dans son intonation. Elle ne m'était seulement destinée mais aussi à quelqu'un d'autre... et ce quelqu'un, je savais de qui il s'agissait.

— Vous voulez dire que... commençai-je à formuler en le regardant droit dans les yeux.

Il hocha doucement de la tête.

— Oui, me confirma-t-il. Malgré tes perpétuels efforts, Bernard est mort. Je suis désolé.

Je le dévisageai, totalement indifférente à ses reproches, et tournai mon regard vers la fenêtre.

Chaque jour, j'apprenais le décès d'un proche. Cela me rendait dure et intraitable. Pourtant, je me rappelais qu'il y avait bel et bien de la vie autour de moi.

— J'ai encore plein de patients qui m'attendent, nous annonça-t-il en se tournant vers la porte. Je sais que cet incident n'est pas entièrement de votre faute mais la prochaine fois, je n'aurai pas d'autre choix. Je devrai vous expulser pour la sécurité de tous.

De toute évidence, même s'il ne le souhaitait pas, il y serait obligé. De plus, le fait qu'il n'essaie pas d'intervenir m'énervait.

Pourtant, au fond de moi, je savais qu'il avait fait beaucoup de choses pour ma survie et je n'arrivais pas à l'en remercier. Je n'arrivais pas à ressentir autre chose que de la haine et ceci m'exténuait.

— Docteur Rigot ? lançai-je.

Il se tourna vers moi.

— Oui, Mélanie ? me demanda-t-il.

Je m'humectai les lèvres et dirigea mon regard vers le sien.

— Je suis désolée, m'excusai-je.

Il me sourit, puis partit.

Après son départ, Marceau se leva à son tour. Au lieu de sortir, il se plaça devant la fenêtre et son regard devint vague. L'absence d'émotion à laquelle je faisais face me décontenançait et j'avais du mal à me concentrer.

Quand bien même mon état était accentué par la fièvre et la fatigue, je ne comprenais pas le comportement de Marceau. Ses mots « *peut-être que tu ne comprends pas ce que c'est d'avoir peur de perdre quelqu'un...* » se déroulaient dans ma tête et ne faisaient qu'augmenter mon incompréhension.

Qui pouvait savoir mieux que moi ce que c'était que d'avoir peur de perdre quelqu'un ?

— Qu'est-ce que tu fais ? l'interrogeai-je.

Il prit quelques instants avant de me répondre. Je me surpris à l'examiner : ses yeux étaient profonds, cachant un zeste de mélancolie, et les rayons de soleil soulignaient les traits sculptés de son visage.

— Je me dis que je n'aurais pas dû te faire entrer dans nos rangs, m'avoua-t-il.

Il se retourna et plongea ses yeux dans les miens.

Je relevai la tête et tentai de soutenir son regard. La haine ayant fini par vider mes forces, je m'étais enfin calmée. Heureusement pour lui.

Néanmoins, mon audace ne m'avait pas quittée.

— Ce n'est pas de ta faute mais de la mienne, lui assurai-je. Après tout, c'est moi qui te l'ai demandé.

Il soupira. Il se sentait coupable et je devais l'aider.

— Oui mais… commença-t-il à prononcer.

— Ce n'est pas le moment d'avoir des remords, le coupai-je.

Ses lèvres s'étirèrent en un demi-sourire que je lui connaissais bien. Ceci me ragaillardit un peu.

Il y avait une connexion entre nous que je n'arrivais pas à définir et je l'avais déjà sentie dès mon arrivée dans cet hôpital. Bien que j'eus du mal à l'admettre, en laissant ma fierté de côté, je finis de nouveau par la ressentir.

Ce n'était pas comme avec Denis, ni même comme avec Jacques. C'était en fin de compte agréable. Peut-être que la voix de ma mère, lors de mes cauchemars, m'avait aidée à voir la vérité en face…

— T'as raison, princesse, affirma-t-il d'une voix irradiant le défi.

Je saisis l'oreiller qui se tenait derrière moi et le lui lançai. Nous rîmes, puis il me le renvoya.

Toute cette activité n'avait pas dû plaire à mon organisme puisqu'une vive douleur me rappela à l'ordre. Je grimaçai et serrai l'oreiller de toutes mes forces. J'essayai de bouger pour le remettre à sa place mais la douleur n'en fut que plus intense.

— Laisse-moi faire, me dit doucement Marceau.

Il s'approcha un peu de moi puis s'arrêta : il attendait mon approbation. Je fermai les yeux, plus pour chasser la douleur que pour peser le pour et le contre, puis me décidai à le laisser m'aider.

— OK, concédai-je.

Il vint s'asseoir à côté de moi.

La fièvre et les élancements que je ressentais depuis le creux de mes reins ne me permettaient pas de lâcher le coussin. Avec attention, Marceau prit ma main et m'encouragea à le lui donner. Je tremblais de douleur et cela m'énervait.

Délicatement, il m'attira contre lui, plaça l'oreiller et me réinstalla en position allongée. Il prit une serviette étalée au pied de mon lit, la trempa dans une bassine d'eau, l'essora et la passa sur mon front.

Je ne pouvais pas nier que son égard vis-à-vis de moi me fit du bien. Je saisis délicatement sa main et plongeai mes yeux dans les siens.

Nous nous perdîmes le temps d'un instant mais nous finîmes par nous ressaisir.

Finalement, il écarta doucement sa main de la mienne et sortit.

J'avais fini par m'endormir jusqu'à ce qu'Anne entre et me réveille.

Elle m'expliqua mon état : mon corps était au bord de la rupture et j'avais besoin de beaucoup de repos.

— Je sais où tu allais le matin, me confia-t-elle. Je ne dis pas que je suis contre mais seulement que tu aurais dû faire plus attention.

Elle dirigea son regard vers la serviette, sourit et le reporta sur moi.

— Et je sais aussi que tu as quelqu'un sur qui compter là-bas, m'assura-t-elle, amusée.

Je m'offusquai.

— N'importe quoi ! réfutai-je, la voix cassée.

Nos regards se recroisèrent un instant et elle rit de nouveau.

— On reparlera de tout ça plus tard, me promit-elle. En attendant, ne parle pas plus. Je vais t'aider à te changer.

Elle s'approcha de moi et passa un bras autour de ma taille pendant que j'enroulai le mien autour de son cou. Ensuite, comme elle me l'avait expliqué, elle m'aida à me préparer et me raccompagna jusqu'à mon lit.

À chaque pas, je retenais ma respiration. La balle que j'avais reçue avait dû faire plus de dégâts que ce que je pensais. Heureusement, Anne était là pour m'aider.

Malgré ma fierté, je pus une fois de plus admettre qu'un petit coup de main ne faisait pas de mal.

Après tout ce qui venait de se passer, j'étais exténuée. Dès que je fus installée, je m'endormis.

Chapitre 27
Lundi 17 avril 1944

J'ai passé les deux jours suivants à somnoler.

Entre deux rêves, je veillais sur Denis. Lui non plus n'allait pas très bien.

Ces deux jours m'avaient aidée à aller mieux et à mon réveil, le lundi dix-sept avril, je constatai que le lit de Marceau était vide. Ce n'était pas que je m'inquiétais pour lui, cela voulait dire que quelque chose ne tournait pas normalement.

Je me levai et regardai Denis. Sa respiration était lente et par moments irrégulière. Il dormait mais je ne pouvais malheureusement pas rester avec lui.

Je me levai péniblement et me dirigeai vers la salle de bain. J'avais retrouvé ma stabilité et mon souffle, et cela me rassura.

Je revêtis un pantalon de couleur foncée, pour être plus à l'aise, et attachai ensuite mes cheveux en un chignon que j'ornai d'un foulard. Puis, je sortis.

Dans la forêt, tout était à nouveau calme. Ce n'était pas le calme qui nous avait enveloppés avant l'arrivée des nazis mais un calme pesant, étouffant, prédisant une mauvaise nouvelle. Ce calme-là, je le connaissais bien et j'étais prête à l'affronter.

Enfin arrivée à destination, j'eus « l'agréable » surprise de voir quatre pistolets dressés vers moi. Avant même d'avoir eu le temps de réaliser, ils se rabaissèrent. Je regardai les garçons avec incompréhension et attendis qu'ils s'expliquent, mais rien ne vint.

— Qu'est-ce qu'il y a ? leur demandai-je alors, légèrement irritée.

Jacques, qui était placé au centre, posa un doigt sur ses lèvres et me fit signe de me taire. En l'espace d'une seconde, je compris tout : les miliciens nous cherchaient. C'était un miracle qu'ils ne m'aient pas trouvée d'ailleurs.

À moins qu'ils ne t'aient suivie, me chuchota une petite voix.

Soudainement, mes forces se décuplèrent. Je remontai immédiatement pour diriger mes possibles poursuivants vers une fausse-piste. Toutefois, avant même d'avoir pu ouvrir la trappe, j'entendis des reniflements juste au-dessus.

Les chiens des SS étaient devenus un véritable cauchemar pour moi et, à peine les entendis-je, que je redescendis instantanément.

Je savais que ces démons entendaient tout et après avoir pu discerner les abois de plusieurs chiens approcher, ma respiration devint saccadée et je me fis la plus discrète possible. Pendant que je reculais de plus en plus, quelqu'un me saisit par le poignet et me plaqua contre son torse, tout en glissant sa seconde main sur ma bouche.

Je reconnus la signature et l'odeur de Marceau. Malgré ma violente envie de riposter – et j'allais le faire… –, j'attendis que les chiens s'éloignent. *S'ils partent*, me souffla à nouveau ma petite voix intérieure.

Je dégageai lentement la main couvrant ma bouche et Marceau desserra son étreinte. Je savais que la petite voix pouvait avoir raison, alors je me tins prête, prête à un éventuel combat.

250

Je serrai le poing et attendis patiemment que des soldats déboulent lorsqu'un sifflement se fit entendre. Les chiens, tels des robots contrôlés à distance par leur maître, détalèrent aussitôt.

Nous restâmes là pendant quelques instants qui semblaient durer des heures, écoutant le moindre bruit. Cependant, il fallait se rendre à l'évidence : il n'y avait plus personne.

Je reculai, me retournai vers Marceau et lui assénai une gifle dont ma mère elle-même avait le secret. Celui-ci recula d'un pas, frotta sa joue.

— Pourquoi t'as fait ça ? me questionna-t-il.

Il était en proie à une totale incompréhension.

— Pourquoi tu m'as attrapée ? lui demandai-je en retour.

Il me regardait avec des yeux ouverts comme des soucoupes. Cette expression était très drôle, vu sur *son* visage.

— Parce que tu allais marcher sur un talkie-walkie, me répondit-il.

À ce moment-ci, je me sentis vraiment très stupide mais ne perdis pas mon arrogance pour autant.

— Oui et bien… essayai-je de dire, tu aurais très bien pu seulement me pousser vers l'avant ! Et qu'est-ce qu'il fait par terre aussi ?

Alors qu'il allait répliquer, Georges se plaça entre nous.

— Ça suffit vous deux ! Ils sont pas très loin ! nous rappela-t-il.

Je foudroyai alors Marceau du regard qui en fit autant, puis me dirigeai vers la trappe.

Je mis le plus discrètement possible ma main sur l'échelle.

Soudain, je sentis une autre main maintenir mon épaule. *Ah non !* pensai-je. *Pas encore !*

Je me retournai. C'était celle de Jacques.

— Tu fais quoi là ? m'interrogea-t-il.

Je fis pivoter légèrement le buste face à lui et lui répondis par une autre question.

— Suis-je la seule personne encore censée ici ? demandai-je.

Les garçons m'observaient comme si j'étais une folle. Je savais que c'était totalement insensé de sortir maintenant alors que tant de miliciens étaient dehors mais il fallait que quelqu'un le fasse et, encore une fois, j'étais la mieux placée.

— Je suis maligne et je suis une fille, argumentai-je. Si je sors et que par malheur ils sont présents, je pourrai m'en tirer. Aussi, s'ils me prennent, rien ne pourra me rattacher à vous. Ni ma langue, ni ma dépouille et encore moins ma civilité. Une fois de plus, les arguments sont en ma faveur.

Ils m'examinaient de façon insistante, attendant d'autres justifications.

— Le nazi doit être pris dans un de vos pièges, supposai-je. Le temps qu'il s'en sorte, j'ai juste ce qu'il me faut pour faire le point de la situation. Au besoin, je pourrai faire une très bonne diversion s'ils se dirigent à nouveau par ici. De plus, s'ils m'ont vu, ils doivent me chercher.

Je repensais aux pièges.

Ceux-ci faisaient partie des éléments primordiaux de la Résistance. J'en avais pris connaissance lorsque je faisais les plans avec Antoine : les garçons en avaient placé un peu partout dans les bois afin de tuer nos occupants. En effet, certains étaient des trous remplis de piques aiguisés qu'ils avaient recouverts de branchages, d'autres des branches, qui, une fois cassées faisaient tomber des dizaines de pieux en bois tranchants sur la cible... Bref, il y en avait de toutes sortes. Heureusement pour moi, j'avais pris connaissance de chacun d'entre eux et pensais bien m'en servir.

Les garçons tentaient de trouver quelque chose à dire mais ils savaient tout comme moi que c'était la seule solution. Je me retournai alors vers l'échelle mais une nouvelle main me tira encore une fois vers l'arrière.

C'était Marceau.

Il me regarda dans les yeux et, avant même que je puisse répliquer, il parla.

— Tu auras besoin de ça, me conseilla-t-il.

Je baissai les yeux et trouvai le pistolet d'ordonnance que j'utilisais habituellement. J'étais en train de le prendre quand il referma sa main sur la mienne. Je remontai mon regard jusqu'au sien et lui fis comprendre que non seulement il fallait vraiment que j'y aille, mais qu'en plus tout allait bien se passer.

Il me lâcha. Après quelques instants à nous sonder mutuellement, je montai, l'arme à la main.

Une fois la trappe ouverte, je fis lentement passer mon corps tout en observant autour de moi. À peine m'étais-je accroupie que j'entendis un grognement.

Merde, songeai-je.

Ce grognement ne pouvait être que celui d'un de ces monstres créés par la Gestapo. Je refermai la trappe sans bruit. À présent, je le voyais : il était caché sous le buisson d'en face et me fixait d'un air féroce.

J'avais beau avoir développé une peur viscérale des chiens, je ne perdis pas mon sang froid. Mon regard était glacial et sans compassion pour ce monstre.

Sans le perdre de vue ni faire de mouvement brusque, j'amassai des feuilles sur la trappe pour la camoufler et me préparai à piquer un sprint.

Soudainement, je me levai et courus de toute mes forces. J'espérais qu'avec tout le bruit que moi et mon poursuivant avions fait, les garçons aient compris la situation et qu'ils ne sortent pas.

Quoi qu'il en soit, je devais courir.

Malheureusement, les chiens courent bien plus vite que les êtres humains et, bien que guidée par la peur, je savais qu'il me rattraperait. Ainsi, je me tournai, dégainai mon pistolet et tirai. La balle ne lui avait peut-être pas explosé la tête mais elle eut le mérite de le clouer sur place. Il resta là, inerte.

Tout en continuant de courir, je scrutai les parages et repérai un SS.

— Arrêtez-vous ! m'ordonna-t-il.

Il ne devait pas être bien plus âgé que moi. Ses chiens le rejoignirent la gueule pleine de bave moussante. Il sortit un talkie-walkie et prévint ses collègues.

Je ne pouvais pas rester ici, simple question de survie. De plus, il fallait que je les éloigne de la base.

Sans crier gare, je me retournai et repris ma course.

Le SS resta quelques instants cloué sur place, se demandant ce qui venait de se passer. Étais-je réellement en train de lui échapper ? Je crois que oui ! Il reprit ses esprits et me tira dessus.

Petit à petit, je sentais que je commençais à le distancer. En effet, je connaissais tous les raccourcis et les endroits les plus odorants, ce qui me permettait de masquer mon odeur. Cependant, je savais que j'étais perdue et qu'il ne lui faudrait pas beaucoup de temps pour me retrouver.

Je venais de quitter les bois lorsque je me retrouvai en haut d'une falaise. Celle-ci était abrupte et vertigineuse.

J'allais reprendre ma course quand j'entendis un déclic : il y avait un soldat derrière moi. Je me retournai : c'était le SS.

— Mets tes mains en l'air ! cria-t-il. Et bien en évidence !

J'exécutai son ordre en souriant, confiante, et reculai d'un pas.

— Ne bouge pas ! hurla-t-il.

Je levai la tête avec un sourire malin. Il me tint en joue et avança d'un pas, imitant mon expression.

Le craquement d'une branche se fit entendre. Interloqué, il regarda son pied avant de rediriger son regard sur moi.

— Trop tard, me moquai-je.

Et un arsenal de pieux se déversa sur lui.

Néanmoins, avant de finir écrasé, il eut le temps de tirer. Je pensais contrôler la situation mais c'était avant que je voie cet énorme chien foncer sur moi. Me sautant dessus, il intercepta la balle et s'écroula.

Déstabilisée par l'élan du colosse, je tombai de la falaise.

Comment allais-je m'en sortir ? Je ne le savais pas. Toutefois, une chose était sûre : j'étais décidée à avoir une mort digne et impressionnante... ce qui n'était clairement pas le cas en ce moment.

Forte de cette idée, je me raccrochai de toutes mes forces à une grosse racine. Il m'était tout bonnement impossible de remonter. Je ne savais pas combien de temps j'allais tenir mais il fallait que je tienne.

Je regardai le ciel et commençai à fredonner des airs dans ma tête pour me tenir consciente et en alerte. *Mais comment me sortir de là ?* songeai-je. Si j'essayais de grimper, la falaise se déchausserait et je mourrais.

Je restai donc suspendue dans le vide pendant un temps qui me sembla être une éternité.

Soudain, j'entendis une voix.

— Mélanie ! m'appela-t-elle. Mélanie !

Je m'éclaircis la gorge, souillée par la poussière qui s'y était infiltrée.

— Je suis là ! criai-je sans me soucier de qui ceci pouvait être.

En effet, si cet individu connaissait mon prénom, il ne pouvait qu'être proche de moi. Tout d'un coup, j'aperçus un visage familier se pencher.

— Je t'en prie, requis-je. Sors-moi de là.

Marceau me tendit sa main gauche et je pliai le bras qui me maintenait à la racine afin de l'attraper de mon autre main. Il me tira en haut.

Une fois debout, je me retrouvai près de lui. Je jetai un coup d'œil derrière moi, mesurant la distance et la gravité de la situation, puis passai mes bras sur ses épaules et l'enlaçai. Il me serra en retour.

Derrière toute mon audace et mon arrogance, j'étais terrorisée. Le temps que j'avais passé suspendue dans le vide n'avait fait qu'augmenter cet état de panique.

Je finis par me ressaisir et je m'écartai de lui. En fait, ce contact m'avait fait du bien. Je lui jetai un rapide regard reconnaissant et le remerciai.

Il me fit un signe de tête et je me retournai.

Avec Marceau, nous traînâmes le corps de l'officier et le jetâmes dans le précipice. Nous y lançâmes aussi les pieux. Ce piège ne serait plus utile maintenant.

La rage de vivre s'empara de moi : je ne sentais plus mes blessures.

Satisfaits du bon travail accompli, nous nous regardâmes avant de regagner la base en prenant mille précautions.

La trappe fermée, je m'appuyai contre le mur et attendis que Jacques prenne la parole. Avec Georges et Louis, ils se placèrent de l'autre côté de la table, en face de moi.

— Les boches ont déserté la forêt, nous informèrent-ils.

Je plissai mes yeux.

— Comment pouvez-vous en être sûrs ? leur demandai-je.

Ils se regardèrent puis nous dévisagèrent.

— Parce que nous les avons tués, nous expliqua Georges.

J'observai Marceau qui s'était immédiatement tourné vers moi. La surprise et l'incompréhension se lisaient sur nos visages.

— Mais vous êtes fous ! s'exclama-t-il. Quand on va retrouver leurs corps, ils vont tout de suite faire un lien avec nous et vont accentuer leurs recherches !

Georges s'avança et posa ses mains sur la table.

— Tout va bien, on les a déposés dans un ancien piège, nous assura-t-il. Ils sont camouflés par des branchages. Et vous ?

Marceau m'examina et, d'un commun accord, nous leur révélâmes l'exacte vérité… à deux ou trois détails près.

— Un SS m'a attaquée, leur racontai-je. En avançant, il a déclenché un piège qui l'a tué sur le coup. Avant de mourir, il a juste eu le temps de tirer une balle qui s'est perdue sur son chien. Marceau est arrivé à temps pour m'aider à jeter le boche dans le précipice.

Les garçons opinèrent de la tête.

Chapitre 28
Samedi 22 avril 1944

Depuis ce jour, Marceau et moi n'étions pas retournés à la base. Les miliciens patrouillaient de plus en plus, l'atmosphère devenait pesante. Le silence était devenu maître des lieux et les respirations étaient suspendues.

Tout laissait à penser que de grands évènements se profilaient. Était-ce une intervention des Alliés ?

Le temps était comme ralenti. Cela nous mettait dans tous nos états. Espoir, désespoir, nous ne savions plus comment nous sentir.

L'arrivée d'une nouvelle personne à l'hôpital allait, une fois encore, remettre ma survie en question.

En effet, le vendredi vingt-deux avril, une nouvelle arrivante débarqua.

— Bonjour à tous, nous salua le Docteur Rigot. Comme vous le savez, dès qu'une personne part, une autre arrive. Aujourd'hui, c'est une camarade que je vous présente. Elle se prénomme Suzanne et j'espère que vous l'intégrerez convenablement.

Une fois son discours prononcé, il s'écarta. Deux officiers SS entrèrent accompagnés d'une jeune fille plâtrée au bras droit et en fauteuil roulant.

J'aurais pu penser « *Enfin, je ne serais plus seule !* » mais non. Ma première pensée fut « *Quelque chose ne tourne pas rond* ». En effet, dès son entrée nous pûmes sentir un poids se rajouter sur nos épaules.

Jusqu'ici assise sur mon lit, je me redressai vivement. Elle était très jolie, néanmoins un insigne avec un aigle était épinglé sur sa tenue. *Une putain du Führer*, crachai-je intérieurement.

Mon regard se tourna vers Marceau qui en fit de même. Nous ne nous lâchions pas, comme si notre heure avait bientôt sonné. Je me ressaisis rapidement. D'un accord tacite, nous nous concentrâmes à nouveau sur cette fille et fîmes comme si de rien était.

Un des deux officiers se positionna face à nous et prit la parole.

— Mademoiselle Suzanne est ici pour récupérer à la suite de l'attaque d'un Judenschwein maintenant neutralisé ainsi que son troupeau, nous informa-t-il. Elle passera un mois au minimum en votre compagnie pour se soigner. Si l'un d'entre vous a des informations sur la Résistance, elles seront requises en échange de son pardon. Toute information donnée sera récompensée.

J'aurais dû m'effondrer et même pleurer mais je ne ressentais pas ces émotions-là. Au contraire, j'étais en proie à de la haine.

Qu'ils utilisent le mot « *Judenschwein* » pour qualifier mon peuple et, quelque part, moi aussi, me révoltait. Cela signifiait « *Sal porc de juif* » en allemand.

J'avais une envie irrépressible de réagir mais à peine m'étais-je levée que Denis, qui avait été réveillé par le raffut, me saisit fébrilement par le poignet.

Je me tenais ainsi, droite, du côté gauche de mon lit, les poings fermés et la respiration contrôlée. Heureusement, je n'avais attiré l'attention d'aucun des soldats.

Après avoir installé la demoiselle dans son nouveau lit, ils partirent accompagnés du Docteur Rigot qui nous gratifia d'un regard lourd de sous-entendus et de courage.

La nouvelle était la parfaite Aryenne : cheveux blonds, peau laiteuse, yeux bleus. Elle nous toisa un à un avec un regard arrogant et narcissique puis s'arrêta sur moi. Elle élargit son sourire et se redressa sur son lit.

— Tu étais donc la seule fille ici, constata-t-elle.

Je ne répondis pas. Je me contentai de m'asseoir plus confortablement en soutenant son regard, la tête haute, l'air arrogant. Elle était décontenancée par mon mutisme.

Elle qui devait avoir l'habitude de manipuler l'esprit des gens et qui devait penser que j'allais rentrer dans son jeu, en fût pour ses frais. Elle était en colère parce que je ne répondais pas.

— Alors la muette, s'énerva-t-elle, elle a bien satisfait les désirs de tous les garçons de la salle ?

Tandis qu'elle tentait de m'atteindre, je m'allongeai sur mon lit, indifférente. Les garçons se déridèrent en voyant mon attitude et cette petite nazie commençait à perdre ses moyens.

— Je comprends pourquoi vous êtes dans une forme si olympique ! continua-t-elle.

Un silence pesant s'installa dans la salle.

— Qu'est-ce que diraient tes parents s'ils te voyaient ? s'inquiéta-t-elle faussement.

Je serrai les poings tellement fort que mes ongles entaillèrent ma peau.

Je commençais à perdre patience : Denis et le clan des petits rois l'avaient remarqué. Ils retenaient leur souffle, prêts à me défendre.

Suzanne, de son côté, ne s'arrêtait pas de pérorer.

— Ou... peut-être qu'elle essaie de ressembler à sa mère ? me calomnia-t-elle.

Pardon ? Que disait-elle ? Pourquoi parlait-elle de ma mère ? Cette diatribe avait assez duré !

Je sautai sur mes deux pieds et pris un regard condescendant.

— Au lieu de tenter de m'énerver et d'essayer de prendre de l'importance, lui répondis-je tout en avançant lentement vers elle, tu pourrais arrêter de penser que toutes les filles que tu croises sont comme toi : des putains narcissiques.

Je n'étais pas en face d'elle mais je n'étais pas loin.

Tout le monde vit son sourire suffisant s'effacer petit à petit. Je savais que je ne devais pas le faire mais je pris un malin plaisir à la rabaisser.

— Non, la contredis-je, je n'ai eu aucune relation du type dont tu parles. Au contraire, ces garçons que tu vois sont devenus mes amis.

Une fois arrivée devant son lit, je lui accordai un regard méprisant accompagné d'un petit sourire satisfait.

Muette et impuissante, Suzanne ne fit que m'accorder un regard hautain.

— Tu vois, Suzanne, ta méchanceté ne m'atteint même pas, crachai-je.

Avant que je fasse autre chose, Marceau m'attrapa par le poignet et m'éloigna de l'Aryenne.

— Tu as de la chance que j'aie certaines valeurs, lançai-je. Sinon un plâtre ne suffirait pas...

Elle plissa les yeux et me toisa.

— C'est une menace ? me demanda-t-elle.

Je fis mine de réfléchir, puis lui répondis.

— Non, seulement une mise en garde, lui exposai-je.

Je fusillai alors cette fillette du regard avant de sortir, suivie par Marceau et Julien. J'eus tout juste le temps de me retourner vers Denis avant de le voir hocher la tête pour m'assurer qu'il allait bien.

Une fois dehors, je m'arrêtai devant la haie Ouest et me retournai vers les deux garçons. J'étais étonnée de voir Julien mais il avait changé depuis mon arrivée et il était évident qu'il ne supportait pas cette fille non plus.

— Il faut que tu fasses gaffe, m'avertit Marceau. Tu ne peux pas te conduire aussi irresponsablement. Le Docteur Rigot ne pourra pas te protéger indéfiniment et tu sais qu'il en a déjà fait beaucoup pour toi.

Je regardai Marceau droit dans les yeux et y décelai de l'inquiétude. Je lui répondis franchement.

— Cette fille est une *Schlampe des Führer,* m'énervai-je. Je ne sais pas pour qui elle se prend, mais elle n'avait pas à s'attaquer à ma famille comme ça !

Marceau semblait me transpercer du regard. Il devait sûrement tenter de me sonder. Néanmoins, sa quête était vaine.

— Je sais que tu la hais mais ce n'est pas une raison pour te venger, tenta-t-il de m'expliquer. Elle n'a pas tué ta famille, Mélanie.

Je retirai ce que j'avais pensé précédemment. Il avait deviné ce qui m'avait fait réagir.

C'était étrange. C'était comme s'il savait des choses sur moi que je ne connaissais toujours pas.

— Elle a raison, trancha Julien. Cette fille est vraiment une garce.

J'observai Julien, surprise.

— Et depuis quand es-tu d'accord avec moi ? le questionnai-je. Au fait que voulez-vous me dire tous les deux ?

Les garçons devinrent instantanément mal à l'aise, me faisant comprendre que j'avais vu juste : ils m'avaient suivie dans un but précis.

J'attendis leur réponse, dirigeant mon regard tantôt vers l'un, tantôt vers l'autre.

— De plus en plus de résistants se font prendre, me dit Marceau. De leur côté, les collabos et autres partisans du régime nazi se font la malle pour tenter d'échapper à la justice. On essaie de les retrouver.

Je continuai de le fixer.

— Il reste une place dans notre voiture, compléta Julien.

Je fis mine de ne pas bien comprendre ce qu'il voulait dire par là.

— Et alors ? leur demandai-je. Vous attendez quoi de moi ? Que je vienne peut-être ? Que je me sauve ?

Ils m'examinaient et je voyais bien que Marceau allait tenter de se rattraper. Toutefois, ses efforts allaient être inutiles.

— C'est donc ça... compris-je, vous voulez que je vienne. Malheureusement, vous vous êtes trompés tout du long. Je ne viendrai pas. Quant à vous... vous nous abandonnez... Que vont devenir les autres ? Qui restera ? Louis ? Georges ?

Marceau essaya de m'attraper par la main mais je reculai d'un pas.

— Je pars avec Georges, Louis et deux autres résistants tout à l'heure, continua Julien. Marceau partira ce soir, quand la lune sera à son point culminant. Tu as jusque-là pour réfléchir. Demain, Jacques sera à la base dès huit heures.

Je plongeai alors mon regard dans celui de Julien, puis de Marceau.

— Vous me dégoûtez, leur balançai-je.

Je me retournai et partis sans regarder en arrière.

Le soir venu, Julien était déjà bien loin lorsque je me couchai.

Je m'étais allongée sur le côté, face à Denis, sans vraiment pouvoir m'endormir. Je réfléchissais. Je ne voulais pas m'en aller, non, jamais cette idée ne m'avait effleurée.

Bien sûr, partir à la chasse aux collabos me faisait envie, mais je ne pouvais pas laisser Denis. En plus, nous étions toujours sous l'autorité de Pétain et les quartiers français n'étaient pas sûrs pour une jeune juive.

Aussi, j'avais l'impression de me sentir abandonnée : Marceau m'annonçait du jour au lendemain qu'il allait partir et il fallait juste que j'accepte ça ? Avait-il réellement mesuré les conséquences de ses actes ?

S'il partait, il allait laisser sa famille, les garçons et Jacques derrière lui. En plus, c'était périlleux ! Et s'il se faisait attraper ? Et s'il mourait ? Il se pouvait même que ce rendez-vous soit un piège organisé par la Gestapo. Non, il ne devait pas y aller.

Mais alors, comment le convaincre de changer d'avis ? Pour Julien, c'était trop tard, mais pas pour lui. Je ne savais pas pourquoi mais quelque chose me disait qu'il fallait qu'il reste ici.

Il devait être minuit lorsque je l'entendis se lever. Il s'arrêta un court instant devant mon lit, puis sortit. Il avait deviné que je ne dormais pas. J'attendis quelques minutes avant de le suivre.

Cette nuit-là, le troisième quartier de la lune brillait dans un ciel sans nuage. À quelques mètres de Marceau se trouvait une voiture avec seulement un conducteur à l'intérieur. Avant qu'il ne l'atteigne, je l'appelai.

— Marceau ! criai-je.

Une seule fois suffit : il m'avait entendue.

Il se retourna. Il fit un signe au chauffeur pour lui demander de l'attendre puis me rejoignit. Nos regards se croisèrent. Il comprit directement le but de ma présence.

— Je suppose que tu ne veux pas venir avec moi, devina-t-il.

Je lui souris tristement avant de reprendre mon sérieux.

— Non, Marceau, lui confirmai-je.

Il regarda au sol et porta à nouveau son regard sur moi.

— Je ne resterai pas, si c'est ce que tu veux m'entendre dire, insista-t-il.

Je plissai légèrement les yeux, comme pour essayer de comprendre ce qui se passait dans son cerveau, puis lâchai un rire jaune.

— Tu m'exaspères ! m'énervai-je. Depuis que je suis ici, tu me répètes que tu es différent mais au fond, aujourd'hui, ce n'est pas ce que tu me montres. Tu les traites d'imbéciles mais tu fonces tête baissée, droit dans le tas, sans même attendre que les temps soient plus sûrs. Ensuite, tu me dis qu'ils n'ont pas de cœur, que ce ne sont que des machines mais tu es prêt à abandonner tous ceux qui tiennent à toi pour pourchasser de maudits collabos qui n'ont pas été assez intelligents pour comprendre quels étaient les combats à mener ! Et enfin, tu soutiens qu'ils poursuivent une mission sans fondement alors que toi, tu pars pour quoi ? Pour te venger ? Les collabos ont fait des choses horribles mais ils finiront par être arrêtés ! Après tout, *tout le monde* les connaît et ils ne pourront jamais fuir le monde entier ! Ne fais pas quelque chose que tu seras amené à regretter.

À peine avais-je fini ma réplique qu'il tourna la tête et regarda la lune. Il ne masqua pas sa déception.

— Et toi, Mélanie, continua-t-il en me regardant droit dans les yeux, tu te penses différente mais au fond tu ne l'es pas tellement. Tout à l'heure déjà, tu as agi pour te venger. Tu as tenu tête à Suzanne en ne sachant même pas à quel point elle était impliquée dans la hiérarchie nazie. Ne réfléchis-tu donc jamais avant d'agir ? En plus de ça, quelque part, tu es encore plus proche d'eux que je ne le suis. Excuse-moi mais ce n'est pas moi qui parle la même langue qu'eux. Oh et tu parlais de faire quelque chose de « stupide » ? Bien, alors rappelle-toi de toutes ces fois où tu as eu besoin d'aide. C'est exactement la même chose ce soir. Je ne pars pas seulement pour me venger mais aussi pour aider les autres résistants. Simple question de devoir.

Je comprenais ses motivations ainsi que là où il voulait en venir. Cependant, j'étais persuadée qu'il allait regretter cette décision.

En plus, je n'allais pas le laisser dire de telles choses à mon égard sans me défendre.

— Si je me crois différente, c'est parce que je le suis, repris-je. Bien sûr que j'ai envie de me venger, je suis humaine moi aussi ! J'ai le droit d'éprouver des émotions ! Par contre, cette mission que vous vous donnez, là, ce n'est pas juste une mission, c'est une véritable chasse à l'homme. Réfléchis un peu ! Tu ne vois pas que c'est exactement ce que font les nazis avec les Juifs ? Je suis la mieux placée pour savoir qu'il faut rendre justice. Cependant, ne grillons pas les étapes. Si tu veux pouvoir les juger après la guerre, il faut d'abord la terminer. Si tu es mort en essayant de rattraper ces fuyards, tu auras peut-être raccourci la cavale de quelques-uns… mais je n'en vois pas l'intérêt.

Il hocha la tête et s'apprêtait à repartir quand je le saisis par la main.

Il me regarda, imperturbable, cherchant des réponses au fond de mes yeux.

— N'abandonne pas ceux qui ont besoin de toi, lui demandai-je, sincère. N'abandonne pas ta famille.

De la colère passa soudainement sur son visage.

— Tu ne sais rien de moi ! me balança-t-il. Ni de moi ni de ma mère !

La fureur m'envahit : on n'abandonne pas ses proches quand ils sont encore en vie.

— Elle ne va pas bien, Marceau, lui rappelai-je. Elle est en deuil, mal dans sa peau et seule ! Ne te méprends pas, elle ne tiendra pas longtemps sans toi.

Il fit un pas vers moi. Nous étions proches, très proches. Nos souffles se mêlèrent et nos émotions s'affrontèrent.

— Tu ne sais rien d'elle, répéta-t-il fermement. Elle n'a jamais rien fait pour moi ! Elle s'est toujours souciée de son fils cadet, le beau, le bien élevé, celui qui réussit toujours tout !

Je m'offusquai.

— Sale égoïste ! lui crachai-je au visage. Tu ne vois donc pas tout ce qu'elle a fait ? Te penses-tu le seul à avoir vécu une situation similaire ? Elle n'a peut-être pas révolutionné le monde mais en tous cas, elle s'est donnée pour toi !

Il hocha négativement la tête.

— Si elle m'a envoyé ici, réfuta-t-il, ce n'est pas parce qu'elle s'inquiétait pour moi mais parce qu'elle ne veut pas de moi ! Elle ne m'aime pas !

Il pensait me faire taire mais non. En fait, il m'avait donné le fin mot de l'histoire.

— Tu n'es pas crédible... articulai-je. Tu ne vois pas que si tu es là, c'est parce qu'elle a peur de te perdre ? Que c'est parce qu'elle préférait te savoir loin d'elle, en vie et en bonne santé,

267

plutôt que de te garder près d'elle et malade ? Elle ne t'a peut-être pas donné tout l'amour du monde mais elle t'en a donné, à sa manière. De plus, si tu es ici, c'est parce qu'elle savait que tu étais entre de bonnes mains !

Il m'observa et je compris que j'étais allée trop loin. Je regrettai un peu mes paroles. Je regardai autour de nous, résignée.

Alors que j'allais le laisser, il se mit à rire. À vrai dire, cette situation était effectivement assez cocasse. Je me mis donc à rire à mon tour.

Soudainement, il se retourna et partit vers la voiture. Cependant, j'étais confiante.

Il parla au chauffeur qui remit le contact et partit. Il se tourna vers moi.

Fière de sa décision, je m'enfuis vers l'hôpital.

Une fois dans mon lit, je regardai autour de moi : tout le monde dormait profondément, même Suzanne ronflait. Je posai la tête sur mon oreiller et m'endormis immédiatement après avoir entendu Marceau se glisser dans ses draps.

Chapitre 29
Dimanche 23 avril 1944

Le lendemain, je me réveillai en sursaut, à la suite d'un de mes incessants cauchemars. Je me ressaisis rapidement et fis comme si de rien était. Avec le temps et la pratique, j'étais devenue experte en la matière.

Par la suite, je me levai, allai me préparer et revins pour voir Denis. Il dormait toujours et était en sueur. Son état se dégradait et j'avais peur qu'un matin, il ne se réveille pas. D'après les médecins, son temps était compté. Toutefois, tout le monde peut se tromper, même les médecins.

L'absence de Julien soulevait de nombreuses questions auxquelles Suzanne tentait de trouver des réponses. Malheureusement pour elle, hormis le clan des petits rois et moi, personne ne savait où il était passé. De plus, aucun d'entre nous n'allait le balancer.

Je sortis donc et me dirigeai vers la haie. Marceau m'attendait : il était appuyé contre un arbuste et son regard se posa sur moi.

Je faillis m'arrêter un court instant en le voyant ainsi, mais je me contrôlai et continuai mon chemin. Je passai à travers le passage et m'enfouis dans la forêt.

— Mélanie, m'appela-t-il.

Je me tournai vers lui, agacée. Il arborait son fameux demi-sourire et attendait.

— T'attends quoi très exactement ? le questionnai-je.

Il fronça légèrement les sourcils, sans perdre son demi-sourire, et fit un pas vers moi.

— Pourquoi m'as-tu empêché de partir ? m'interrogea-t-il à son tour.

C'était une bonne question : moi-même je ne le savais pas. C'était une intuition.

— Je t'ai empêché d'être la personne que tu n'aurais jamais voulu devenir, lui répondis-je.

Il tourna la tête et s'avança en fronçant un peu plus les sourcils.

— Es-tu sûre que ce soit tout ? me demanda-t-il.

Il y avait maintenant une distance très courte entre nous et je fis en sorte de la maintenir.

— Oui, affirmai-je. C'est tout. Ne t'emballe pas plus.

Cette fois-ci, j'étais un peu perdue... Après tout, je découvrais petit à petit qu'il avait percé à jour ce qui se passait à l'intérieur de moi avant même que je ne m'en rende compte... et cela me désarçonnait.

— Tu m'as donc retenu pour ton bon plaisir ? essaya-t-il de comprendre.

Je souris avant de me rembrunir.

— Non, je ne suis pas égoïste, mentis-je. J'ai fait ça pour les autres aussi.

À cet instant, j'étais clairement contrariée. Je repris alors mon chemin d'un pas décidé.

— Tu n'es pas égoïste ? s'exclama-t-il, à présent énervé. Tu te fous de moi ?

Tout en marchant, je lui fis un doigt d'honneur.

— Tu me retiens sur un coup de tête sans essayer de comprendre pourquoi, continua-t-il, mais en vrai tu le sais, n'est-ce pas ? Tu sais pourquoi tu m'as demandé de rester. Néanmoins, tu es beaucoup trop fière pour voir la vérité en face ! Tu sais quoi, Mélanie ? Peut-être qu'en fin de compte j'aurais dû te laisser continuer de parler avec Suzanne, hier. Finalement, vous avez bien des points communs.

Je ne voulus pas en écouter davantage. En entendant mon prénom et celui de Suzanne employés dans une même phrase, mon sang ne fit qu'un tour.

D'un pas rapide, je m'élançai vers lui, bien décidée à lui régler son compte. Il m'attendait debout, stoïque, le regard sévère et les mâchoires contractées.

J'aplatis violemment ma main droite sur sa joue. La gifle fit un bruyant et cinglant « *clac* ». Il passa sa main, ferma les yeux et souffla.

Il était sincèrement déçu mais je le sentais aussi perdu. Cela me bouleversa.

Je me sentais mal. J'avais l'impression de gâcher ce qui me restait de bon.

Dans un élan, je glissai délicatement ma main droite le long de son cou et l'embrassai. Il m'attira aussitôt contre lui en me saisissant par la taille.

Jamais je n'aurais pensé ressentir une telle émotion à l'égard de quelqu'un, surtout de lui.

Doucement, je me reculai pour mieux le sonder. Nos yeux se trouvèrent.

Je tentais de déceler les réponses à tous mes pourquoi et cela me fit du bien. Je caressai sa joue rougie et souris. Je levai à nouveau mon regard vers lui puis me défis de son étreinte.

— Il en sommeille des choses en toi, Mélanie, me fit-il remarquer.

Je croisai les bras sur ma poitrine et arquai mon sourcil gauche, butée. Ma réaction lui arracha un sourire.

Malgré tout ce qui venait de se passer, je n'avais pas oublié Jacques. Nous devions nous retrouver à la base. Avec tous ces miliciens qui patrouillaient, ce n'était pas le moment de l'abandonner !

En plus, j'avais désormais une véritable raison de me battre.

— En toi aussi, relevai-je. Et, à moins que je ne t'aie fait perdre la raison, je te rappelle que nous devons nous dépêcher.

Je tournai la tête et observai autour de nous. Je me rendis soudainement compte que je ne pouvais pas me permettre de perdre Marceau. Lui aussi était fait de chair et d'os ! Lui aussi risquait la mort !

— Promets-moi, lui lançai-je.

Il s'approcha lentement de moi et plaça une de mes mèches rebelles derrière l'oreille.

— Que je te promette quoi ? m'interrogea-t-il.

Parlant sans le moindre esprit moqueur, je continuai ma requête.

— Promets-moi de ne rien dire à personne, lui demandai-je. Pas avant qu'on soit en sécurité.

Il m'octroya son sourire en demi-lune et fit coulisser sa main jusqu'à la partie haute de mon bras. Il me serra légèrement de manière à me rassurer.

— On ne sera jamais totalement en sécurité tu sais, me dit-il.

Je lui souris en retour.

— Oui mais attendons le bon moment… ajoutai-je, que nous soyons en sécurité… que je n'aie plus besoin de te protéger.

Il lâcha un rire, moqueur. Je repris mon sérieux et attendis sa réponse.

Il me considéra et fouilla mon regard. Comprenant que je ne lâcherais pas l'affaire, il céda.

— D'accord, je te le promets, m'assura-t-il.

Sur ce, je me mis sur la pointe des pieds – c'était qu'il me dépassait quand même d'une tête le bonhomme – et l'embrassai.

Nous reprîmes notre marche. La fin du trajet se fit dans le calme, nos deux âmes apaisées.

Arrivée devant la trappe, je frissonnai : je revis mentalement les chiens enragés et ressentis la terreur qui s'était emparée de moi. Je restai là, à contempler la poignée, avant de sentir une main se poser sur mon épaule.

Je me tournai vers Marceau et lui fis un signe de tête pour lui faire comprendre que j'allais bien puis j'ouvris la trappe. Jacques nous attendait. Il ne fit bien évidemment pas le lien entre notre arrivée simultanée et les récents évènements.

— Nous sommes donc plus que trois, conclut-il.

Je souris d'une manière rassurante et pris la parole.

— Oui mais nous aurions pu être moins, lui signalai-je.

J'observai Marceau avec un regard inquisiteur. Il passa la main dans ses cheveux, gêné.

— Il est vrai que j'ai été influencé par une personne persuasive, avoua-t-il.

Jacques me remercia d'un signe de tête. Il semblait que lui non plus n'était pas pour la chasse à l'Homme.

— Dans tous les cas, notre alliance est maintenant révolue, nous informa-t-il. Les forces de la Résistance de la ville ont quelque peu éclaté, surtout depuis l'arrivée de la fille de l'ami de Klaus Barbie à l'hôpital. Mais je suppose que vous le savez.

Je m'approchai alors de lui pour demander plus d'info, mais il me coupa avant même que je ne pose mes questions.

— Nous ne sommes plus que trois, insista-t-il, c'est un fait malheureusement irrévocable. Si vous souhaitez continuer de fréquenter ce lieu, ce sera à vos risques et périls… et sans moi. J'ai décidé d'arrêter de tenter le diable.

Je me braquai en entendant son abandon.

— Ne t'inquiète pas Jacques. Je te comprends, lui assura Marceau.

Je niai d'un signe de tête.

— Pas moi, lui exposai-je. Alors c'est fini, tu nous lâches ? C'est comme ça ?

Il me sourit puis se dirigea vers l'échelle, avant de se retourner face à nous.

— Oui, Mélanie, confirma-t-il. Ce fut un honneur.

Marceau souffla, s'approcha de lui pour une dernière accolade. Quelque part, c'était beau de voir ces deux amis se dire au revoir ainsi.

Une fois séparés, je pris la parole.

— Je crois que je comprends ce que tu ressens, concédai-je. En tous cas, merci d'avoir été là.

Je m'approchai de lui et l'enlaçai à mon tour. Puis, après nous avoir brièvement salués une dernière fois, il partit.

Nous restâmes un petit moment à fixer l'échelle, en silence. Puis, je me calai contre la table et observai Marceau.

— On dirait qu'il ne reste plus que nous deux, commentai-je.

Il se tourna vers moi et s'approcha. Je vis tout de suite qu'il était triste.

— En effet, admit-il.

Il s'arrêta devant moi, prit mes mains et les contempla.

— Ça va ? le questionnai-je.

Je plissai les yeux et attendis patiemment sa réponse.

— Oui, affirma-t-il. C'est juste que…

Je libérai ma main droite et l'utilisai pour orienter son visage vers le mien.

— C'est bon, lui assurai-je. Tu n'as pas besoin de te justifier.

Sur ce, je me décollai de la table, droite, et il me prit dans ses bras. Il enfouit sa tête dans mon cou et je me mis à lui caresser les cheveux afin de l'apaiser.

Certains hommes pensent qu'ils ne peuvent ni pleurer ni se laisser aller à dire ce qui les dérange, au risque de paraître faibles. Personnellement, je trouve que les personnes les plus courageuses sont celles qui acceptent leurs difficultés mais aussi qui acceptent l'aide qu'on leur propose. À l'inverse, d'autres préfèrent enterrer ces individus et s'autoproclamer rois du monde voire *êtres supérieurs*.

Face à cette pensée, je serrai les dents et me promis une chose : *plus personne ne fera de mal aux gens que j'aime.*

En sentant toute cette tension monter en moi, Marceau dégagea sa tête et déposa un baiser sur mon front. Ensuite, il se recula, sans lâcher mes mains.

— On y va ? me demanda-t-il.

Je portai un dernier regard à cette pièce dans laquelle j'avais vécu tant d'aventures, puis respirai.

— Oui, acceptai-je.

Et nous reprîmes la route de l'hôpital.

Nous marchâmes côte à côte jusqu'à ce que je me retrouve devant la haie. Je n'arrivais pas à aller plus loin, l'exécration que je ressentais envers Suzanne m'en empêchait. Je me mordis la lèvre inférieure.

— Qu'est-ce qui ne va pas ? s'enquit Marceau.

Regardant le ciel, je pris une profonde respiration.

— Je crois que je vais tuer cette fille, lui avouai-je. De plus, savoir que c'est une proche de Klaus Barbie me donne la nausée.

Marceau sourit et s'approcha de moi.

— Il ne me fait aucun doute que tu en as les capacités, exposa-t-il, mais...

Je le foudroyai du regard.

— Mais quoi ? le questionnai-je. Tu penses que je n'en ai pas le cran ?

Il rit.

— Toi, manquer de cran ? s'exclama-t-il. Impossible. Non, ce que je veux dire c'est que tu es plus intelligente qu'elle. Donc, tu ne la tueras pas... D'autant plus que tu as promis de me protéger alors...

Les commissures de mes lèvres s'étirèrent en un bref sourire avant de retrouver une expression sérieuse. Je plissai mes yeux et pris un air malin.

— Je rêve ou tu viens de me qualifier d'« intelligente » ? lui fis-je remarquer.

Il passa la main dans ses cheveux et ses yeux cherchèrent quelque part où se fixer.

— Ça a dû m'échapper, mentit-il. Ce n'était absolument pas mon intention.

Je m'approchai de lui et l'embrassai.

— C'est que t'es mignon quand tu rougis, me moquai-je.

Puis je le dépassai et m'apprêtai à traverser la haie.

— Je ne rougis pas ! nia-t-il.

J'étirai mon sourire en demi-lune, fière de moi.

— Si, tu rougis, lui assurai-je.

Je pris une grande inspiration, puis passai de l'autre côté. Il se retourna vers moi, déstabilisé, et m'observa.

Je savais que de nombreuses épreuves m'attendaient et je me tenais prête à les accueillir avec une certaine férocité.

Après tout, je suis une femme, je suis une *guerrière*.

Chapitre 30
Mercredi 26 avril 1944

Les semaines qui suivirent furent pesantes. Non seulement pour notre groupe mais aussi pour tous les Français.

En effet, nous savions par Anne et la radio de Marceau que des bombardements étaient imminents... La question était de savoir *quand*. Nous ne pouvions que les attendre.

Je n'avais pas peur, mais j'étais anxieuse pour Denis dont l'état se dégradait de plus en plus. Le mercredi vingt-six avril, j'eus une altercation avec Suzanne à son sujet.

Elle était dans son lit et s'ennuyait tandis que je parlais avec les garçons les plus âgés qui restaient, dont Marceau.

— Qu'est-ce qu'il a celui-là ? interrogea-t-elle d'un ton dédaigneux. Depuis que je suis arrivée, il ne fait rien à part manger, dormir et chuchoter avec Mélanie.

Je me retournai vers elle et la toisai, incrédule.

— Il est malade. Il a besoin de repos, le défendis-je.

Je me retournai et continuai ma discussion comme si de rien n'était.

— Il ne sert à rien, déclara-t-elle. On n'a qu'à l'achever, cela ferait au moins de la place pour un autre patient.

Je me tournai vivement vers elle, dégoûtée, et la foudroyai du regard.

— Tu me répugnes ! lui crachai-je. C'est toi qu'on devrait supprimer !

Elle me nargua.

— Si tu dis encore une fois cela, chantonna-t-elle en agitant son doigt, tu finiras à Drancy !

Je ris, de mauvaise foi.

— Vu comment tu insultes Denis, c'est toi qui devrais finir à Drancy, rétorquai-je.

Elle reprit son air dédaigneux.

— J'ai simplement proposé une solution, se justifia-t-elle.

Je la dévisageai et sentis monter en moi de la haine. D'ailleurs, ce sentiment envahissait aussi mes camarades.

— Tu n'es que… commençai-je.

— Attention à ce que tu dis ! me coupa-t-elle en souriant. Rappelle-toi : je t'ai pardonné à mon arrivée, mais c'est un luxe que je ne t'accorderai plus.

Je levai les yeux au ciel et me postai vers la fenêtre. Je serrai les poings si fort que des petites marques en forme de croissant de lune se formèrent au niveau des paumes.

Marceau le remarqua et se leva.

— Allez, viens Mélanie, me conseilla-t-il. On y va.

J'accordai un dernier regard plein d'hostilité à Suzanne et passai devant. Elle devait être fière d'elle. Pourtant, dans cette salle, chacun rêvait de la remettre à sa place.

Une fois dehors, nous traversâmes à travers la haie pour rejoindre la lisière de la forêt. À peine étais-je rentrée que des bras m'enlacèrent doucement par la taille et me ramenèrent contre un corps chaud.

Je posai l'arrière de ma tête contre son torse et observai les arbres.

Cela me fit songer à ce jour où j'avais frisé la mort par hypothermie. Cette pensée et le souvenir de mon petit frère que j'avais vu lors de mes hallucinations me donnèrent quelques frissons. Je les chassai vite de ma tête mais l'échange avec Suzanne m'envahit.

En fin de compte, peut-être a-t-elle raison... divaguai-je. Je ne parlais pas de la possibilité de mettre fin aux jours de mon meilleur ami, non, je ne faisais qu'ouvrir les yeux sur son état et me rendis compte que les médecins avaient vu juste : il ne s'en sortirait pas.

— Il va y passer... lui aussi, avouai-je tout haut.

Marceau prit une inspiration et calla sa tête contre la mienne.

— Tu savais que ça arriverait, me fit-il remarquer.

Je fermai les yeux et laissai les rayons du soleil réchauffer ma peau laiteuse.

— C'est que... me décidai-je à dire, je ne veux pas y croire.

Il déposa un baiser sur ma joue et je rouvris les yeux.

— Je sais, me comprit-il. Tout comme je ne voulais pas croire à la trahison de Henri.

Je me tournai vers lui et sondai son regard.

— Tu veux qu'on en parle ? l'interrogeai-je.

Il baissa les yeux, prit mes mains et les observa. Puis, il hocha lentement la tête.

— Henri et moi, commença-t-il, nous étions meilleurs amis. On a grandi ensemble. On partageait les mêmes valeurs, les mêmes pensées... on était comme des frères. Le jour où on m'a placé dans cet hôpital, il a emménagé dans la ville et on est entrés dans le groupe des résistants. C'est lui qui m'a introduit à Louis, Georges, Antoine et Jacques. Il pensait qu'intégrer les forces de la Résistance pourrait me faire oublier pourquoi j'étais là.

Il ferma les yeux et avala douloureusement sa salive.

— Je n'ai pas découvert tout de suite que... continua-t-il, qu'il s'était tourné du côté de la collaboration... Mais, je venais de vivre la perte de plusieurs êtres qui m'étaient très chers et il était là pour moi. Alors, même quand j'ai aperçu les premiers signes... je me suis voilé la face. Je n'arrivais pas à croire les évidences. C'est tout comme toi avec l'état de santé de Denis. Mes actes ont causé la perte de trois maquisards. Deux pères de famille et une fille. Depuis, j'ai compris que ça ne pouvait plus continuer et... j'ai confronté Henri.

Il me regarda droit dans les yeux. Je pus lire une profonde culpabilité le ronger.

— Encore une fois, je n'aurais pas dû... murmura-t-il d'une voix étranglée. Il a tout de suite compris que j'allais le dénoncer et, après avoir tenté de me montrer à quel point il était bon pour moi, à quel point je me trompais en le condamnant, il s'est enfui. C'est de ma faute s'il a eu la possibilité de perpétrer des actes si atroces. J'aurais pu l'en empêcher mais je ne l'ai pas fait. Si seulement j'avais su... Si seulement, j'avais *pu*...

Je fronçai les sourcils et pris son visage en coupe entre mes mains, le caressant du pouce.

— Eh, écoute-moi, lui demandai-je. Ce n'est pas toi qui as commis tous ces meurtres. Ce n'est pas toi non plus qui as trahi. Vous étiez comme des âmes sœurs mais il t'a utilisé, il t'a fait du mal. Tu avais besoin de lui et il s'est servi de cela. Comment pouvais-tu ne serait-ce que penser qu'il s'était retourné contre toi ?

Il baissa la tête vers le sol mais je la relevai.

— Tu es humain Marceau, lui montrai-je. Tu as un cœur et tu as le droit de commettre des erreurs. Tu as le droit de ressentir de la peine. Par contre, tu n'as pas le droit de te sentir coupable pour ce qu'il t'a fait. Tu m'entends ?

Il ébaucha son fameux sourire en demi-lune puis je l'enlaçai.

— Ce n'est pas de ta faute, murmurai-je à son oreille. Retiens bien ces mots.

Il déposa un baiser sur ma joue et recula.

— Merci, Mélanie, me dit-il.

Nous nous embrassâmes et je retournai à l'hôpital : il ne fallait pas que notre absence soit trop longue car quelqu'un pourrait la remarquer. Et je ne voulais pas que cela arrive, surtout avec Suzanne dans les parages.

Je m'installai confortablement sur mon lit, un livre dans les mains. N'arrivant pas à me concentrer, je laissai mon esprit vagabonder et, bien sûr, ce fut Marceau qui envahit mes pensées.

Je constatai qu'il ne me surnommait plus « princesse ». Il avait arrêté d'utiliser ce mot depuis que nous nous étions rapprochés. Peut-être s'était-il rendu compte que m'énerver ne faisait pas avancer les choses ? Finalement, il était beaucoup plus mature que ce que j'avais pensé…

Je le découvrais stratège, responsable, toujours là pour les autres, avec un bon sens de l'humour… Je découvrais aussi que toutes ses qualités compensaient mon exténuant sérieux…

Bien que je ne me le sois pas avoué auparavant, on se complétait et on se ressemblait.

Plus jeune, je pensais qu'avoir des sentiments pour quelqu'un était une faiblesse, mais je me rendais désormais compte qu'ils constituaient ma plus grande force.

Chapitre 31
Vendredi 19 mai 1944

Nous avions passé encore quelques semaines dans cette atmosphère inconfortable. J'étais tiraillée entre la peur de perdre mon meilleur ami et celle de ne plus me contrôler face à Suzanne.

Le vendredi dix-neuf mai, des bombardements alliés éclatèrent en ville.

Lorsque je m'étais levée le matin, tout allait bien. Toutefois, l'ambiance était beaucoup trop paisible à mon goût.

Marceau avait reçu une lettre codée en morse dans laquelle Jacques nous demandait de le rejoindre à la base. Aussi, il me laissa ce travail de décodage.

Autrefois, je comprenais facilement le morse. J'avais appris à utiliser ce langage afin de communiquer avec les membres de ma famille et surtout avec les Absinthes… enfin, jusqu'à ce qu'ils nous dénoncent.

Ce matin-là, nous décidâmes de concert qu'il partirait le premier pour faire du repérage, puis que je le rejoindrais ensuite. Nous ne voulions pas attirer l'attention sur nous ni sur la Résistance. Aussi, j'en profitai pour passer le plus de temps possible avec Denis.

Lorsque je me décidai à partir, les sirènes retentirent : des bombardements se profilaient à l'horizon.

Je lâchai la main de Denis, lui posai une dernière fois un baiser sur le front et partis en courant. Je croisai Anne qui tenta de me stopper. Néanmoins, je fus trop rapide.

Je devais retrouver Marceau et cet idiot se leurrait s'il pensait que je resterais bien à l'abri à l'attendre.

Je continuai ma course et entrai dans la forêt. Quelques instants plus tard, un avion lâcha une bombe. Je me souviens encore du bruit que l'on peut entendre lorsque l'une d'entre elles se précipite au-dessus de votre tête : un son strident qui vous prend aux tripes et qui vous suit jusque dans vos pires cauchemars.

À l'instant même où elle atterrit, elle me propulsa en arrière. J'eus à peine le temps de me couvrir les oreilles que mon dos se retrouva brutalement plaqué contre le sol, coupant ma respiration.

Toutefois, je n'attendis pas le déluge avant de me relever. À peine la bombe avait-elle explosé que déjà j'étais repartie.

J'entendis d'autres bombes non loin de moi mais accélérai encore plus ma course. J'avais l'impression de voler. L'impact de la bombe sur mon organisme m'avait déboussolée.

Arrivée à la base, je remarquai un trou béant. Je ne restai pas paralysée à l'observer. Au contraire, je me précipitai vers les décombres et essayai de trouver des survivants.

Le silence était désormais maître. Seules quelques explosions assez éloignées se faisaient entendre. J'eus beau soulever toutes sortes de planches et autres éléments de la bâtisse, je ne voyais personne.

Soudain, j'entendis un râle, rauque. Je reconnus instantanément l'auteur de ce son et me dirigeai vers lui.

À l'abri des morceaux effondrés, je le trouvai dans la petite salle, à terre, assommé par une planche de bois. Je remerciai intérieurement le constructeur de cette pièce car elle était quasi intacte.

Je le dégageai et l'appelai doucement par son prénom. Il était hors de question que je cède à la panique. À mon plus grand soulagement, il me répondit et serra ma main lorsque je le lui demandai. Je discernai une profonde entaille sur sa joue. Aussi, j'inspectai délicatement sa tête : non, aucune autre blessure.

Nous n'avions pas la possibilité de rester là à attendre qu'il reprenne des forces : des SS pouvaient débouler à tout instant.

Je caressai sa joue intacte et il ouvrit les yeux. Je lui souris.

— Tu penses pouvoir te lever ? lui demandai-je.

Il se redressa et essaya de s'asseoir.

— Oh là ! m'exclamai-je. Pas trop vite !

Je l'aidai à se mettre complètement en position assise et il m'observa.

— Et toi ? s'enquit-il. Tu vas bien ?

Je passai une main sous ses épaules et une autre au niveau de son torse et me préparai à le mettre debout.

— Oui, le rassurai-je. Mais là, n'est pas la question. Il faut qu'on parte.

Il prit appui sur moi et se leva tant bien que mal.

— Tu n'as pas fini d'essayer de me sauver ? dit-il ironiquement. Il ne faudrait pas que ça devienne une habitude.

Je lui souris et l'aidai à faire quelque pas.

— La journée n'est pas finie, lui rappelai-je.

Sur ce, nous continuâmes d'avancer et sortîmes de ce lieu délabré.

Une fois à bonne distance, Marceau commença à se mouvoir seul. Nous fîmes quelques pas lorsqu'une autre bombe explosa à côté de moi.

Marceau m'attira contre lui pour me protéger mais l'intensité de la déflagration nous sépara violemment.

Elle me projeta contre un arbre. Cela me coupa la respiration et je reçus un choc à la tête. Heureusement pour moi, seuls des éclats m'avaient atteinte.

Une longue trace brunâtre recouvrait ma jambe droite, du bas de la cuisse à la cheville. Le derme y était décoloré et des cloques perçaient çà et là. Je ne pus hurler de douleur mais ma souffrance était profonde.

Après avoir rapidement constaté l'ampleur des dégâts, je rampai jusqu'à Marceau. Son torse ne se soulevait plus. Un pic d'adrénaline m'envahit.

Je pris immédiatement son pouls et ne décelai aucun battement de cœur. Je me mis à pratiquer des compressions thoraciques à un rythme régulier, entrecoupées de quelques insufflations. Après une infinité de secondes, il inspira à nouveau.

Ses yeux se dirigèrent vers moi.

— La prochaine fois que tu essaies de mourir, lui promis-je, je te tue.

Il arbora son sourire en demi-lune mais l'effaça presque aussitôt.

— Laisse-moi… me demanda-t-il dans un souffle.

Je portai mon attention sur lui et niai d'un signe de tête.

Il plaça sa main sur ma joue et la caressa délicatement du pouce.

Je le regardai droit dans les yeux. Je n'avais pas envie de pleurer, simplement de le ramener à l'hôpital, avec moi.

— Je vais te ralentir, tenta-t-il d'argumenter.

Je l'observai, la détermination se lisant sur mon visage.

— Trouve autre chose, lui suggérai-je alors.

Il continuait de sourire, essayant sûrement de me convaincre de partir. Doucement, je plaçai ma main sur sa joue et caressai les contours de sa blessure, avant de replonger mes yeux dans les siens.

— S'il te plaît... commença-t-il.

— Tais-toi, le coupai-je.

Je l'embrassai.

Délicatement, je l'assis contre un arbre et attendis qu'il ait assez de forces pour pouvoir le relever.

Nous reprîmes notre marche.

À chaque pas, j'avais l'impression qu'un serpent glacé se faufilait dans ma jambe et tentait de m'arrêter. Cependant, je ne pouvais pas lâcher Marceau. Il avait besoin de moi.

Nous ne mîmes pas trop de temps avant d'atteindre l'hôpital.

Une fois arrivés là-bas, l'image de la gendarmerie me revint en tête. Tout comme elle, l'hôpital ressemblait à une véritable fourmilière.

Nous nous rendîmes dans la salle. Là-bas, les garçons et Suzanne attendaient tous, ainsi que des infirmières. Qu'attendaient-ils ? Je ne le savais pas. Par contre, je le compris dès que Pierre et André nous montrèrent du doigt.

La pression avait été telle que je n'avais même plus la force d'écouter. L'adrénaline commençait à s'évaporer et, à chaque instant, le corps de Marceau pesait un peu plus sur mes épaules.

Anne arriva à proximité de nous. Clothilde posa sa main sur la mienne, m'encourageant à lâcher Marceau, puis je tombai à genoux. Deux jeunes médecins le prirent en charge et Anne me retint.

Je papillonnai du regard et lui soufflai un remerciement avant de perdre connaissance. Les chocs répétés à la tête ainsi que les divers dégâts infligés à mon corps ne m'avaient pas laissée intacte. L'adrénaline totalement inhibée par la douleur, mon organisme ne put en supporter davantage.

Quand j'ouvris les yeux, le ciel était noir et le soleil n'allait pas tarder à pointer le bout de son nez. Je tournai la tête sur la droite, pour vérifier si Marceau était là, et poussai un soupir de soulagement en le voyant. Puis je me rendormis.

Je me réveillai au milieu de l'après-midi. J'avais un bandage le long de la jambe, recouvrant ma brûlure. D'après les médecins, je n'aurai plus qu'une cicatrice dans quelques semaines.

Marceau allait mieux mais son entaille avait laissé une balafre. Lorsque je pris connaissance de mon environnement, il était avec le reste du clan des petits rois et discutait. Pendant que je l'observais, il tourna la tête vers moi et nos regards se croisèrent.

Il m'accorda son fameux demi-sourire et je le lui rendis en retour.

Chapitre 32
Vendredi 26 mai 1944

À la fin de la semaine suivante, j'avais très bien récupéré. Je n'avais même plus besoin de pansement et ma peau avait même retrouvé quelques couleurs. Marceau, lui, vivait comme si de rien était. La seule preuve de ce que nous avions vécu était son estafilade.

Le mercredi vingt-six mai, deux officiers vinrent chercher Suzanne qui quitta l'hôpital de bon matin pour ne jamais revenir. Ceci nous arracha à tous un profond soulagement. Redevenir la seule femme ici m'indifférait mais le fait de ne plus avoir cette Aryenne constamment sur nous me soulageait. De plus, personne ne m'avait livrée et cela me fit reconsidérer certains de mes camarades, comme mon ancien voisin Pierre Martin.

Cependant, les bonnes nouvelles n'étaient pas les seules.

L'état de Denis se dégradait et les médecins ne pouvaient rien faire pour l'aider à surmonter cette dernière phase de vie. Ce même jour, lorsqu'il pouvait encore communiquer avec moi, il me demanda de rester avec lui.

Je pris une chaise et m'assis contre le rebord de son lit de façon à pouvoir y allonger la partie avant de mon buste. Je lui passai une serviette humidifiée sur le front, épongeai la sueur puis pris sa main. Nous n'avions plus rien à nous dire depuis longtemps et ce silence ne faisait qu'amplifier ma peine.

Il ouvrit les yeux, me regarda et s'humecta les lèvres avant de parler.

— Mélanie, murmura-t-il.

Je m'approchai de lui et lui caressai le front, comme je le faisais autrefois avec mes frères et sœurs.

— Chut, lui intimai-je. Garde ton souffle. Ne le gaspille pas pour moi.

Il sourit, faisant craquer ses lèvres gercées.

— Tu as toujours été là pour moi, remarqua-t-il.

Je lui souris en retour.

— Tout comme tu as toujours été là pour moi, ajoutai-je.

Il ferma les yeux et prit une inspiration.

— Oui mais, insista-t-il, tu menais des combats sur différents fronts… et tu trouvais toujours le temps de venir me voir.

Je dégageai ses mèches rebelles.

— C'est normal, repris-je, tu es mon meilleur ami.

Il sourit et serra légèrement ma main.

— Et j'ai eu la chance d'être comme ton frère, commenta-t-il.

Je fouillai au fond de ses yeux et fronçai légèrement les sourcils, attentive.

— Tu l'es, avouai-je. Tu es mon frère et tu resteras gravé dans mon esprit comme étant mon frère.

Il ferma les yeux et je lui déposai un baiser sur le front. Petit à petit, je pouvais sentir sa main desserrer la mienne.

Depuis ce moment, il n'a pas rouvert les yeux. Il respirait toujours, son cœur battait. Son état était tellement précaire que son organisme avait décidé de se plonger lui-même dans le coma. Peut-être était-ce pour maintenir ses fonctions vitales ?

J'étais restée à son chevet jusqu'au vendredi.

Le stress et la colère auxquels j'étais sujette depuis le coma de Denis m'empêchaient de me nourrir et de dormir correctement. Je n'arrivais pas à me faire à l'idée qu'il allait disparaître.

Je ne voulais pas perdre un autre membre de ma famille.

Afin de nous distraire, nous n'avions que la radio de Marceau, toujours allumée. Au moins cinq fois par jour, je pouvais entendre les journalistes nous parler de bombardements dans les diverses villes de France.

À l'hôpital, le climat, qui était déjà anxiogène, ne faisait que devenir un peu plus oppressant chaque jour. Je pouvais entendre de plus en plus de rumeurs à propos du rapprochement des Alliés et d'une future libération. Toutefois, je savais qu'il nous faudrait encore patienter avant de pouvoir à nouveau goûter à la liberté.

Durant l'après-midi, Anne vint me chercher pour un examen de santé. C'était un rendez-vous de routine.

En sortant, dans le couloir, quelqu'un m'attendait. C'était un individu à qui je n'avais pas parlé depuis quelques jours et que je n'avais pas envie de voir. En effet, il m'avait laissée, seule, m'abandonnant à mes cauchemars et mes tourments.

— Ça va ? me demanda Marceau.

Il avait l'air réellement inquiet mais je ne le relevai pas.

— Pourquoi ? m'enquis-je. Je t'intéresse maintenant ?

Il tenta de prendre ma main mais je reculai d'un pas.

— Laisse-moi, lui ordonnai-je.

Il ne me lâchait pas du regard et plissa les yeux.

— On peut parler ? m'interrogea-t-il.

Je croisai les bras sur ma poitrine et soufflai. J'observai autour de nous avant de me décider.

— Oui, lui répondis-je.

Il ouvrit une porte et je le suivis. Nous étions dans un petit bureau. Je ne me sentais pas à l'aise. J'avais l'impression de me retrouver dans la réserve.

— Comment vas-tu ? me redemanda-t-il.

J'expirai. Je me calai contre le rebord d'une table jonchée de documents.

— Tu me l'as déjà demandé, lui fis-je remarquer. Et je t'ai dit que j'allais bien.

Il croisa lui aussi les bras et m'observa. Nous nous livrions un véritable duel.

— Écoute, je sais que c'est difficile pour toi depuis que Denis est dans le coma, commença-t-il, mais je pense que tu devrais te ressaisir. Tu ne peux plus l'aider maintenant, il est temps de le laisser.

Il remettait toujours tout sur la faute de Denis. J'avais l'impression parfois que, dans sa bouche, il était à l'origine de tous mes maux.

— Tu n'en as pas marre de faire une fixette sur lui ? le questionnai-je. Tu ne te dis pas que, pour une fois, ce n'est pas à cause de lui que je ne suis pas au top de ma forme ?

Il plissa les yeux et décroisa les bras, en proie à l'incompréhension.

— Quoi ? s'exclama-t-il. Je n'ai pas dit ça !

Furieuse, je pris une profonde inspiration et serrai les dents.

— Bien sûr que si, démentis-je. C'est toujours à cause de lui ! Denis par-ci, Denis par-là… Quand le laisseras-tu tranquille ?

Il leva les mains en l'air et s'approcha de moi.

— Qu'est-ce que tu veux que je te dise ? me demanda-t-il. Que je suis jaloux de lui ? Et bien soit, oui, je suis jaloux de lui.

Pourquoi est-ce que je ne vois jamais ces choses-là arriver ? songeai-je. Tout comme la naissance de mes sentiments envers

Marceau, je ne sentais pas ces évènements approcher et ils m'explosaient toujours en pleine figure.

— Et donc ? me perdis-je. Qu'est-ce que ça fait ?

Il plongea ses yeux dans les miens.

Je voyais bien qu'il essayait de m'apaiser, de se rapprocher de moi, mais je ne voulais pas le laisser faire. J'étais beaucoup trop remontée contre lui.

— Tu sais, je tiens à toi, insista-t-il. Mes sentiments ne datent pas de ce jour dans la forêt, je les éprouve depuis bien plus longtemps. Alors, oui, quand je te voyais avec Denis, si complices, je ne pouvais pas m'empêcher de fulminer.

Je le regardai, incrédule.

— C'est pourquoi tu as tenté de m'éloigner de lui, dis-je, comprenant enfin la situation.

Coupable, il confirma d'un hochement de tête.

— Et à aucun moment, tu n'as remarqué qu'il n'y avait que de l'amitié entre nous ? l'interrogeai-je.

Il releva le menton vers moi.

— Si, affirma-t-il. C'est pour ça que je te rassurais sans ressentir la moindre jalousie. C'est aussi pour ça que je te laissais passer ton temps avec lui en toute confiance. Mais comprends-moi, j'avais mes raisons d'être jaloux.

Je ne comprenais pas.

— Et pourquoi ? l'interrogeai-je.

Il me regarda comme si c'était évident.

— Parce que je n'étais pas le seul à m'être attaché à toi, m'avoua-t-il. Il y avait aussi Julien… c'est pour ça qu'il est parti : parce qu'il savait que tu ne ressentais rien pour lui. Et… au début, oui, je pensais que Denis et toi étiez amoureux.

D'accord, là, je ne m'y attendais pas du tout, pensai-je.

Est-ce que je savais que Julien avait quitté l'hôpital à cause de moi ? Non. Est-ce que je savais que le gang des petits rois s'était mis en tête que je flirtais avec Denis ? Non, plus.

Je n'avais jamais relevé ce genre de détails et tout ce qu'il me révéla me déboussola encore plus.

— Mais c'est absurde, murmurai-je.

Il passa la main dans ses cheveux, gêné.

— Oui, concéda-t-il. Je sais. Mais avant, je ne te connaissais pas aussi bien.

Le temps des révélations terminé, je me levai et me dirigeai vers la porte.

— Attends ! m'arrêta-t-il.

Je me retournai vers lui.

— Quoi ? m'enquis-je.

Excédé, il souffla.

— Si je t'ai demandé de venir, c'est pour m'assurer que tu allais bien, m'expliqua-t-il.

Je détournai les yeux.

— Tu aurais peut-être pu me le demander avant de me laisser tomber, lui fis-je remarquer.

Il cherchait mon regard.

— Mais je ne t'ai pas laissée tomber ! réfuta-t-il.

Je le fixai.

— Ah oui ? m'interloquai-je. Alors pourquoi n'es-tu pas venu me voir une seule fois ? Dans tous les cas, laisse-moi, je t'ai dit que j'allais bien.

Je marchais vers la sortie lorsqu'il me prit par le poignet.

— C'est faux, lança-t-il. Et tu le sais très bien. Tu ne manges plus, tu ne dors plus… Je suis désolé de n'être pas venu te voir, je pensais que tu avais besoin d'être seule.

Je ne bougeai pas.

— Fais attention à toi, dit-il. S'il te plaît.

Je considérai ces paroles puis dégageai ma main.

— Tu as mal pensé, finis-je.

Et je sortis.

Je ne le vis plus de la journée. De toute façon, je n'en avais pas envie.

J'étais restée sur ma chaise, aux côtés de Denis, et fixais droit devant moi. Je ne ressentais ni faiblesse ni fatigue. J'étais seulement là.

Il fallait que je reste forte parce que si Denis mourrait, j'allais en avoir besoin.

Le soir, alors que je dessinais pour évacuer ma frustration, nous entendîmes des bombardements au loin. Les garçons se ruèrent vers les fenêtres et hurlèrent tous de joie en voyant des avions alliés chasser des nazis.

Tout à coup, les sirènes retentirent. Jeanne entra en courant et nous fit signe de sortir.

— Tous dans l'abri ! nous ordonna-t-elle. Vite ! VITE !

Les garçons se dirigèrent vers la porte. Je me levai et observai Denis.

— Vas-y ! me dit un médecin. On va le prendre en charge.

Je finis par consentir à partir quand un son strident, un son qui vous prend aux tripes, se fit entendre.

Par réflexe, je me jetai au sol. En un instant, il n'y avait plus de plafond. Les docteurs et Denis avaient disparu.

Je me relevai, chancelante, et essayai de faire le point sur ce qui s'était passé. Tandis que quelque chose me tombait sur le visage, quelque chose d'autre explosa à côté de moi. Je me retrouvai projetée vers l'avant, assaillie par un long « bip » aigu qui me creva les tympans.

Je mis quelques secondes avant de réaliser la situation. J'observai que ce qui se déversait sur moi n'était pas de la pluie mais bel et bien des morceaux de chair humaine. Prise d'une nausée soudaine, mon corps se vida.

Tout à coup, un bruit sourd m'alerta. Je me retournai : une poutre allait me tomber dessus. Ayant agi trop tardivement, je fus impuissante. Prise d'un instinct de survie, je rampai. Hélas, je fus clouée au sol.

Afin de me protéger du reste de l'éboulement, je me mis mes bras autour de la tête.

Mon environnement stabilisé, j'essayai de ramener la jambe gauche vers moi. Elle ne bougea pas. Je vis que mon pied était totalement bloqué sous les décombres. J'essayai d'ôter les débris qui le recouvraient mais rien n'y fit : ils étaient trop importants et le simple fait de me plier me faisait atrocement souffrir.

Je ne savais plus quoi faire.

Dans un cri d'effort, je poussai les gravats tout en ramenant ma jambe contre moi. Et là, seule la douleur régnait.

Tout s'effondrait autour de moi. J'étais en train de perdre pied. Mes pensées étaient confuses et je n'arrivais plus à mettre de l'ordre dans ma tête.

Marceau avait raison : je n'allais pas bien. J'avais l'impression d'entendre des bombes me tomber dessus. Toutefois, lorsque je regardai en l'air, je ne pus observer que quelques nuages et la lune.

En reportant mon attention sur moi, je me focalisai sur mes mains et paniquai à la vue des morceaux de chair. Je les balayai compulsivement et rabattis les mains sur mes oreilles pour masquer tous ces bruits de bombes. Je me mis en boule et tentai de me calmer.

Je tremblais. Des larmes perlaient le long de mes joues. Ma respiration était saccadée et j'avais des fourmis dans le pied.

Dans un accès de rage, je poussai la poutre de toutes mes forces et réussis à la décaler de quelques centimètres. En essayant de me concentrer, je vis que l'extrémité gauche reposait sur un petit objet de bois. Ce dernier commença à se craquer et à se fissurer.

— Non, non, non ! m'affolai-je.

Avant de perdre à nouveau pied, je poussai un peu plus la poutre.

Cette idée de génie réduisit la solidité de l'objet et elle s'affaissa un peu plus sur mon pied. Je poussai un cri terrible et renonçai.

Tout à coup, j'entendis un bruit de friction au-dessus de moi. Le mouvement que j'avais effectué avait remis en cause toute la stabilité de la structure qui m'entourait. Quelques éléments du reste du plafond tombèrent alors et l'un d'entre eux, pas très volumineux, ricocha sur mes côtes.

Ma respiration se coupa. Après plusieurs tentatives, je réussis à me reprendre.

Dos au sol, je me mis à fixer droit devant moi et abandonnai. J'étais à bout de force et à bout d'idée…

J'étais seule, comme je l'avais été durant la majeure partie de ma vie. Acceptant ce qui allait se passer, je refoulai ma colère. De plus, les poumons remplis de poussière et le pied immobilisé furent le trop-plein.

Je laissai une dernière larme couler le long de ma joue puis fermai les yeux.

Soudain, des mains déplacèrent la poutre, me tirèrent et je me retrouvai libérée. Puis, elles m'aidèrent à m'asseoir.

Je repliai la jambe gauche et sentis un rictus de douleur assombrir mon visage. J'essuyai rapidement les traces de mes quelques pleurs et inspectai mon pied. Heureusement pour moi, ma chaussure avait fait office de bouclier. Ma cheville, quant à elle, était violacée et avait doublé de volume. Au moins, je n'avais pas de fracture et je pouvais très clairement m'estimer chanceuse.

— Tu peux te lever ? me questionna Marceau.

Je me dépoussiérai grossièrement et le regardai.

— Bien sûr, lui assurai-je, impassible.

Il me tendit la main et je la saisis.

Il me leva et je fis un premier pas. En posant mon pied au sol, la douleur implosa. Au second pas, je vacillai. Marceau me rattrapa et passa son bras autour de ma taille pour me soutenir. Nous ne pouvions pas nous permettre de rester plus longtemps. Je passai mon bras au-dessus de ses épaules et pris appui sur lui.

Nous nous dirigeâmes ensuite vers l'escalier qui menait à l'abri, évitant de peu l'écroulement du reste de la salle.

— Ça va aller, me rassura-t-il.

Je l'ignorai et me concentrai sur notre progression. Je le sentis se détendre.

— Je voulais venir, m'avoua-t-il, mais je n'ai pas eu le choix.

Je soufflai, agacée.

— On a toujours le choix, lui rappelai-je.

Il nia de la tête. Ses muscles se contractèrent.

— Non, Mélanie. Ils ne m'ont pas laissé le choix, expliqua-t-il. Quand j'ai vu que tu ne nous suivais pas, j'ai tout de suite fait demi-tour. Mais Anne s'est interposée et a demandé à deux assistants en médecine de me conduire au sous-sol, avec les autres. Et là, ils m'ont enfermé dans une petite pièce. Dès que j'ai entendu l'effondrement, j'ai redoublé d'efforts pour sortir. J'ai tenté d'enfoncer la porte mais elle n'était pas en bois, elle faisait partie de l'abri. Au bout d'un moment, le Docteur Rigot est venu m'ouvrir et m'a demandé d'aller voir ce qui se passait en haut. Et c'est là que je t'ai trouvée.

Lorsqu'il eut fini de parler, je ne dis rien.

J'étais toujours énervée contre lui, mais tout de même moins qu'avant. J'avais beau m'être sentie abandonnée, j'étais soulagée de le voir sain et sauf.

Ne souhaitant pas prononcer de paroles que j'aurais été amenée à regretter, je préférai le mutisme à la confrontation.

En haut des escaliers qui menaient à l'abri anti-bombes, j'écarquillai les yeux d'horreur en voyant le nombre de marches qu'il y avait à descendre. De plus, leur diamètre était trop petit pour que nous puissions demeurer côte à côte : j'allais devoir marcher.

Ça va aller, m'encourageai-je. *Tu peux le faire.*

— Je vais te porter, me proposa Marceau. Ce sera plus simple pour nous deux.

Je secouai la tête.

— Non, je peux descendre toute seule, niai-je.

Il souffla.

Dès que je posai le pied, il céda. Heureusement, Marceau me retint. Mon incapacité à me déplacer seule m'excédait tout autant que j'impatientais Marceau.

— On ne va pas pouvoir continuer comme ça, me dit-il. Tu vas devoir me faire confiance.

Lui faire confiance. Je la lui avais déjà accordée en intégrant les forces de la Résistance. Néanmoins, dernièrement, il m'avait laissée à des moments où j'avais besoin de lui. Pouvais-je lui faire confiance ?

Je pris un instant pour réfléchir et me décidai.

— C'est d'accord, acceptai-je.

Je passai mon bras autour de sa nuque et il passa celui qui lui restait de libre sous mes jambes. Mes pieds quittèrent le sol et j'accentuai ma prise autour de lui.

Arrivés en bas, il me déposa au sol puis il m'aida à me déplacer. Lorsque j'ouvris la porte, j'observai une salle immense.

Tout le monde était là. Différents blocs séparaient les patients et j'aperçus une petite porte blindée au fond.

— Elle est là ! s'écria Clothilde.

Mes quatre infirmières préférées vinrent à ma rencontre et m'examinèrent avec attention.

— Amène-la ici, tu veux ? commanda Anne à Marceau.

Elle désignait une table située contre un mur sur laquelle reposait du matériel de premier secours ainsi que de nombreux bandages.

— Tu saignes ? me demanda Marie.

Je déglutis.

— Non, lui répondis-je. Ce n'est pas mon sang.

Elles se lancèrent un regard inquiet.

Marceau m'accompagna jusqu'à la table et je m'y installai. Anne s'occupa de ma cheville et Jeanne se tourna vers Marceau.

— On va bien s'occuper d'elle, lui promit-elle. Ne t'inquiète pas.

Encore énervés l'un contre l'autre, je ne le regardai pas et il s'éloigna d'un pas décidé.

— Qu'est-ce qui se passe entre vous deux ? me questionna Jeanne.

Je ne voulais pas répondre, cela ne la concernait en rien. De plus, j'étais faible, trop faible.

L'espace d'un instant, tout se mit à tourner autour de moi mais Anne me retint. Elle passa doucement sa main sur mon visage puis me cala contre le mur.

— Ce n'est pas le moment de l'embêter avec tes questions, la reprit-elle.

Sur ce, Jeanne acquiesça et elles s'activèrent autour de moi. Je fermai les yeux et les laissai faire leur travail.

Après avoir désinfecté mes plaies, nettoyé mon corps du sang qui ne m'appartenait pas et posé un bandage autour de la cheville, elles m'emmenèrent dans la petite salle que j'avais repérée en entrant.

L'étagère qui se trouvait dans le fond semblait avoir été victime de chocs violents et quelques morceaux de verre jonchaient le sol. Marceau avait bien été enfermé à son insu.

Les infirmières retirèrent mes vêtements et examinèrent mon corps de plus près. Elles inspectèrent les bleus qui surplombaient mes côtes et décidèrent de les bander très fortement. D'ailleurs, elles firent attention à ne pas écraser mes sous-vêtements entre ma peau et mon bandage, puis me donnèrent une nouvelle tenue. Je finis par vêtir un pantalon et un chandail.

Ensuite, Marie me donna des béquilles et nous retournâmes dans l'abri. Étrangement, il me sembla moins grand par rapport à mon arrivée.

J'allais mieux et je pouvais remercier les infirmières pour cela. Elles ne m'avaient pas posé de question. C'était tout ce dont j'avais besoin.

Elles m'indiquèrent mon bloc qui, bien évidemment, était celui dans lequel je pouvais retrouver tous mes petits camarades masculins.

Je me dirigeai vers l'extrémité d'un mur contre lequel se trouvait de nouveau une table, mais vide cette fois-ci, lorsque j'entendis quelqu'un m'appeler.

— Alors c'est comme ça ? s'enquit Marceau. Même pas un remerciement, rien.

Je levai la tête vers le plafond, fermai les yeux et me retournai.

— Quoi « c'est comme ça ?» m'énervai-je. Tu penses réellement qu'on va te remercier à chaque bonne action que tu vas commettre ?

Il avait les bras croisés sur son torse et m'observait.

— Tu ne penses vraiment qu'à toi, articula-t-il. Je te viens en aide et tu t'en fous ?

Notre échange attirait de plus en plus de curieux parmi nos camarades mais je n'en avais rien à faire. J'étais beaucoup trop remontée contre Marceau.

— Excuse-moi mais je ne compte pas le nombre de fois où je t'ai sauvé sans recevoir le moindre « merci », lui fis-je remarquer.

Je contractai les mâchoires et serrai les béquilles.

— Si on compte le nombre de fois où je t'ai sauvé la vie, argumenta-t-il, je pense que j'ai gagné.

Je ris faussement.

— Mais qu'est-ce que tu me fais là ? me moquai-je. Un concours de « celui qu'a le plus sauvé l'autre » ?

J'agitai la tête de gauche à droite.

— Pathétique, lâchai-je.

Notre bloc était silencieux. L'intégralité des garçons suivait notre débat avec attention.

— Ce n'est pas une compétition, me corrigea Marceau, c'est une simple question de principes. Je pensais que tu en avais, mais apparemment même eux ne font pas le poids.

Je m'avançai un peu plus vers lui, la rage au ventre.

— Une « question de principes », c'est ça ? répétai-je. Quand tu avais besoin de moi, j'étais là. Mais quand moi j'avais besoin de toi, où étais-tu ?

Il plissa les yeux et souffla.

— Si tu n'es pas capable de comprendre que tu n'es pas le centre du monde, alors remets-toi en question ! Finalement, c'est bien qu'il ne se soit rien passé entre toi et Denis. Tu ne mérites même pas d'être son amie, cracha-t-il.

Soudain, ce fut le silence.

À l'évocation de Denis, mon cœur se brisa. Je sentis ma gorge se serrer et un goût âcre se déposa dans ma bouche. Je détournai le regard et me mordis l'intérieur des joues.

Outre les blocs qui nous entouraient, nous n'entendions pas une mouche voler.

Marceau réalisa trop tard qu'il avait été trop loin. Lorsqu'il tenta de se rattraper, je lui fis signe d'arrêter d'un geste de la main et le fixai amèrement.

— Tu as encore mal pensé, conclus-je.

Je discernai de la culpabilité et des remords. Toutefois, ce qui avait été fait avait été fait.

Alors, je me dirigeai vers la table, placée à quelques dizaines de mètres derrière la délimitation de mon bloc. Je jetai mes béquilles et m'assis dessus, exténuée, avant de poser mon dos contre le mur et de fermer les yeux.

Ce fut avec le plus grand déplaisir que je me rendis compte que, dès que je fermais les paupières, les images des évènements traumatisants que je venais de vivre me revenaient en tête et amplifiaient la blessure interne que je venais de creuser.

Je calai donc ma tête contre le mur et fixai droit devant moi. Je pliai ma jambe droite vers moi et y laissai reposer mon bras. Un long combat intérieur commença contre mes propres souvenirs…

Perdue dans mes pensées, je mis quelques secondes avant de remarquer que quelqu'un s'approchait de moi. Je n'eus pas besoin de le regarder. Je le reconnus à sa démarche assurée et le va-et-vient des mains de ses cheveux à ses poches, dénotant quelque peu avec son attitude confiante. Il vint se placer à ma droite, appuya sa tête contre le mur et regarda droit devant lui.

Il croisa les bras et je pus sentir sa peau contre la mienne.

Je ne bronchai pas. J'attendis qu'il parle. Je savais qu'il était en pleine réflexion pour trouver les mots justes. J'avais perdu toute motivation de m'exprimer.

Alors j'attendis.

— Après que tu t'es fait agresser par l'officier à l'hôpital, finit-il par articuler, tu as dit au Docteur Rigot que tu étais morte. Tu as continué en lui disant que plus personne ne te rattachait à ce monde, que ta vie ne valait plus rien et que, si tu te faisais torturer ou que tu mourrais, tu n'entraînerais personne dans ta chute.

Il s'arrêta un instant avant de reprendre.

— Mais tu as omis un détail, me précisa-t-il. Tu m'as omis moi. Tu es la personne qui donne un sens à ma vie, qui me fait honorer mes valeurs et si jamais tu venais à mourir… Tu ne le sais peut-être pas, mais je tiens à toi.

Je sentis ses muscles se relâcher. Il prit une inspiration et acheva son aveu.

— Si tu venais à mourir, termina-t-il, j'ai peur que mon monde ne bascule dans l'obscurité et que jamais je ne m'en relève.

Ces mots me touchaient et me déchiraient en même temps. Je m'en voulais d'avoir eu des paroles aussi dures envers lui, d'avoir été aveuglée par ma colère et ma douleur... D'un autre côté, je lui en voulais de m'avoir laissée et d'avoir utilisé Denis pour me répondre... Alors je ne dis rien.

Cette fois, ce n'était pourtant pas moi mais lui qui attendit que je parle.

Nous restâmes alors côte à côte dans le silence jusqu'à ce qu'un besoin de lui parler se fît ressentir. Ce n'était pas un simple besoin, ni même un désir : c'était une réelle nécessité. Plus je restais impassible et plus je souffrais.

Alors je me laissai aller.

— Tu sais, commençai-je, tout à l'heure quand vous étiez tous partis, dès que j'ai entendu cette bombe, j'ai couru. J'aurais pu aider les docteurs à déplacer Denis mais je ne l'ai pas fait. Je n'avais pas envie de mourir. Quand elle a explosé, je n'ai pas compris tout de suite ce qui venait de se passer, j'étais encore sous le choc. J'ai dû attendre avant de me rendre compte que ce qui tombait du ciel n'était pas de la pluie... Non, c'était de la chair humaine. Et là, j'ai perdu le contrôle.

J'avalai ma salive et pris une nouvelle inspiration.

— J'ai paniqué, j'ai éclaté et j'ai fini par m'égarer, avouai-je. J'étais en colère contre tout et tout le monde... et plus particulièrement contre moi. Je m'en voulais de n'avoir pas encore su sauver quelqu'un que je considérais comme étant de ma famille et d'avoir préféré sauver ma vie plutôt que la sienne. Parce qu'à ce moment, je l'ai fait pour toi... Malgré toutes les émotions négatives qui fulminaient en moi à ton égard, je ne pouvais pas imaginer te laisser derrière moi. Alors, quand je me suis rendu compte que j'étais encore une fois seule, j'ai paniqué.

Ma main droite tremblait légèrement. J'étais calme et utilisais la respiration de Marceau pour maintenir la mienne.

— Mes pensées, mes souvenirs, mes peurs, énumérai-je. Tout a refait surface en même temps. Je n'entendais plus rien mis à part le bruit des bombes qui résonnait dans ma tête. Je crois que... si tu n'avais pas été là... je ne m'en serais jamais sortie. Je ne serais plus là.

À nouveau, je marquai une pause.

— Quand tu as parlé de Denis, repris-je, tu m'as vraiment blessée. Je me sentais abandonnée. Je n'ai pas voulu t'écouter, je t'ai repoussé et je me suis obstinée dans ma solitude. Je me suis énervée et tu en as fait autant. J'ai dit des choses que je ne pensais pas et ai passé sous silence celles que je voulais dire. Cette phrase... tu l'as prononcée sous le coup de la colère alors je ne t'en veux plus. Tu m'as blessée, oui, mais je t'ai blessé aussi. Je ne peux pas t'en vouloir et je ne veux pas te perdre non plus. Je tiens trop à toi.

Je m'arrêtai. J'avais fini.

J'essayai de concentrer tout mon ressenti, de mettre un mot sur ce que j'éprouvais. Je n'étais ni apaisée, ni triste, non. C'était une sensation pire encore qui me tiraillait.

— Pourquoi est-ce que ça fait si mal ? lui demandai-je alors.

Il respira calmement.

— Je ne sais pas, reconnut-il.

Sur ce, je posai ma tête sur son épaule et il plaça la sienne sur la mienne.

Nous restâmes ainsi une bonne dizaine de minutes jusqu'à ce que Jeanne vienne nous chercher.

— J'ai besoin de votre aide de toute urgence ! nous imposa-t-elle.

Elle tendit à Marceau un bac qu'il prit.

— Il faudrait que vous alliez me chercher des aiguilles et des pansements dans la réserve, réclama-t-elle. Les petits du service infectieux ont besoin de leur traitement et j'ai encore tellement de patients que je ne peux pas me permettre de les laisser ne serait-ce une seconde !

Marceau releva sa tête et je m'approchai du bord de la table.

— Pas de souci, la rassurai-je. Tu en fais tellement pour nous qu'on peut bien te donner un coup de main.

Elle me sourit.

— Merci ! me dit-elle. Tu sais où vous pouvez trouver tout ça !

Et elle partit.

Je descendis de la table et pris mes béquilles. Nous sortîmes de l'abri et nous retrouvâmes dans la cage d'escalier. À notre gauche se trouvait la réserve.

Je m'arrêtai devant la porte, anxieuse à l'idée de me remémorer de si mauvais souvenirs.

— Tu es prête ? m'interrogea Marceau.

J'inspirai et mis la main sur la poignée.

— Oui, affirmai-je.

Nous entrâmes dans la pièce.

Rien n'avait bougé. C'étaient toujours les mêmes armoires, la même table et les mêmes rangées.

J'indiquai l'emplacement des aiguilles et des pansements à Marceau qui alla les chercher. Toujours un peu oppressée, je m'adossai au mur et jetai mes béquilles. Puis, lentement, je me laissai glisser au sol.

En revenant, Marceau me vit et posa le bac bondé sur la table.

— J'ai pas changé, commentai-je. Je suis toujours cette fille remplie de haine qui n'arrive pas à se canaliser ni à accepter la mort des autres et encore moins ses propres faiblesses.

Il me contempla et s'accroupit en face de moi.

— Tu as changé depuis ce jour où tu as décimé les fleurs devant l'hôpital, me contredit-il. Tu es la fille la plus courageuse que je connaisse. Et bien sûr que tu ne peux pas tout accepter ou tout le temps agir parfaitement ! Il n'y a pas si longtemps que ça, c'est toi qui étais à ma place et tu m'as rappelé que nous sommes humains. C'est dans notre nature de faire des erreurs, ça nous permet d'évoluer.

Il me prit la main et j'observai nos doigts s'entremêler.

— Mélanie, souffla-t-il. Je t'aime.

Je consentis enfin à lever les yeux jusqu'à son visage et les plongeai dans les siens.

Ce qu'il venait de me dire sonna un déclic en moi. Je me penchai jusqu'à lui et l'embrassai. Je finis par me reculer légèrement et plaçai ma main droite sur sa joue, caressant sa cicatrice du pouce.

— Moi aussi, Marceau Lenoir, lui confessai-je.

Nous nous embrassâmes encore une fois, puis il se releva et m'aida à me mettre debout. Il m'apporta mes béquilles, prit le bac et nous rejoignîmes l'abri.

Jeanne et les infirmières se trouvaient au centre, autour d'une table, et discutaient. Nous nous dirigeâmes vers elle et Marceau posa son bac sur la table.

— Merci beaucoup ! se réjouit-elle. Vous avez fait vite dites donc !

Anne lui lança un regard signifiant *laisse-les et retourne travailler* avant de nous rejoindre.

— Je suis désolée de vous priver de sa compagnie mais on est en sous-effectif et Dieu sait qu'une fois qu'elle commence à parler, elle ne s'arrête pas ! nous expliqua-t-elle.

Je lui souris.

— Ce n'est rien, lui assurai-je.

Elle me considéra avant de prendre un air sérieux.

— On t'a rapporté un bac plein d'aiguilles et de pansements, lui indiqua Marceau.

Elle lui sourit.

— Oui, c'est très gentil à vous, nous remercia-t-elle.

Elle caressa mon visage du revers de la main, puis la posa sur mon front avant de faire une petite grimace.

— Il faudrait que tu dormes, Mélanie, me conseilla-t-elle. J'ai l'impression que tu as de la fièvre et ce n'est pas le moment d'attraper quelque chose !

Elle se retourna, prit une couverture rangée dans un autre bac, sous la table, puis la donna à Marceau.

— Ne t'inquiète pas, je n'avais pas prévu de faire de l'athlétisme, ironisai-je.

Soudainement, elle m'enlaça. Je répondis à son étreinte en la serrant en retour. Elle consentit finalement à me lâcher, me sourit maternellement et repartit s'occuper d'autres enfants.

Je me retournai vers Marceau et nous nous dirigeâmes jusqu'à la table sur laquelle nous étions précédemment assis.

Il n'y avait pas de lit et le sol était froid. Quelques-uns avaient droit à des matelas mais la grande majorité devait se contenter d'une simple couverture.

Arrivés à côté de la table, Marceau s'assit au sol, contre le mur. Je me glissai à sa gauche.

Il prit ma main dans la sienne et je tournai mon visage vers lui. Il me contempla quelques secondes avant de placer une de mes mèches de cheveux derrière mon oreille.

Il semblait éreinté : son teint était devenu pâle et il avait des petits yeux. Il était vrai que les évènements de la journée ne l'avaient pas épargné.

— Tu devrais dormir, lui dis-je.

Il me sourit.

— Et toi alors ? commenta-t-il. Ne serait-ce pas à toi qu'Anne a demandé de se reposer ?

Je posai l'arrière de ma tête contre le mur.

— Je ne peux pas, lui avouai-je. Dès que je ferme les yeux, je revois…

Je frissonnai.

— D'accord, comprit-il. Dans ce cas, je crois que je vais m'allonger et me reposer pour deux.

Je ris et il s'installa. Il s'endormit presque immédiatement.

Lorsque je sentis la fatigue pointer le bout de son nez, pratiquement tout le monde dormait déjà. Les garçons ronflaient, les autres enfants étaient couchés et silencieux. Les infirmières et médecins se relayaient. Marceau quant à lui avait glissé son bras droit sous sa tête et dormait à poings fermés. J'esquissai un sourire.

Je finis par m'allonger.

Tournée vers le plafond, je n'arrivais pas à fermer l'œil. J'avais constamment cette peur qu'il s'effondre sur moi.

Doucement, je posai ma tête sur le torse de Marceau. Celui-ci enroula naturellement son bras autour de mes épaules pour me garder auprès de lui. Il cala sa tête contre la mienne et son souffle caressait mes cheveux. Je fermai alors les paupières et m'apaisai au rythme de sa respiration.

Je repensai une dernière fois à tout ce qui s'était passé dans la journée et devins triste en songeant à Denis. Je chassai rapidement ces pensées de mon esprit et me laissai aller dans les bras de Morphée.

Juste avant de m'endormir, je sentis Marceau me couvrir de la couverture qu'Anne nous avait donnée. Puis, il déposa un baiser sur mon front avant de se rendormir.

Chapitre 33
Samedi 27 mai 1944

Lorsque je me réveillai, la quasi-totalité des patients dormait encore. Seuls quelques médecins et infirmières déambulaient, vérifiant la température d'enfants, approvisionnant les stocks de médicaments et remontant quelques couvertures.

Je repérai Anne. Elle écrivait des notes sur la table du centre de l'abri anti-bombes.

Au cours de la nuit, j'avais dû enrouler ma jambe gauche au tour de celle de Marceau parce que ce fut dans cette position que je nous retrouvai. Délicatement, je levai la tête de son torse, ôtai son bras de mes épaules et me détachai de lui. Je le recouvrai avec la couverture puis saisis mes béquilles.

Je me dirigeai ensuite vers l'infirmière. En me voyant approcher, elle sourit.

— Je vois que ça va mieux depuis ton arrivée ici, affirma-t-elle.

Je me retournai vers Marceau et l'observai.

— En effet, admis-je.

Sentant soudainement un vif élancement à la cheville, je fis une grimace.

— Qu'est-ce que tu aurais pour ma cheville ? la questionnai-je.

Elle fronça les yeux et se tourna vers moi.

— Fais-moi voir ça, commanda-t-elle.

N'étant pas en position de refuser, je m'assis péniblement sur le bord de la table. Elle enleva précautionneusement le bandage : ma cheville était encore un peu enflée et bien violacée.

— Tu arrives à la bouger ? s'enquit-elle.

J'essayai de réaliser une rotation du pied mais n'en tirai que de la douleur.

— Je t'avoue que c'est un peu compliqué, répondis-je.

Elle sortit une petite fiole d'un des bacs rangés sous la table ainsi qu'un nouveau rouleau, et les posa à côté de moi. Ensuite, elle massa la cheville avec l'essence contenue dans la fiole. Ce ne fut pas agréable mais il me fallait le supporter si je voulais retrouver ma mobilité. C'est pourquoi je serrai les dents et ne dis rien.

Enfin, elle prit le temps de couper une bande puis l'enroula. Elle regarda son œuvre et se concentra sur mon visage.

— Voilà, lâcha-t-elle, j'ai fini mon travail. Maintenant, prends soin de toi.

Je plongeai mes yeux dans les siens. Je voyais qu'elle était exténuée, qu'elle faisait tout ce qu'elle pouvait pour nous aider. Ce constat m'énervait contre moi-même et j'avais l'impression que je lui faisais perdre son temps. Je repensai au moment où elle m'avait prise dans ses bras.

— Excuse-moi de t'avoir inquiétée, lui demandai-je.

Elle passa une main sur ma joue et me sourit.

— Tu ne cesseras de me faire peur que le jour où tu quitteras ce monde, ironisa-t-elle.

Je lui souris en retour et observai autour de moi.

— Je peux faire quelque chose pour t'aider ? me renseignai-je.

Elle prit mes béquilles et me les tendit.

— Alors là, sûrement pas ! s'exclama-t-elle. Pour une fois que tu peux te reposer, tu vas le faire !

Face à mon impuissance et à mon état qui me faisait pitié, je serrai les béquilles.

— Non ! Je veux être utile ! insistai-je. Je veux vous aider à soigner des enfants ou…

Elle posa sa main sur mon bras et me toisa d'un regard sévère.

— Je t'ai donné une consigne, me rappela-t-elle.

Sur ce, elle appuya légèrement sur mes côtes. Un rictus de douleur passa sur mon visage et elle me considéra avec un air qui signifiait *tu vois*.

— Mélanie, soupira-t-elle. Tu es une fille très forte et courageuse, mais ton corps a besoin de calme pour guérir.

Ses mots m'allèrent droit au cœur mais il ne me semblait pas avoir été très forte ces derniers temps. Je niai de la tête.

— Au contraire, expliquai-je, j'ai besoin de me sentir utile. Mon corps suivra, ne t'inquiète pas.

Elle fixa quelque chose derrière moi et fronça les sourcils.

— Non, Mélanie, m'interdit-elle. Et je ne vais pas te laisser le choix.

J'aperçus alors une personne s'approcher.

— Marceau ! requit-elle. Ramène Mélanie avec toi et assure-toi qu'elle ne se surmène pas.

Je protestai et descendis de la table.

— Allez ! la conjurai-je. Je ne me surmènerai pas, c'est promis !

Ses yeux lançaient des éclairs.

— Si tu veux pouvoir recommencer à marcher sans souffrir, tu dois prendre soin de ta cheville et de tes côtes. Reste tranquille ! m'imposa-t-elle.

314

Je soupirai et partis.

Au bout d'un moment, Marceau s'arrêta. Je l'imitai.

— De quoi parlait-elle ? me questionna-t-il. À propos de tes côtes ?

J'observai autour de nous avant de revenir à lui.

— Hier, quand le plafond s'effritait, lui révélai-je, un petit bloc est tombé sur moi alors que j'essayais de me dégager. J'ai une côte fêlée mais ne t'inquiète pas, c'est rien de grave.

Il esquissa son sourire en demi-lune et agita la tête de gauche à droite.

— T'es pas croyable, lâcha-t-il.

Il me déposa un baiser sur la joue, me dépassa et se dirigea vers notre table. Je plissai les yeux, tentant de comprendre le pourquoi du comment de sa réaction, quand il me vint une idée. Je profitai donc de cette absence de surveillance pour aller vers les blocs voisins.

Les enfants commençaient à se réveiller et le peu de bruit qu'ils faisaient masquait le claquement de mes béquilles sur le sol.

Là-bas, j'y retrouvai Jeanne. Je lui demandai alors comment je pouvais aider et priai pour qu'Anne ne lui ait rien dit à propos de moi. Heureusement, elle ne l'avait pas fait. Elle m'indiqua donc une occupation et je me mis à l'action.

J'étais assise sur le lit d'un petit lorsque je vis Marceau, droit devant moi, les mains dans les poches et qui m'attendait. Je stoppai mon mouvement, regardai le plafond, l'air de rien, puis lui souris.

Je m'approchai alors de lui.

— Oui ? dis-je comme si je n'avais rien à me reprocher.

Il m'observait, me disant à travers son regard que *c'est pas parce que tu prends une attitude angélique que je vais te laisser faire* et il arqua un sourcil.

— Je croyais qu'on s'était mis d'accord, dit-il. Tu sais que tu ne dois rien faire. Alors pourquoi continues-tu à t'entêter ?

Je redevins sérieuse. Je tournai la tête à droite et posai mes yeux sur un enfant malade. Il perlait à grosses gouttes de sueur et marmonnait *maman* dans son sommeil.

— Parce qu'ils ont besoin de moi, lui répondis-je.

Je redirigeai mon attention vers Marceau.

— Et moi j'ai besoin d'eux, murmurai-je.

Il souffla et me prit délicatement dans ses bras. Surprise, je finis par poser ma tête sur son épaule et le serai contre moi en retour. Puis, lentement, il s'écarta. Je repris mes béquilles et me tins debout.

— OK, concéda-t-il. Mais, je vais t'aider. Je ne te laisse pas le choix.

Je lui souris et il m'embrassa. C'est ainsi que, jusqu'à ce que nous pûmes sortir de l'abri, nous nous étions occupés des enfants qui avaient besoin de nous.

Quelques heures plus tard, des médecins commencèrent à évacuer les patients. Petit à petit, la vaste pièce se vida et il ne resta plus que quelques infirmières, Marceau et moi.

— On devrait monter, suggéra-t-il.

Je considérai sa proposition et acquiesçai.

— Oui, les derniers sont entre de bonnes mains, ajoutai-je.

Une fois devant les escaliers, je soupirai. J'avais oublié à quel point ils étaient longs.

— Je peux toujours t'aider, me rappela sérieusement Marceau.

Je savais qu'il pensait à me porter à nouveau et, bien que cette idée ne m'enchantait pas, je l'acceptai. De toute façon, avais-je le choix ?

Je passai alors mon bras autour de son cou puis pris mes béquilles dans ma main droite. Dans ses bras, j'avais l'impression d'être un tas de plumes.

— Je ne suis pas trop lourde ? lui demandai-je.

Il arqua son sourire en demi-lune.

— Absolument pas, m'assura-t-il.

Je plissai les yeux.

— Donc ce n'est pas pour te faire les muscles que tu me portes ? ironisai-je.

Il rit.

— Non, concéda-t-il. C'est parce que, là au moins, je sais que tu ne te mettras pas en danger.

Je l'observai avant de sourire, amusée.

Arrivés en haut, il me reposa au sol et nous sortîmes. En passant devant la salle, je m'arrêtai. Marceau, qui avait continué, se retourna vers moi.

— Ça va aller ? s'inquiéta-t-il.

Je pris une inspiration puis le rejoignis.

— Bien sûr, le rassurai-je.

Tandis que nous étions dans l'abri anti-bombes, des pompiers, aidés de quelques hommes du village, avaient consolidé la structure et installé une grande tente pour nous protéger du froid le soir venu. Il était évident que les médecins et autres avaient besoin de nous. Alors, d'un commun accord, je laissai Marceau aller les aider seul.

Une fois la nuit tombée, tous nos camarades se retrouvèrent à l'abri. Celui-ci était fermé et abritait quelques lits. De nombreux garçons s'étaient tournés vers nous et nous questionnaient. *Qui de nous deux ? Depuis quand ? Comment ?* Nous avions répondu à presque toutes leurs demandes lorsque Anne entra. Elle nous ordonna de nous coucher.

Les plus petits dormaient sur des lits de camp et nous, les plus âgés, dormions à même le sol sur des couvertures.

Je me réveillai en plein milieu de la nuit, à la suite d'un horrible cauchemar. Son schéma différait par rapport à ceux que j'avais l'habitude de faire : il regroupait l'ensemble de mes souvenirs les plus traumatisants.

Je m'assis pour tenter de me calmer, plaçai mes jambes en tailleur et observai à ma gauche. Je contemplai la place vide, silencieuse, et frissonnai.

Je me rallongeai et tentai de me rendormir. Toutefois, dès que je fermai les paupières, de sombres images m'attaquèrent de toute part et je n'eus pas d'autre choix que de les rouvrir. Doucement, je m'approchai alors de Marceau. Je soulevai délicatement la couverture et me glissai à côté de lui. Je posai ma tête sur le creux de son épaule et sentis ses muscles se contracter.

— C'est juste pour cette fois, murmurai-je.

Il m'entoura de son bras gauche, m'embrassa et posa sa tête contre la mienne. Je calquai ma respiration sur la sienne et m'endormis.

Chapitre 34
Mercredi 31 mai 1944

Durant les derniers jours, j'avais repris du « poil de la bête »
et le mercredi trente et un mai, le Docteur Rigot récupéra mes
béquilles.

Toutefois, je n'étais pas totalement rétablie sur le plan moral
et je faisais des cauchemars toujours plus atroces. Aussi, malgré
mes bonnes résolutions, je rejoignais Marceau chaque soir. Il
était le seul à pouvoir me calmer et seul son contact me
permettait de m'endormir.

Le matin de ce mercredi, alors que j'étais partie chercher de
quoi dessiner, j'entendis le Docteur Rigot et Anne parler
discrètement. Je me cachai alors derrière un mur et écoutai.

— On va devoir les envoyer autre part, lui confia-t-il.

Je pus discerner de la tristesse dans sa voix.

— Ils seront tous séparés, s'inquiéta-t-elle. N'est-ce pas ?

Il expira.

— Oui, confirma-t-il. Tous.

Je compris ce qu'il voulait dire : moi aussi je serais séparée
d'eux. Je ne pourrais donc plus revoir Marceau.

— Il serait trop dangereux de la garder en France, compléta-
t-elle.

J'entendis le bruissement d'un papier.

— Je vais l'envoyer à Grenoble, l'informa-t-il.

Elle poussa un hoquet de surprise.

— Mais tu ne peux pas faire ça ! s'exclama-t-elle. Depuis qu'ils sont déterminés à débusquer le maquis du Vercors, la Gestapo y est deux fois plus importante qu'à Lyon !

Il fit quelques pas.

— Tu sais très bien que ce bâtiment, qui n'était pas un hôpital à la base, lui rappela-t-il, est en train de tomber en ruines. Ils vont le détruire. En plus, le commandant ne m'apprécie pas.

Sûrement dépassée par tout ce qui se passait, elle se mit à marcher dans ma direction.

— Comment crois-tu qu'elle soit arrivée ici ? la questionna-t-il, l'arrêtant dans son déplacement. J'y ai des contacts et ils pourront la garder sans éveiller trop de soupçons… Elle ne sera qu'un simple transfert. En plus, tu sais aussi bien que moi qu'elle trouvera un moyen d'entrer à nouveau dans les forces de la Résistance. Au moins, là-bas, je sais qu'elle sera en sécurité.

Je compris la situation dans laquelle il s'était mis pour moi et le remerciai intérieurement. Néanmoins, le fait qu'il ne m'ait à aucun moment demandé mon avis ou juste essayé de trouver une solution en ma compagnie m'agaçait.

— Marceau et les autres seront dispatchés dans les hôpitaux du coin, conclut-il. Certains rentreront chez eux. Je ne pourrais pas emmener quelqu'un d'autre à Grenoble, les équipes sont déjà en sous-effectif et cela attirerait trop l'attention.

Je pus discerner un mouvement de recul d'Anne.

— Elle comprendra, lui assura-t-elle.

Oui, je comprends, pensai-je, *mais je ne l'accepte pas.*

Je fermai les yeux et tentai de mettre de l'ordre dans mes émotions. Lorsque je les rouvris, Marceau venait de prendre place dans mon champ de vision. J'étais trop énervée pour parler et encore plus pour tout lui expliquer.

Je me décollai alors du mur et le dépassai. J'allai directement à la rencontre du Docteur Rigot et de Anne.

Ils comprirent tout de suite que j'avais tout écouté et une expression de peine teinta leurs visages.

— Mélanie... commença le Docteur Rigot.

Je niai de la tête, lui faisant comprendre qu'il n'était pas nécessaire de continuer, serrai les dents et inspirai.

— Ne vous excusez pas, le coupai-je. On part quand ?

Anne avait des larmes dans les yeux. Je ne l'avais jamais vue aussi désemparée. Je me préparai à ce qu'elle allait m'annoncer.

— Ce soir à huit heures, répondit-elle.

Je hochai sèchement la tête, intégrant calmement l'information.

— Bien, achevai-je.

Sur ce, je me retournai et sortis dans la cour. Je ne m'arrêtai que lorsque ce que j'atteignis le passage dans la haie, puis entrai dans la forêt.

Je restai là, les yeux fermés, à sentir le vent souffler sur mon visage et soulever mes cheveux. J'allais devoir reprendre mon chemin seule, comme avant.

Soudain, j'entendis un bruissement de feuilles. Je n'eus même pas besoin de me retourner ni d'ouvrir les yeux pour savoir de qui il s'agissait.

— Ils m'ont tout expliqué, m'informa Marceau.

J'inspirai et luttai pour garder mon calme.

— Ils vont fermer l'hôpital, répétai-je. Ils vont tous nous séparer.

Il se plaça face à moi et je consentis finalement à ouvrir les yeux. Je les plongeai dans les siens.

— Il n'y a pas que ça… comprit-il.

Je soufflai et agitai la tête de droite à gauche. Je cessai de soutenir son regard.

— Eh, regarde-moi. Ça va aller, tenta-t-il de me rassurer.

Je ne pouvais plus contenir toute la fureur qui m'habitait. Alors, j'explosai.

— Te regarder ? m'esclaffai-je en le poussant. Mais pour quoi faire ? Tu ne seras bientôt plus là !

Il recula de quelques pas et plissa les yeux.

— J'en ai marre ! confessai-je. J'en ai marre de toutes ces personnes qui me promettent d'être là, qui me disent « ça va aller Mélanie », « tout va bien se passer ! » Mais en réalité, elles finissent par rompre leurs promesses car le destin ne dépend pas de leur bon vouloir. Et elles disparaissent.

Je le poussai encore une fois avant de me ressaisir et me détournai. Marceau me laissait déverser toute ma hargne, comme il l'avait fait cette soirée dans l'abri anti-bombes.

— Elles partent et ne reviennent jamais, murmurai-je, perdue dans mes pensées. Et ça, c'est parce qu'*elle* me les vole toutes. Cependant, elle ne veut pas de moi… Elle veut que je reste seule…

Me sentant quelque peu apaisée, Marceau s'approcha de moi.

— Tu n'es et ne seras plus seule, m'assura-t-il.

Il resta derrière moi, me laissant me retourner vers lui quand je me sentirais prête. Je ravalai ma rancœur et inspirai. Je me décidai enfin à le regarder.

Ce « elle » auquel j'avais fait allusion n'était autre que la mort. Même si, dans la religion juive, la mort est attendue de manière paisible, elle me tourmentait depuis si longtemps que j'avais fini par la détester.

Comment avais-je pu penser qu'elle me laisserait tranquille ?

Une chose était sûre, elle resterait à mes côtés jusqu'à ce que je daigne la rejoindre.

— Elle va te prendre toi aussi, soufflai-je. Malgré tout ce que je peux tenter de faire pour te protéger, tu vas finir par mourir.

Marceau s'approcha doucement et prit mes mains. Il les contempla puis leva son regard vers le mien.

— On finira tous par mourir un jour, me rappela-t-il. Mais ça n'arrivera ni aujourd'hui ni demain. Je compte bien te voir vivre longtemps…

Je dégageai délicatement ma main droite et caressai sa joue. Je m'arrêtai un instant pour détailler les contours de sa cicatrice, puis je glissai ma main dans son cou et l'attirai à moi.

Nous nous embrassâmes et il me prit dans ses bras.

— Je ne la laisserai pas t'enlever, Marceau Lenoir, lui promis-je.

J'enfouis ma tête dans son cou et nous restâmes ainsi un petit moment.

Puis, je me reculai.

— Où que nous sommes… commença-t-il.

— Nous sommes un, terminai-je.

Je déposai un baiser sur sa joue et nous repartîmes vers l'hôpital.

Tout à coup, j'entendis des portières claquer. Nous nous rendîmes vers la source de tout ce bruit et pûmes discerner des voitures de la milice stationnées en face des urgences.

— Eh, Marceau ! l'interpella un grand homme blond aux yeux bleus.

Il s'approcha de nous et transpirait d'arrogance. Et moi, je pouvais sentir la tension de mon partenaire.

Le milicien me rappelait Maxime, le fils de la femme qui me servait de marraine. Il ressemblait aussi légèrement à Pierre

Martin, avant qu'il ne change de comportement. Bien que je ne l'aie jamais vu, je le haïssais déjà.

— Ça fait un bail qu'on ne s'est pas vus ! s'exclama-t-il.

Il se tenait devant Marceau, lequel croisa les bras. Je m'avançai et mes yeux lançaient des éclairs au jeune officier.

— Mais qui est cette belle demoiselle ? demanda-t-il en approchant sa main de la mienne.

À peine la frôla-t-il que je la dégageai et le giflai, ce qui arracha un sourire à Marceau.

— Cette demoiselle est, certes, très belle, commentai-je, mais elle ne t'appartient pas.

Je pus observer son regard passer de moi au beau résistant et il arqua un sourcil. Son comportement m'horripilait.

— Tout comme elle n'appartient à personne à part elle-même, ajoutai-je froidement.

Je le dévisageai, fière de cette répartie.

— En parlant de femme, changea-t-il de sujet, comment va ta mère ?

Je voyais que Marceau commençait à ne plus se contrôler. Il serra les dents et contracta ses poings. Nous étions deux bombes à retardement luttant pour ne pas exploser... quelle partie de plaisir !

— Est-ce qu'elle s'est rétablie, continua-t-il, depuis la dernière fois ?

Cette fois, ce fut la goutte d'eau qui fit déborder le vase : Marceau bondit sur lui et, si je n'avais pas été là pour m'interposer entre eux, il aurait directement été emmené jusqu'au mur des résistants. Et, ce, sans passer par la case prison.

Dès l'instant où il s'approcha du toutou du Führer, je m'avançai vers lui et le poussai fermement en arrière. Je lui fis un signe négatif de la tête et il s'arrêta.

— Eh, lui murmurai-je, regarde-moi. C'est qu'un moins que rien. Il te provoque parce qu'il sait qu'il ne fait pas le poids contre nous et que le fait de t'emporter sera le prétexte idéal pour lancer ses caniches à ta poursuite.

Je me retournai vers le milicien, serrai les dents et le toisai d'un œil mauvais.

Soudain, je fis semblant de perdre l'équilibre, posai ma main sur son épaule pour me « rattraper » et lui assénai un coup de genou dans les parties génitales.

— Oh ! Pardon ! m'excusai-je faussement. J'ai perdu l'équilibre !

Je me retournai vers Marceau, nous nous regardâmes d'un air signifiant *il est vraiment trop con, il n'a que ce qu'il mérite*, puis j'allai préparer mes affaires.

Cependant, j'étais venue à l'hôpital sans rien avec moi : ni bagages, ni papiers, ni argent… Je partis donc à la recherche des garçons et les saluai un par un.

Quand le soir commença à tomber, il me restait encore quelques personnes à qui dire « au revoir », plus précisément quatre femmes. Oui, des femmes que l'on oublie souvent et qui sont parfois critiquées, mais sans qui nous ne survivrions pas. Je parle effectivement des quatre bonnes âmes qui ont veillé sur moi dans cet hôpital : les infirmières.

Je trouvai Jeanne, Clothilde et Marie dans le hall. Je courus immédiatement à leur rencontre. Elles me prirent dans leurs bras et je sentis quelques larmes humidifier ma peau.

— Alors c'est aujourd'hui, soupira Marie. C'est le grand jour !

J'acquiesçai et lui souris.

— Je ne pouvais pas partir sans vous dire au revoir, leur confiai-je.

Clothilde me sourit tristement.

— Je ne t'aurais pas laissée faire si c'était le cas ! commenta-t-elle.

Elle me considéra de haut en bas et reprit la parole.

— Tu as changé depuis ton arrivée, affirma-t-elle.

Je ris.

— En bien, j'espère ! plaisantai-je.

Marie posa sa main sur mon épaule.

— Bien sûr que oui, ma belle, m'assura-t-elle.

Je leur souris. Jeanne s'approcha et me prit à nouveau dans ses bras.

— Tu es devenue plus sage, m'expliqua-t-elle.

Elle me lâcha.

— Tu irradies la force et la détermination, continua Marie.

Je plissai les yeux, les interrogeant du regard.

— Mais, si je donne l'impression d'être forte maintenant, formulai-je, de quoi avais-je l'air avant ?

Clothilde rit.

— Mesdemoiselles, je crois que nous l'inquiétons avec nos paroles de maman poule ! s'esclaffa-t-elle. Ne t'inquiète pas Mélanie ! Avant aussi tu inspirais la force mais elle était plus noire. Elle était plutôt apparentée à la rage et la vengeance alors que maintenant, elle est plus lumineuse et contrôlée.

Je ne m'attendais pas à cela.

Je restai confiante mais, intérieurement, je me demandais comment était-il possible que je renvoie cette image. Moi, qui avais fait preuve de faiblesse. Moi, qui étais traquée et devais me cacher. Moi, qui avais abandonné ma famille. Je ne pouvais pas croire que c'était de cette même personne qu'elle parlait.

— Merci, mesdames, les gratifiai-je. Si cela ne vous dérange pas, il me reste deux autres personnes à qui parler avant de partir.

Elles me firent leurs adieux et je m'en allai.

J'avais fini par trouver Anne et le Docteur Rigot aux urgences.

— Ah, te voilà ! s'exclama l'infirmière. Tu ne pensais pas partir sans me dire au revoir, au moins !

Je souris et l'enlaçai.

— Bien sûr que non ! la rassurai-je.

Nous étions restées comme cela quelques instants durant lesquels j'en avais profité pour fermer les yeux, puis nous nous séparâmes.

— Pas trop triste ? me demanda-t-elle.

Je niai de la tête.

— Non, lui répondis-je. Après tous ces bons moments passés ici, il me faut aller vers un autre destin.

Elle remit une mèche derrière mon oreille.

— Avec les filles, on t'a fait une petite surprise, m'informa Anne.

Je me demandais ce qu'elle voulait dire par là. Elle se retourna et m'emmena dans une salle d'auscultation. Ce n'était pas n'importe quelle salle d'auscultation : c'était celle dans laquelle je m'étais retrouvée à mon arrivée.

Sur la table trônait une valise. Je regardai Anne puis et elle me fit signe d'y aller. Je m'approchai d'un pas serein et l'ouvris. Je souris pleinement lorsque j'en découvris le contenu : elle renfermait toutes les tenues que j'avais portées et qui avaient résisté à mes aventures.

— Mais vous êtes folles ! m'écriai-je. Il ne fallait pas !

Elle rit de bon cœur.

— Bien sûr que si. Ces robes ne nous vont plus ! assura-t-elle

Anne mit sa main sur mon épaule.

— Et ces chaussures t'iront beaucoup mieux, ajouta-t-elle.

Anne se retourna et saisit une petite pile de vêtements sur laquelle reposait une magnifique paire de souliers.

— En parlant de tenue, dit-elle, prend celle-ci.

Elle me tendit des vêtements que je saisis.

— Tu ne vas pas y aller comme ça tout de même ! fit-elle.

Anne m'embrassa et sortit.

— Je te tiens la porte, m'assura-t-elle une fois dehors.

Sur le plan de travail, il y avait un gant, une bassine d'eau ainsi qu'une serviette. Je me lavai rapidement et vêtis un chemisier blanc et une jupe noire.

Enfin, je me retournai vers la valise et effleurai sa surface du bout des doigts. C'était comme si un feu ardent brûlait en moi, un feu qui ne m'avait jamais quittée et qui n'avait fait que s'accroître avec les évènements passés.

Je me remémorai mentalement toutes mes aventures depuis que j'étais ici et ne m'interrompis que lorsque quelqu'un frappa à la porte.

— Mélanie ? m'appela discrètement Anne. Je vais devoir y aller.

Je pris la malle et sortis.

Elle m'enlaça pour la dernière fois et me déposa un baiser sur le front.

— Prends soin de toi, murmura-t-elle.

Puis, elle partit en courant vers les urgences, me laissant ainsi seule avec le Docteur Rigot. Je ne l'avais pas vu arriver. Il prit ma valise et me sourit.

— Je vais la déposer dans le hall, m'annonça-t-il. On se retrouve là-bas.

Je hochai la tête et il partit à son tour.

Je déambulais dans les couloirs quand je sentis quelqu'un passer délicatement ses bras autour de moi. Je sus à son odeur et à sa façon de m'attirer contre lui qu'il s'agissait de Marceau. Il déposa un baiser sur ma joue et calla sa tête à côté de la mienne, son nez sur mon épaule.

— Tu vas être perdu sans moi, le taquinai-je.

Il releva la tête et je me tournai face à lui. Il m'attira contre lui.

— Promets-moi de ne pas perdre la tête, lui demandai-je en passant mes bras derrière sa nuque.

Il esquissa son sourire en demi-lune.

— Je te le promets, me garantit-il.

Sur ce, je l'enlaçai. J'enfouis mon visage dans son cou.

— Ne m'oublie pas, lui intimai-je.

Il se recula un peu et posa son front contre le mien. Je fermai les yeux.

— Et toi, ne te fais pas tuer, m'implora-t-il.

Je relevai le menton.

— Tu me prends pour qui ? l'interrogeai-je. Je suis une guerrière.

Il me sourit et passa sa main sur ma joue, avant de se pencher vers moi pour m'embrasser. Je me reculai et lui souris.

— Tu m'accompagnes ? le questionnai-je.

Il me prit la main.

— Toujours, me promit-il.

Nous nous dirigeâmes alors dans le hall, main dans la main.

Là-bas, j'y retrouvai le Docteur Rigot. Ce dernier me tendit un dossier. Je le saisis et pris connaissance de son contenu.

Madeleine Bellamie, née le trois février dix-neuf cent trente-deux à Pérouges. Victime d'un accident de voiture brutal dans la périphérie Grenobloise. Transférée pour un suivi post-traumatique.

Mon dossier comprenait aussi des radios et des descriptions sur mon état.

Je le refermai et regardai le Docteur Rigot.

— « Madeleine »... comme une madeleine ? demandai-je.

Il sourit en voyant que je me moquais de ce prénom et reprit les documents.

— Es-tu prête ? s'enquit-il.

Je hochai lentement la tête.

— Oui, affirmai-je.

Il se retourna et me conduisit vers une Peugeot quatre cent quatre. Marceau s'était arrêté sur le seuil de la porte. Ma valise était déjà chargée et un conducteur m'attendait dans la voiture.

— Merci, dis-je au Docteur Rigot.

Il posa sa main sur mon épaule.

— C'est à moi de te remercier, m'avoua-t-il. Tu m'as permis de prendre mes responsabilités.

Je lui souris.

— Tu trouveras tout ce dont tu as besoin dans la voiture, m'informa-t-il.

Bien. Je n'avais plus qu'à apprendre et m'habituer à ma nouvelle identité.

— Je voulais vous dire, ajoutai-je. Excusez-moi d'avoir désobéi pratiquement à chaque fois que vous me conseilliez d'adopter un nouveau comportement.

Il rit.

— Je m'y suis fait à la longue, concéda-t-il. Mais fais quand même attention à toi. Tu ne pourras te fier à personne, sauf à toi-même.

Il me tendit la main et je la serrai.

Avant d'entrer dans la voiture, je me retournai. J'aperçus Marceau au loin.

Je soupirai et courus vers lui.

Il imita mon mouvement et je sautai dans ses bras.

Après un long moment, nous mîmes fin à notre étreinte et je plongeai mes yeux dans les siens.

— Quoi qu'il arrive, commençai-je, rien ne nous séparera.

Il caressa ma joue de son pouce.

— Je t'aime, lâcha-t-il dans un souffle.

Je pris sa tête en coupe entre mes mains et l'embrassai. Puis, je pris un peu de distance mais il me garda contre lui. J'en profitai pour enregistrer chaque parcelle de son visage dans ma mémoire.

Il glissa sa main jusqu'à la base de ma nuque puis continua son mouvement le long d'une de mes mèches de cheveux.

— Quoi qu'il se passe là-bas, me dit-il, souviens-toi que je serai toujours là pour toi. Quoi qu'il se passe, je t'attendrai et même si tu ne me vois pas, je serai à tes côtés, je te soutiendrai. Tu es une battante, Mélanie Venet.

Sa main caressant mon cou, ma main caressant sa joue, nous nous embrassâmes une dernière fois.

— Je dois y aller, lui signalai-je en souriant.

Il desserra la pression qu'il exerçait autour de ma taille. Je lui déposai un rapide baiser sur la joue et il prit ma main droite dans la sienne.

— Je t'aime aussi, lui confiai-je.

Puis, je lui fis un clin d'œil.

Il étira son fameux demi-sourire. Je reculai. Nos mains se séparèrent.

Enfin, je me tournai en direction de la voiture sans lancer aucun regard en arrière.

J'avais confiance en moi. J'étais déterminée à mener le plus de bonnes actions possibles mais aussi à accomplir mon destin.

Peu importait ce qu'il me réservait, je savais que j'en ressortirais fière et plus forte que jamais.

Je bâtirai ma vie brique par brique.

Chapitre 35
Aujourd'hui

Je parvins à Grenoble le vingt-sept au soir.

Là-bas, on me donna de nouveaux faux papiers et on m'octroya une nouvelle identité. Je m'appelais dorénavant Suzanne Lenoir et j'étais une infirmière de vingt et un ans. Je ne me souviens pas vraiment de l'hôpital puisqu'il est vrai je n'y avais pas passé beaucoup de temps.

Le lendemain, je repris la route et arrivai à bon port : l'hôpital de Die.

Dès mon arrivée, la mère supérieure me prit sous son aile et je reçus une brève mais très efficace formation médicale. J'avais déjà de nombreuses connaissances, grâce à mon père, mais la théorie et la pratique sont deux domaines bien différents.

Très vite, je m'engageai dans le maquis du Vercors, aujourd'hui connu comme un des plus grands maquis de France. Je parvins à devenir chiffreuse-codeuse pour la Résistance et effectuai de nombreuses missions en tant qu'agent de liaison avec une de mes amies, Léa.

Le maquis était dirigé par François Huet, lequel était secondé par Pierre Tanant. Il y avait de nombreuses tensions au sein même des forces résistantes entre les civils, qui étaient attachés aux traditions républicaines, et les officiers, qui étaient plutôt conservateurs. Ainsi, le vingt-neuf juin, le chef civil Chavant fut arrêté par les hommes d'un certain Geyer qui fut lui-même arrêté par les partisans de Chavant par la suite. J'avais l'impression que les civils étaient soumis aux militaires.

En ce qui concernait les maquisards, l'État-Major ne souhaitait pas sacrifier inutilement des hommes contre les miliciens, afin de préserver un maximum de force pour un très attendu débarquement. Outre la menace nazie, mes camarades m'avaient dit que la population Grenobloise n'avait pas toujours soutenu la Résistance plus que cela.

Au début, les miliciens ne leur avaient rien fait de mal. Ils rencontrèrent donc certaines difficultés avec des habitants qui n'hésitèrent pas à les dénoncer. Néanmoins, depuis l'incursion milicienne d'avril, de plus en plus de personnes commencèrent à les aider. On m'avait raconté que, ce mois-ci, des miliciens étaient venus et avaient malmené des gendarmes, neutralisé huit brigades et arrêté dix-huit gradés.

Il y avait aussi cette vieille dame, Mémé, qui vouait corps et âme à la Résistance. Nous allions manger, quand nous le pouvions, chez elle. Elle nous appelait ses « petits ».

Mes premières missions aux côtés des maquisards commencèrent le premier juin, lorsque nous captâmes le message « *Il y a de l'eau dans le gaz* ». Je continuai ma seconde mission, le cinq juin, en interceptant le code « *Le chamois des Alpes bondit* ».

Le neuf juin, nos chefs décidèrent de verrouiller les accès au plateau du Vercors. Pendant plus d'un mois, nous n'avions eu presque aucune nouvelle des nazis. Au sein du maquis, les femmes n'étaient pas sous-estimées, au contraire. Notre rôle était essentiel et, sans mes camarades féminines et moi, je ne pense pas que le maquis aurait tenu si longtemps.

Le temps se fit de plus en plus long et le trois juillet, nous nous autoproclamâmes « République libre du Vercors », par prise d'armes en l'honneur d'Yves Farge, revenu en tant que « commissaire de la République » de la R1, soit de la région Rhône-Alpes.

Si, auparavant, les nazis avaient peur de lancer une attaque, dès lors ils s'activèrent.

À partir du treize juillet, et ce, pendant deux jours, leurs troupes nous forcèrent à quitter le Vercors et à nous replier au-delà des gorges de la Bourne. La Luftwaffe, soit la composante aérienne de la Wehrmacht qui siégeait à Dijon, nous bombarda au niveau de Vassieux et de la Chapelle-en-Vercors. Cependant, ceci ne nous empêcha pas de célébrer la fête nationale dans les localités du plateau le quatorze juillet. Soixante-douze forteresses volantes alliées larguèrent un millier de conteneurs.

Ce fut cette opération, l'opération *Cadillac*, qui nous fut fatale.

Dès lors, les nazis nous avaient repérés et leur offensive ne se fit pas attendre. C'est pourquoi ils la lancèrent le vingt et un juillet, sous le nom du code barbare *Aktion Bettina*. De notre côté, nous attendîmes le lancement de l'opération *Montagnards*, mais la cent cinquante-septième division était trop forte et le peu de troupes aériennes qui nous parvint se fit décimer.

Finalement, cette mission ne vit jamais le jour, la priorité ne nous ayant pas été donnée par les Alliés d'Alger.

La cent cinquante-septième division intervint encore et Huet et Tanant nous ordonnèrent de nous disperser en groupes de maquisards le vingt-trois juillet. Ce fut ce qu'il appela « *maquiser le maquis* ».

L'attaque nazie se déroula sur trois fronts. Le premier, à Vassieux, fut orchestré par des chasseurs parachutistes accompagnés de planeurs afin de contrer toute offensive alliée. Le second, à Lans-Corrençon, fut l'assaut principal. Enfin, le troisième, sur la ligne des crêtes, fut mené par leurs troupes alpines.

Grâce à une précédente opération, l'opération *Zebra*, des armes avaient été cachées par des civils dans des cavités naturelles, telles que des fissures dans les strates. En fait, depuis le treize juillet, la population Grenobloise était majoritairement passée du côté des Résistants. Néanmoins, de nombreux combattants restèrent non-armés. Avec Michelle, une camarade et amie, et mon groupe, nous réussîmes à nous réfugier dans la forêt du Saoû.

Ce fut à partir de ce moment que tout se gâta pour moi.

Des troupes nazies approchaient. Alors, après un bref regard en direction de mes amis, je m'élançai dans la direction opposée et criai des ordres en allemand. Malgré tous mes efforts pour me cacher, ils me trouvèrent. Malheureusement pour moi, ils ne me tuèrent pas, non. Ils me gardèrent en vie.

Ils me torturèrent pendant plusieurs semaines. Lorsque je n'étais pas dans une de leur salle, j'étais dans une espèce de cave. Cette dernière sentait le moisi et les déjections. Dans un coin, il y avait un petit trou par lequel entraient de l'eau et des limaces. À chaque fois qu'ils me balançaient dans cette pièce, je tombais dans les vapes en me cognant la tête sur le sol ou la paroi des murs.

Lorsque je me réveillais, je creusais le trou qui s'était formé dans le coin jusqu'à me faire saigner. Au fur et à mesure des séances que je partageais avec ces monstres, je revenais avec de moins en moins d'ongles et de force.

Par je ne sais quel miracle, je réussis à creuser et à enlever quelques roches qui composaient ce mur. Elles étaient si vieilles qu'elles tombaient d'elles-mêmes. Aussi, j'étais rendue à un état de famine tel que la brèche que j'avais créée était assez grande pour me faire passer.

Ainsi, plusieurs semaines après ma capture, je réussis à m'enfuir.

J'étais faible, extrêmement faible. En traversant la route, une voiture me renversa. Cette fois-ci, je pouvais m'estimer heureuse : c'étaient les membres du groupe avec lequel j'avais fui le plateau du Vercors.

Sur le coup, je ne compris pas qui étaient ces personnes qui s'agitaient autour de moi. Pensant être retombée dans les mains de mes bourreaux, je tombai dans le coma.

J'eus tout juste le temps d'entendre cette voix qui, avant de perdre conscience, me dit : « *Mélanie, les amerloques ont débarqué en Provence* ».

Pendant que j'étais inconsciente, je fis un étrange songe. Lorsqu'il commença, j'étais en train de m'éveiller, à Salagnon. Je reconnus Michael, mon oncle maternel de qui j'étais proche.

— Je ne veux pas y retourner, lui confessai-je.

Il me sourit et s'approcha.

— Je te comprends, affirma-t-il.

Je n'avais plus rien à dire. Je ne ressentais plus rien.

Cela n'avait rien avoir avec mes précédents états d'esprit, non, j'étais réellement vide. Les horreurs que j'avais vécues m'avaient taillé une cicatrice qu'il m'était, et m'est toujours, impossible à refermer.

— Cependant, reprit-il, tu dois te lever.

Je restai de marbre, les yeux vitreux et le regard errant.

— Je ne peux pas, contestai-je. Je ne veux pas.

Il m'observait telle une mourante à qui on ne peut porter secours. Son comportement était semblable à celui que j'avais eu avec Lore, juste avant qu'elle ne meure.

Après un long moment, David entra. Je ne bougeai pas. Il vint s'asseoir à côté de moi et me prit la main.

— Pourquoi tu ne te lèves pas ? me questionna-t-il.

Je ne bronchai pas. Je ne pouvais pas parler. Je ne voulais pas parler.

— Mélanie, sanglotait-il, pourquoi tu ne parles pas ?

Il pleurait. Il passa ses petites mains sur mon visage et le tourna dans sa direction. Mes yeux suivirent.

Il était si beau. Mon petit frère. J'aurais dû mourir à sa place. Ce n'était pas lui, mais moi qui aurais dû recevoir ces balles fatales.

— S'il te plaît ! me suppliait-il de sa petite voix innocente. Dis quelque chose !

Je ne pouvais pas lui faire cela, pas à lui. Alors, je montai doucement ma main frêle jusqu'à son visage et lui caressai la joue.

Son petit corps tout chaud. Son teint doré. Sa peau si douce. C'était tel un souvenir auquel je redonnais vie.

— Fais quelque chose ! larmoya-t-il. Allez ! Mélanie !

Je ne sais comment ni pourquoi, mais je souris. Ce devait être mon instinct de grande sœur qui avait repris le dessus.

Tout à coup, un courant d'air chaud m'enveloppa. Me rendant compte de la chance d'avoir David à mes côtés, je le pris dans mes bras. Je pouvais sentir son odeur cannelle. Une odeur que j'avais d'ailleurs oubliée.

— *Vis*, me dit-il en yiddish.

Cette langue, elle aussi je l'avais oubliée. J'avais passé tellement de temps à me cacher que je l'avais comme effacée.

Soudain, je me défis de son étreinte et pris son visage entre mes mains.

— *Je suis ta grande sœur*, lui répondis-je, *et je le resterai*.

Il sourit et j'essuyai la larme qui perlait sur sa joue.

— *Pour toujours ?* m'interrogea-t-il.

Je lui souris en retour.

— *Pour toujours*, lui promis-je.

Ensuite, je l'embrassai et il descendit. Il se dirigea jusqu'à la porte et l'ouvrit. Avant de sortir, il se retourna.

— *À Dieu*, me salua-t-il.

Et, avant même que je puisse lui dire quoi que ce soit, il partit. Je regardai Michael.

— Je ne veux pas mourir, lui affirmai-je.

Il me sourit.

— Je sais, confirma-t-il.

Je tremblais. C'était comme si je n'avais plus le contrôle de mon corps.

Je ressentais tout : le chaud, le glacial, l'air qui soufflait le long de ma peau, le sang qui circulait dans mes veines...

— C'est, commençai-je, c'est comme s'ils m'avaient arraché une partie de mon âme avant de m'enterrer vivante et que toute la terre qui reposait sur moi m'écrasait.

Je fermai mes paupières et me concentrai afin de mettre un mot sur cette effervescence de sensations.

— Je sens encore leurs mains sur ma nuque, expliquai-je, tantôt m'étranglant, tantôt me maintenant la tête sous l'eau. Je les revois m'arracher les ongles et me découper des morceaux de peau à la plante de mes pieds. J'entends à nouveau les plaintes de ces filles qu'ils violaient tout en me demandant quand cela m'arriverait, mais ce n'était jamais mon tour. Je me souviens de

la difficulté à creuser ce trou, sans ongle, sans force, sans foi…
J'ai tout perdu.

Je marquai un silence, ravalai ma salive et soutins son regard.

— Ils ne m'ont posé aucune question, repris-je. Parce que ce qui les intéressait, c'était de me détruire. Pour eux, je n'étais qu'un jeu. Ils n'ont d'ailleurs jamais su que ma famille était de confession juive.

À nouveau, je marquai une pause.

— Je veux qu'il leur arrive la même chose, continuai-je. Je veux qu'ils payent. Je veux qu'ils soient humiliés. Je veux qu'ils meurent. Je ne veux pas finir étouffée par cette terre qui m'obstrue les bronches, non : tout ce que je demande, c'est de vivre.

Ayant réussi à comprendre ce que je souhaitais intimement mais aussi quelle était la raison de ma survie, je sentis un poids s'enlever de ma poitrine.

— Oui, répétai-je. Je veux *vivre.*

Et mon visage s'éclaira. Mon oncle me gratifia d'un regard fier. Puis, il disparut.

Alors, je me levai, pantelante, je m'aidai du mur et me dirigeai jusqu'à la fenêtre. Là, je l'ouvris.

— Je veux vivre ! criai-je.

Les oiseaux chantaient, le vent sifflait.

— Je veux vivre ! criai-je plus fort.

Je sentais les rayons du soleil darder mon visage.

— JE VEUX VIVRE ! hurlai-je au monde entier.

Soudain, tout redevint noir.

— Elle se stabilise, commenta une infirmière.

Je rouvris les yeux et compris que j'étais entourée d'amis. Des tubes sortaient de mon nez, mais tout restait flou.

L'esprit en paix, mes muscles se détendirent. Et je perdis à nouveau connaissance.

Je ne sais toujours pas pourquoi je me souviens si bien de ce rêve, mais ce fut très important pour moi. Tout au long de ma convalescence, je me raccrochai à lui.

Peut-être que ce n'en était pas un, mais je préfère me dire que si.

Sinon, qu'est-ce que cela pourrait-il être d'autre ?

Les mois qui passèrent furent un véritable défi. Rapidement, on m'informa des évènements qui avaient suivi ma capture.

Le vingt et un août, les soldats nazis avaient déserté Grenoble en toute hâte. Le lendemain, ce n'était pas eux mais les Américains qui grouillaient dans la ville.

Le bilan fut très lourd : huit cent quarante personnes furent fusillées, deux mille hommes furent tués au combat et mille cent cinquante furent déportés, dont à peine la moitié revinrent.

Je m'étais échappée de justesse puisque, dans la nuit, soucieux d'effacer toute preuve des atrocités qu'ils avaient commises, les nazis exécutèrent une cinquantaine de prisonniers au Polygone, le siège de la Gestapo. Ce n'était rien en comparaison du bain de sain qu'ils firent à l'hôpital de la grotte de la Luire, après avoir pris l'hôpital de Die.

Je ne pourrais pas détailler tout ce qui s'était passé mais je sais qu'à partir de ce vingt-trois juillet, les nazis capturèrent tous les maquisards qu'ils trouvaient dans les bois. Certains étaient directement exécutés, d'autres capturés et torturés.

À terme, même les habitants de Vassieux ne furent pas épargnés : femmes, hommes, enfants, vieillards... tous furent massacrés.

Et aussi, sur mon lieu de captivité, à peine camouflés, deux corps furent retrouvés : deux hommes, deux résistants, deux pères de famille...

Le vingt-cinq août dix-neuf cent quarante-quatre, Paris fut libérée. Et le cinq novembre, Charles de Gaulle tint un discours dans lequel il fit sept Compagnons de la Libération et décora Grenoble de la Croix de Guerre trente-neuf-quarante-cinq avec palme.

Le huit mai, l'armistice était signé et la France enfin libre. Nous étions libres.

J'étais libre !

Étonnamment, je ne fus pas surprise de ne pas apercevoir Marceau. Non parce qu'il était mort, mais parce qu'il n'a jamais existé.

Qui était-il ? Je mis du temps à le comprendre.

Épilogue

D'abord, il me fallut sortir de ma torpeur, apprendre à démêler songe et réalité avant de comprendre ce qu'il était : le fruit de mes rêves.

Étais-je devenue folle ? La réponse des médecins à cette question n'était ni simple ni complexe. Ils me disaient que non, mais qu'après mon séjour chez les nazis, rêves et souvenirs s'étaient entremêlés.

Car l'espoir, je l'avais perdu.

Finalement, c'était comme si, afin de survivre, je m'étais raccrochée aux seuls souvenirs heureux que j'avais, les confondant même avec ce qui était le pur produit de mon imagination. Ce fut ainsi que je revivais nuit après nuit les derniers jours passés avec mes camarades et, ce, en compagnie d'un second protagoniste.

Ce dernier répondait au nom de Marceau.

Aux yeux des médecins, il semblait qu'il n'était que le reflet de ma conscience et qu'il naquit lorsque je fus au plus bas. Pour me permettre de tenir le coup, mon esprit avait sélectionné certains moments de mon histoire et les enjoliva afin de me donner une version heureuse, dans laquelle il me restait une personne pour laquelle j'avais envie de me battre.

Une personne pour laquelle je *devais* me battre.

Je ne peux que le remercier car c'est grâce à lui que j'ai réussi à m'enfuir, non seulement des mains de mes tortionnaires mais aussi de mes angoisses et de mes tourments.

Cet espoir que j'avais perdu, j'avais fini par le transformer en quelque chose de plus fort. Désormais, je n'espérais plus vivre, non : je *voulais* vivre. Et ça, j'étais bien décidée à le faire.

C'est pourquoi j'ai choisi de, quelque part, romancer cette histoire avec tous ces « faux souvenirs ». Je voulais retracer un semblant de ce que je croyais avoir vécu et de ce que j'avais réellement vécu.

Je voudrais insister sur le fait que toutes les aventures contenant Marceau se sont bel et bien passées, qu'elles fussent modifiées par mon subconscient ou non. Ce n'étaient donc pas des billevesées.

Comment mon histoire s'est-elle déroulée ?

Si tout était réel, la seule invention était la présence de Marceau. Ce n'était donc pas lui qui commettait toutes ces actions, mais moi. Bien entendu, certaines d'entre elles avaient été commises par des personnes de mon entourage. Comme Jacques qui m'avait sauvée du lac gelé dans lequel j'étais tombée.

C'était aussi moi qui avais trouvé le maquis de résistants, avec l'aide de Julien. D'ailleurs, il était le seul et unique camarade avec lequel je me chamaillais. Il y avait eu du flirt entre nous, certes, mais rien de concret, rien de sentimental, seulement deux amis désireux de s'en sortir.

Je n'ai jamais réussi à savoir ce qu'il était devenu.

Lui et mes amis avaient-ils survécu à la guerre ? avaient-ils succombé à sa violence ?

Aujourd'hui encore, je demeure dans l'ignorance.

Pendant mes longues semaines de convalescence, je mis beaucoup de temps à séparer le vrai du faux.

Il me fut extrêmement difficile d'accepter que ce que j'avais imaginé était de l'ordre du fictif, de réorganiser tous mes souvenirs dans ma tête. Les médecins m'encourageaient à écrire tout ce dont je pensais me souvenir. Ils me fournirent un petit carnet et, grâce à lui, ma guérison mentale n'en fut que plus douce.

Durant les premiers mois, il n'y avait pas un matin où je ne me réveillais en criant. J'avais toujours un goût âcre dans la bouche et mes poignets étaient irrités là où j'avais été pendue par mes bourreaux. Toutefois, l'aide, les efforts et les espoirs que le personnel médical plaça en moi finirent par payer.

Après la guerre, je passai les premières années à rétablir la vérité sur les horreurs qui ont marqué la vie de celles et ceux qui l'avaient traversée.

J'ai finalement retrouvé ma tante Élise, la plus jeune des sœurs de mon père. C'était elle qui avait caché mes oncles maternels. À nous deux, nous formions les uniques survivantes de notre famille.

Quelques semaines après mon autorisation de sortie, accompagnée de quelques amis revenus me rejoindre, je rencontrai celui qui partagea le restant de ma vie. Il fut toujours là pour m'épauler, présent pour me soutenir et pour m'aider à guérir de cette profonde cicatrice. Lui non plus n'avait pas été épargné par la violence et les atrocités des nazis et, tous les deux, nous ressortîmes plus forts de cette épreuve.

La rancune et les années d'amertume passées, il est venu le temps de la reconstruction, de la paix. J'ai alors repris les études et suis devenue médecin. De plus, j'ai eu l'immense joie d'élever deux enfants : David et Hayia. Le premier fut nommé en raison de mon plus jeune frère et la seconde parce que son prénom signifie « vivante » en hébreu.

Dans ce livre, j'ai voulu commémorer le souvenir de tous ceux qui ne peuvent plus partager les-leur avec nous. Je l'ai écrit en mémoire de tous ceux qui n'ont pas pu faire le choix de vivre.

Imprimé en Allemagne
Achevé d'imprimer en mai 2022
Dépôt légal : mai 2022

Pour

Le Lys Bleu Éditions
40, rue du Louvre
75001 Paris